DE PRINS-GEMAAL

HARRY VAN WIJNEN

DE PRINS-GEMAAL

Vogelvrij en gekooid

Tweede druk

UITGEVERIJ BALANS

Dit boek is in de periode januari-september 1992 geschreven onder de begunstiging van een A. S. Spoor Fellowship van NRC Handelsblad.

Omslagontwerp: Chaim Mesika
Omslagillustratie: © 1992 ANP-Foto
Druk: Ten Brink Meppel b.v.
Verspreiding voor België: Uitgeverij Kritak, Leuven

ISBN 90 5018 179 1
NUGI 643/693

Inhoud

Inleiding

Dit boek heeft een wordingsgeschiedenis die voor een journalistiek werk ongewoon lang is en daardoor met wetenschap verward zou kunnen worden. De oorsprong ervan is verbonden met het in 1976, door de regering opgedragen Onderzoek naar de juistheid van verklaringen over betalingen door een Amerikaanse vliegtuigfabriek en het daaruit voortgekomen rapport van de Commissie van Drie, waarin het eindoordeel werd uitgesproken dat prins Bernhard zich aanvankelijk veel te lichtvaardig had begeven in transacties 'die de indruk moesten wekken dat hij gevoelig was voor gunsten', en zich vervolgens 'toegankelijk had getoond voor onoorbare verlangens en aanbiedingen'.

De gedwongen vervroegde uittreding van prins Bernhard uit de meeste van zijn openbare functies die daarvan het gevolg was, werd de aanleiding voor een reeks van gesprekken die ik, met het oog op de publikatie van een boek over zijn relatie tot de ministeriële verantwoordelijkheid dat ik in voorbereiding had, in het najaar van 1976 met de prins voerde. De prins toonde zich de tegemoetkomendheid zelve en getroostte zich alle denkbare moeite de voetangels en klemmen van de ministeriële verantwoordelijkheid, waarin hij in zijn veertigjarige constitutionele loopbaan terecht was gekomen, in zijn herinnering op te delven. Desondanks resulteerden mijn pogingen niet in publikatie, doordat het op dat moment beschikbare bronnenmateriaal niet toereikend was. Ofschoon prins Bernhard in die eerste gesprekken geen enkele terughoudendheid aan de dag legde, vond hij het voor openstelling van zijn archief, zo kort na zijn ontslag, nog te vroeg.

De mogelijkheden om de aard van de betrekkingen tussen prins Bernhard in zijn functie van inspecteur-generaal van de krijgsmacht en de opeenvolgende ministers van Oorlog en Defensie in die veertig jaren aan de hand van de officiële brieven te documenteren, waren daarmee praktisch uitgeput. In feite stagneerde mijn onderzoek daarna zo lang, dat het boek in mijn gedachten al op de stapel van de 'onuitgegeven meesterwerken' was terechtgekomen. Wat en wie die stagnatie ten slotte over het dode punt hebben geholpen – de tand des tijds, de deugd Patientia of mij goedgezinde voorsprekers –, is moeilijk te achterhalen, maar op een goede dag bleken de barrières van weleer er niet meer te zijn. Met de val van de Muur was ook in Den Haag het ijs gebroken: in 1989 kreeg ik de vereiste machtigingen om op het terrein van mijn onderwerp in de departementsarchieven onderzoek te doen naar de relaties tussen de regering en het koninklijk huis. Die machtigingen hielden ook ministeriële goedkeuring in op gesprekken met prins Claus en prins Bernhard. De laatste gaf mij onvoorwaardelijke toestemming om zijn particuliere archief te raadplegen, een gunst die het koninklijk huis nog niet eerder aan de geschiedschrijving had bewezen. Daardoor kon ik gedurende de maanden april, mei en juni 1992 onderzoek doen in de particuliere en officiële correspondentie van prins Bernhard op paleis Soestdijk – in totaal een collectie van circa twintigduizend brieven (van en aan de prins)[1]. Met erkentelijkheid maak ik er melding van dat de prins mij een onbeperkt gebruik van zijn papieren heeft toegestaan.

Het grote tijdsverloop tussen mijn eerste, op niets uitgelopen poging en mijn tweede nadat de archieven zich openden, verklaart de breuk in de jaartallen die ik in de Verantwoording, achter in het boek, heb vermeld. Mijn eerste gesprekken met prins Bernhard voltrokken zich nog onder de slagschaduw van de gebeurtenissen in de zomer van 1976. Van de houding van onaantastbaarheid, die de Commissie van Drie in dat jaar bij de prins signaleerde (rapport, blz. 37), was weinig te bespeuren; eerder een neiging tot zelfbeschuldiging, die werd geaccentueerd door de erkenning achteraf dat hij door de komeetachtige sprongen die zijn loopbaan in de tweede wereldoorlog in Londen had gemaakt, 'over het paard was getild'. Bij de hervatting van de gesprekken in 1990 waren de slagschaduwen van bijna vijftien jaar tevoren verdwenen, maar er was in zoverre iets in de filosofie van de prins veranderd dat bepaalde zinnebeelden uit zijn vroegere leven hun gewicht leken te hebben verloren: de symboliek van uniformen was ineens lang niet zo belangrijk meer als zij vroeger was geweest, maar ook sommige parafernalia van de macht waaraan hij vroeger betekenis had toegekend, telden nu veel minder, of helemaal niet meer. In het hoofdstuk over de reizen van de prins naar Zuid-Amerika in het begin van de jaren vijftig heb ik daarover meer bijzonderheden vermeld.

Het eerste gesprek dateert van 16 november 1976. Het werd in aanwezigheid van een notulist, de particulier secretaris van de prins E. Vernède gevoerd. Het volgende vond plaats buiten aanwezigheid van derden, evenals alle latere gesprekken in 1991 en 1992. In totaal hebben deze meer dan vijftien ochtenden op paleis Soestdijk in beslag genomen. De agenda was ongereglementeerd en varieerde van de effecten van de ontzetting uit het inspecteur-generaalschap van de krijgsmacht tot de geringe affiniteit van de prins met constitutionele vraagstukken. Prins Bernhard toonde zich daarbij een even geïnteresseerde als onvermoeibare gesprekspartner, die ook nog de sportiviteit had – en het niet beneden zijn waardigheid achtte – zich over zijn constitutionele kennis te laten examineren.

De aantekeningen van de gesprekken met prins Bernhard die ik in 1976 heb gemaakt, heb ik aan het later verzamelde bronnenmateriaal toegevoegd en dienovereenkomstig gedateerd. Aan het besprokene zijn, op enkele uitzonderingen van geringe betekenis na, slechts die bijzonderheden ontleend waarvoor ook steun kon worden gevonden in de gedocumenteerde bronnen. De geschiedenis van de ongedocumenteerde constitutionele conflicten die zich in de periode 1946-1976 tussen prins Bernhard en de ministers hebben voorgedaan, is, voor zover mogelijk, aan gene zijde van de bron geverifieerd. Ten overvloede voeg ik hieraan toe dat het boek geen verzameling van interviews is. Het bevat zelfs in het geheel geen weergave van de gevoerde gesprekken. De gesprekken, ook die welke ik met prins Claus heb gevoerd, dienden uitsluitend tot toetsing van feiten en gedachten. Het spreekt vanzelf dat de interpretatie van de constitutionele geschiedenis die ik in de volgende hoofdstukken geef, geheel voor mijn verantwoordelijkheid komt.

Over de, onder ministeriële verantwoordelijkheid verleende medewerking aan mijn archiefonderzoek ten slotte nog het volgende. Het behoeft geen betoog dat het de regering geruime tijd gekost heeft haar houding tegenover de jongste staatkundige geschiedenis te bepalen. Door de deur te openen voor historisch onderzoek op het inwendige domein van de ministeriële verantwoordelijkheid voor gedragingen van leden van het koninklijk huis, aanvaardde zij het risico van een nieuwe evaluatie en een kritische beoordeling van haar eigen handelen; niet alleen van dat handelen en van haar verantwoordelijkheid dienaangaande in de afgelopen veertig jaar, maar ook in de met het Lockheed-onderzoek verbonden episode.

Het spreekt vanzelf dat het jaren heeft geduurd voordat aan beide zijden van het strijdtoneel van 1976 de wonden die de gebeurtenissen uit dat jaar hadden geslagen geheeld waren en voordat de dramatis personae historische figuren waren geworden, die onbevangen tegen een ruimere achtergrond beoordeeld konden worden. Nadat eenmaal aan die voorwaarden was voldaan, is de regering – hier in de volle staatsrechtelijke betekenis van de beide samenstellende delen van de Kroon – kennelijk zelf ook in een nieuwe beoordeling van de recente geschiedenis geïnteresseerd geraakt. Nadere bijzonderheden over de aard van de verkregen medewerking heb ik in de Verantwoording vermeld.

Op het punt van de titulatuur, in het bijzonder wat de titel Prins der Nederlanden betreft, heb ik in dit boek niet de officiële terminologie, maar de praktijk gevolgd. In de praktijk is bij de troonswisseling in 1980 het lidwoord 'de', dat tot dat jaar een vast bestanddeel van die titel was geweest, buiten gebruik gesteld, omdat prins Claus uit deferentie tegenover zijn schoonvader van zijn préséance afzag. In dat jaar is dus een einde gekomen aan het gebruik dat de echtgenoot van de regerende koningin 'de' Prins der Nederlanden wordt genoemd. Beiden heten sindsdien 'Prins der Nederlanden' zonder meer.

De gronden voor de ongelijke kwantitatieve behandeling van de twee hoofdfiguren in dit boek zijn hierboven impliciet al gemotiveerd. Aan prins Bernhard heb ik veruit de grootste aandacht besteed, in de eerste plaats omdat hij de werking van de ministeriële verantwoordelijkheid het meest aan den lijve heeft gevoeld, in de tweede plaats omdat hij de functie van prins-gemaal tweemaal zo lang heeft bekleed als prins Claus en in de derde plaats omdat hij een omvangrijke officiële correspondentie heeft geproduceerd. Door mij daarin inzage te geven, heeft hij meegewerkt aan de openbaarmaking van een fase van zijn constitutionele leven, die tot nu toe grotendeels onbekend is gebleven. De beschikbaarstelling van dit historisch relevante materiaal rechtvaardigt mijns inziens ruimschoots de geprononceerde plaats die prins Bernhard in dit boek inneemt. De mogelijkheid om enigermate te voorzien in de lacune van prins Bernhards 'Londense' oorlogsjaren, is daarbij mede een overweging geweest.

Het ontbreken van enig, voor het onderwerp van dit boek relevant archiefstuk uit de persoonlijke papieren van prins Claus, vindt zijn oorzaak in wat ik houd voor de *défauts de ses qualités*. Doordat de prins de regel van de ministeriële verantwoordelijkheid nooit geweld heeft aangedaan, bestaat er tussen hem en de regering nauwelijks correspondentie van betekenis. In elk geval is hij nooit getroffen door ministeriële reprimandes. In zijn archief bevinden zich noch vermaningen noch dienstbevelen of andere schriftelijke blijken van ministeriële ontstemming. Er is, met andere woorden, geen bewijs voorhanden dat prins Claus in constitutionele zin iets verkeerds heeft gedaan. Het ongekreukte constitutioneel gedrag van de prins, dat op een substantiële regelkennis steunt, heb ik, mede aan de hand van een aantal gesprekken met hem, in een hoofdstuk nader geanalyseerd.

Over prins Hendrik ten slotte, de eerste prins-gemaal uit de Nederlandse staatkundige geschiedenis, kan ik op deze plaats kort zijn. De echtgenoot van koningin Wilhelmina vervulde geen constitutionele rol en zijn betrekkingen met de ministeriële verantwoordelijkheid waren, behoudens zijn rol in de zaak-Van 't Sant, zo vluchtig, dat hij dienovereenkomstig slechts en marge in dit boek figureert.

1. Plein pouvoir zonder parlement

Op de derde dinsdag in september 1971 zat prins Bernhard der gewoonte getrouw in zijn constitutionele rol van prins-gemaal, in de Ridderzaal naast de troon. Hij luisterde naar zijn vrouw, die de verenigde kamers der Staten-Generaal de vierentwintigste Troonrede sinds haar inhuldiging voorlas. De Prins der Nederlanden speelde op die jaarlijkse 'feestdag van de democratie' slechts een passieve bijzittersrol, een ornamenteel pantomimespel waaruit overeenkomstig protestantse traditie de dans en de muziek verwijderd waren.

Op dit verhoogde staatkundige toneel, dat het gemeen overleg van Koning en Staten-Generaal symboliseert, had hij nog nooit een woord meegesproken. Zo had de constitutie het gewild: de grondwettelijke functie die hij in de schaduw van de troon vervulde was een non-existente positie van toehoren en zwijgen, waarin zijn eigen mening er niet toe deed. Maar na die zoveelste Prinsjesdag verbrak de Prins der Nederlanden radicaal het zwijgen. In een vraaggesprek met NRC Handelsblad van 1 november 1971 maakte hij de lezers van die krant deelgenoot van zijn geestdrift voor 'een nieuw democratisch stelsel', waaronder 'de regering voor een jaar of twee plein pouvoir van de Kamer zou moeten vragen voor alles, behalve misschien voor de ratificatie van een buitenlands verdrag'. Met zo'n systeem van staatkundige volmachten zou de regeerbaarheid van het land het best gediend zijn. De regering zou in die omstandigheden pas 'echt kunnen werken en niet de helft van de tijd hoeven besteden aan het antwoorden op vragen van Kamerleden'. Op de vraag naar zijn belangstelling voor de Nederlandse binnenlandse politiek – de aanleiding van zijn uitspraak – had de prins geantwoord dat hij zich de voorgaande drieëndertig jaar (sinds zijn verloving in 1936) niet met de politiek had bemoeid, maar dat dit zijn 'enige commentaar op de binnenlandse politiek' was.

Zijn suggestie hield weliswaar geen bijzonder oorspronkelijke gedachte in en ze was eigenlijk niet meer dan een parafrase van de autocratische opvattingen over de naoorlogse 'vernieuwing' waarmee koningin Wilhelmina uit haar Londense ballingschap naar Nederland was teruggekeerd. Ze bracht echter het staatkundig bedrijf in rep en roer, om de eenvoudige reden dat ze afkomstig was van de prins-gemaal, die geacht werd zijn politieke meningen binnenskamers te houden.

Negen leden van de Tweede Kamer stelden dezelfde avond nog schriftelijke vragen, waarin ze de regering ertoe aanspoorden zich van de uitspraken van de prins te distantiëren.[1]

De minister-president, mr B.W. Biesheuvel, nam in overeenstemming met de ergernis die de uitspraken van de prins in de Tweede Kamer teweegbrachten, onmiddellijk maatregelen. In de wetenschap dat hem onder meer de schriftelijke vragen van de zeven fractievoorzitters uit de Tweede Kamer boven het hoofd hingen, liet hij zich de volgende ochtend naar paleis Soestdijk rijden om de prins de hoegrootheid van diens blunder onder ogen te brengen. Hij knoopte daaraan de boodschap vast dat hij gedwongen was van de uitspraken van de prins afstand te nemen. (Dat premier Biesheuvel persoonlijk niet onsympathiek stond tegenover het pleidooi voor een grotere vrijheid van de regering, wilde hij tegenover de prins achter de hand wel toegeven, maar dat nam niet weg dat hij belediging van het parlement door een lid van het koninklijk huis niet over zijn kant kon laten gaan.)

De prins werd in de schriftelijke antwoorden van de minister-president kort maar krachtig terechtgewezen. 'Ik betreur dat de Prins in het openbaar een opvatting naar voren heeft gebracht, die afwijkt van de grondslag van onze parlementaire democratie.'

In het Nederlandse parlement, dat van oudsher geen teergevoelig ponteneur heeft, worden aan kleine inbreuken op de constitutie zelden veel woorden vuil gemaakt. Heftige reacties zoals die van het Engelse Lagerhuis op koninklijke vergrijpen tegen de *Declaration of Rights* (die volgens de traditie altijd uitlopen op een publieke terugtocht van de koning[2], komen in het Nederlandse parlement niet voor. We moeten wel heel ver in de staatkundige geschiedenis van Nederland teruggaan om vergelijkbare voorbeelden van parlementaire bloedwraak te vinden.[3]

Na Biesheuvels *desaveu* had de Kamer geen behoefte meer aan een interpellatie. De regering had de overtreder op de vingers getikt en daarmee was, formeel, de kous voor de Kamer af.

Prins Bernhard had de straf gelaten over zich heen laten gaan, maar in de grond van de zaak had hij de ontstemming over zijn woorden nooit begrepen. Volgens zijn eigen interpretatie was de uitspraak een grap geweest die echter niet als zodanig was opgevat. Dat hij een politieke opvatting naar voren had gebracht die was gekwalificeerd als 'afwijkend' van de grondslag van de Nederlandse grondwet, wilde er bij de prins niet in. Zelf hield hij het liever op een 'wat afwijkend gevoel voor humor'[4].

De prins had niet begrepen dat zijn woorden een belediging van de rechten van het parlement inhielden die de regering van een staatsdienaar in zijn positie niet door de vingers kon zien. De ernst van de zaak was hem ontgaan doordat hij de constitutionele dialectiek niet beheerste. De diepere gevolgen zouden zich jaren later doen gelden: in het debat over het rapport van de Commissie van Drie, die in 1976 de betrekkingen tussen prins Bernhard en de Lockheed-zaak onderzocht, liet een deel van de linkerzijde van de Tweede Kamer zich in zijn instemming met de afzetting van prins Bernhard als inspecteur-generaal van de krijgsmacht mede leiden door het gebeurde in 1971. De wrok die de prins met zijn hardop beleden antiparlementaire gezindheid had gewekt en die door het schriftelijk antwoord van minister-president mr Biesheuvel niet bij iedereen was weggenomen, bleek vooral bij de sociaal-democraten kwaad bloed te hebben gezet.

Het misnoegen dat een groot aantal leden van de linkerzijde in 1976 in hun oordeel over het gedrag van de prins in de Lockheed-zaak liet meespreken, kwam op de keper beschouwd niet zozeer voort uit zedelijke verontwaardiging over het vermoeden van corruptie als wel uit een oude vereffeningsbehoefte na het gewraakte interview in NRC *Handelsblad*. Sommigen hadden het 'altijd wel geweten' (dat de prins nooit een echte democraat was geweest), maar ze hadden daarvoor de ogen gesloten dan wel hun inzicht onderdrukt, hetzij uit sympathie voor zijn persoon hetzij uit respect voor zijn positieve oorlogsverleden. Maar nu hij zelf met zijn ondemocratische gezindheid te voorschijn was gekomen, hadden ze hem maar wat graag met de valbijl tot de orde geroepen.

Het verwijt van een ondemocratische gezindheid verdient op deze plaats nadere uitwerking, omdat ze ook in het onderzoek van de Commissie van Drie impliciet een rol heeft gespeeld. Een van de leden van die commissie, dr M.W. Holtrop (oud-president van De Nederlandsche Bank), heeft daaraan zelfs een zwaarwegende betekenis toegekend, zoals hij na het onderzoek in 1976 heeft meegedeeld.[5]

Volgens die beoordeling – die relevant is omdat de commissie, alvorens over zijn gedrag te kunnen oordelen, zich eerst een beeld vormde van het staatkundige en financiële normbesef van prins Bernhard – had de prins nooit een evenwichtige kijk op de rechtsbetrekkingen in de staat en op de functies van de staatsorganen gehad. Zijn kijk werd, aldus dit lid van de commissie, beheerst door telkens terugkerende blijken van geringschatting van ministers. Hij vatte zijn mening dienaangaande aldus samen: 'Een volkomen onderontwikkelde kennis van de fundamenten van het staatsbestel en een aan minachting grenzende onderschatting van de staatsrechtelijke verantwoordelijkheid van de ministers met wie hij te maken had. Geen *Pruisische* minachting, maar wel het soort minachting voor ministers en voor de politiek dat men bij managers en directeuren van grote ondernemingen vaak tegenkomt.'[6]

Het zaad van die gezindheid was ongetwijfeld al in de jaren 1940-1944 gezaaid in het milieu van 'Chester Square', het kantoor van koningin Wilhelmina in Londen, waar prins Bernhard dagelijks met zijn schoonmoeder verkeerde. In dat milieu was het *bon ton* op ministers af te geven – ook op die 'dienaren van de Kroon' die in alle opzichten, en meer dan gemiddeld, voor hun taak berekend waren. Het was een gewoonte die, geïnspireerd door de autocratische opvattingen van de oude koningin, bij het ontbreken van tegenwicht bij velen – prins

Bernhard niet uitgezonderd – tot een onuitroeibare tweede natuur werd.

In zijn beoordeling van zijn constitutionele grenzen zou die tweede natuur een fatale rol in het publieke leven van de prins gaan spelen. Ze zou op zijn naoorlogse loopbaan zelfs een zodanige, beslissende invloed hebben dat het van belang is de aanvullende vorming die prins Bernhard in 1936 in Nederland heeft gehad (zijn 'introductie') aan een nader onderzoek te onderwerpen. Daarbij gaat het in het bijzonder om twee vragen: ten eerste, of hij in zijn introductieperiode naar behoren in de constitutionele regels is ingewijd en ten tweede, of de ministeriële verantwoordelijkheid op dit punt op enig moment is geëffectueerd.

II. Ein leichter Vogel

Op 26 november 1936 maakte de prins – nog niet getrouwd en niet grondwettelijk ingelijfd – voor het eerst kennis met het Nederlandse parlement. Voortvarend maakte hij van de gelegenheid gebruik om in één keer de werking van het hier functionerende tweekamerstelsel te bestuderen. Bestuderen is een wat groot uitgevallen woord, want hij volgde uit de gastenloge in de Tweede Kamer slechts een half uur de behandeling van enkele wetsontwerpen, ongeveer even lang als hij zich vervolgens aan de overzijde van het Binnenhof in de verrichtingen van de Eerste Kamer verdiepte, maar het was meer dan zijn mentoren hadden durven hopen.

Die hadden op zoveel geduld van de prins niet gerekend toen ze zijn maatschappelijke verkenningsprogramma met een bezoek aan het Binnenhof hadden uitgebreid. 'Ik stel mij voor, dat het een zeer goeden indruk zou maken als de Prins ook eens blijk gaf van eenige belangstelling in het openbaar staatkundig leven. Dit zou het best kunnen geschieden door eens een bezoek te brengen aan de Eerste en aan de Tweede Kamer, tijdens een vergadering,' had de vice-president van de Raad van State, mr Frans Beelaerts van Blokland, een week eerder van dat jaar in zijn fraaie handschrift aan de particulier secretaris van de prins, jhr mr C. Dedel, geschreven. Het bijwonen van de vergadering 'gedurende bijvoorbeeld een kwartier of twintig minuten' zou bijzonder worden gewaardeerd, had hij er zuinig aan toegevoegd.

Beelaerts kan moeilijk hebben gemeend dat de prins, wiens eerste belangstelling niet naar de politiek uitging, van dit bliksembezoek enig nut kon hebben, maar een scholing in de hoofdbeginselen en de grondslagen van het Nederlandse parlementaire bestel lag dan ook niet in zijn bedoeling. Het ging slechts om een vluchtige kennismaking, dus om de vorm – niet om de inhoud. Het werd niet nodig geacht dat de aanstaande echtgenoot van de vermoedelijke erfgenaam van de Kroon – die na zijn huwelijk in het Nederlandse staatsbestel een grondwettelijke positie zou krijgen – een fundamenteel inzicht in de werking van de Nederlandse staatsinstellingen zou krijgen en zich daartoe onder meer onder de kamerleden zou mengen. Een verblijf van een kwartier in de loge van de kamervoorzitter om uit die hoogte op het beestenspel neer te kijken werd voldoende geacht. 'De griffier der Kamer zou zich daar dan bij den Prins kunnen voegen en hem alle verlangde inlichtingen kunnen geven.' Beelaerts vergat te bedenken dat de prins uit zichzelf niet veel inlichtingen zou verlangen. Hij kwam immers uit een milieu waar hij noch affiniteit met, noch fundamentele kennis van parlementaire tradities en staatsrechtelijke technieken had opgedaan.

Een cursus in staatkunde en constitutioneel recht was een betere voorziening geweest dan 'het eenvoudig bijwonen van een vergadering', waarvoor, volgens Beelaerts, 'een ondershandse mededeeling aan den President meer dan voldoende ware', maar meer had de regering voor de prins niet in voorraad.

Wellicht meende de vice-president dat het met de constitutionele scholing van de prins allemaal wel in orde zou komen als deze eenmaal lid van de Raad van State zou zijn, en dat staatscollege – dat behalve een *hoog college van staat* ook een politiek kraaienest is, waar de leden alle nieuws het eerst horen – was ook zeker geschikt om hem spelenderwijs met de finesses van de constitutie vertrouwd te maken. Menigmaal bezocht prins Bernhard zittingen van de Raad van State, deelt dr L. de Jong in *Voorspel*, het eerste deel van *Het Koninkrijk der Nederlanden in de Tweede Wereldoorlog* geruststellend mee. De Jong laat in het midden of prins Bernhard daar ook iets opstak. Op grond van diens eigen mededelingen mogen we aannemen dat de prins 'niet geboeid raakte', doordat bepaalde eigenschappen van zijn leermeester de kennisoverdracht nogal bemoeilijkten. De oude Beelaerts bleek tegen die taak niet meer opgewassen te zijn, want hij viel na de opening van een vergadering van de Raad van State steevast in slaap om pas kort voor de sluiting, steeds op het juiste moment, weer wakker te worden. Prins Bernhard verontschuldigt zich er niet voor dat hij in de Raad van State niet door de hogere staatkunde gegrepen werd. 'Nadat ik dat enkele keren had meegemaakt, hield mijn belangstelling voor de Raad van State geen stand meer en ben ik er niet meer naar toe gegaan.'[1] Na de oorlog zou de belangstelling van prins Bernhard voor de Raad van State niet meer worden gewekt, ook niet in de periode waarin hij als regent voor de minderjarige kroonprinses was aangewezen.

Nog waren alle pedagogische mogelijkheden niet uitgeput. Op het paleis Noordeinde kreeg prinses Juliana een cursus in gespecialiseerde staatkunde, met het oog op haar toekomstige koningschap. Voor prins Bernhard was dat een ideale gelegenheid om thuis te raken in het Nederlandse stelsel van de openbare financiën – met vakken als internationale economie, monetaire politiek, begrotingstechniek, wisselkoersbeleid enzovoort. De prins woonde enkele lessen bij, maar hield het daarna, volgens zijn eigen woorden, voor gezien.[2]

De Amsterdamse hoogleraar in de Duitse taal en letterkunde dr J.H. Scholte, die zich bereid verklaarde prins Bernhard de Nederlandse taal bij te brengen en zich erop toelegde diens Duitse accent weg te werken, liet zich in het begin nog lofprijzend uit over de inspanningen van de prins, maar naarmate deze, door drukke werkzaamheden, vaker afzegde, nam zijn monterheid af. Hij troostte zich ermee de bereidheid van de prins om na een zoveelste afzegging zelfs bij hem thuis te komen, als 'een blijk van 's Prinsens welwillende gezindheid' jegens zijn persoon te zien, maar een andere leermeester van de prins, de bankier E. Heldring, zag daarin juist het bewijs van zijn lichtzinnigheid.[3]

'Prof. Scholte kwam mij vandaag verslag doen van zijn onderwijs in het Nederlands aan de Prins, waarin hij nu zoo wat drie jaar ervaring heeft. Zij komt op het volgende neer: hij is intelligent genoeg, maar na eenige tijd begint hem zoiets als oefeningen in de taal en de uitspraak te vervelen en dan laat hij het lopen. *Ein leichter Vogel*. Het gevolg is dat zijn accent nog slecht is en hij veel germanismen blijft gebruiken.'[4]

De christen-democratische minister-president dr H. Colijn, wiens derde kabinet sinds 1935 aan het bewind was, liet zich aan de inburgering en de constitutionele vorming van de aanstaande prins-gemaal intussen zelf niet veel gelegen liggen. Hij achtte dit minder de taak van de overheid dan van het particuliere bedrijfsleven, meer in het bijzonder van de ondernemingen en instellingen die straks om de gunsten van de prins zouden wedijveren. De overheid had naar zijn mening geen bijzondere taak meer nu het voortbestaan van het Huis van Oranje, dat sedert jaren aan een zijden draad had gehangen, met de komst van de energieke Bernhard niet langer in gevaar leek te zijn. Het met uitsterven bedreigde Huis van Oranje, dat sedert het overlijden van de prins-gemaal en de koninginmoeder in 1934 nog maar op de twee pijlers van een moeder en een dochter steunde, en naar menselijke berekening al met één been in het graf stond, kon zich met gerechtvaardigd godsvertrouwen weer op de toekomst richten. Wellicht was de opluchting over de belofte die de hand des Heren aan Oranje leek te hebben uitgereikt bij Colijn zo groot, dat hij een snel en discreet gerealiseerde grondwetsherziening al mooi genoeg vond. De grondwetgever had de prins een jaarlijks inkomen van tweehonderdduizend gulden uit de staatskas bezorgd en de wet had hem bij gelegenheid van de parlementaire goedkeuring van zijn huwelijk in het bezit gesteld van de Nederlandse nationaliteit en de titel Prins der Nederlanden.

Colijn had voor de financiering van die inkomensvoorziening de al hevig beproefde staatsbegroting niet eens behoeven te forceren. Hij dankte die meevaller aan een tegemoetkomendheid van koningin Wilhelmina, die zijn impopulaire bezuinigingskabinet een hart onder de riem had gestoken door een deel van haar grondwettelijk inkomen op te offeren. Colijn had door dat 'edelmoedige gebaar' het jaarlijks inkomen van haar schoonzoon in begrotings-technische zin via deze vestzakbroekzakconstructie als het ware in de schoot geworpen gekregen. Maar Colijn kon zich erop beroemen een inkomenspost voor de echtgenoot van de kroonprinses op de begroting te hebben gebracht. Hij had in ieder geval zoveel van de geschiedenis geleerd dat hij niet de fout maakte die zijn voorgangers tegenover prins Hendrik hadden begaan. Hendrik was het grootste deel van zijn leven in Nederland financieel afhankelijk geweest van zijn vrouw, doordat de regering, ondanks eerdere toezeggingen, er ten slotte voor had teruggedeinsd de prins een inkomen te geven. Dat was een politieke blunder van de eerste orde waarvoor zij later een hoge prijs zou moeten betalen. Een eigen inkomen zou de eerste prins-gemaal onafhankelijk hebben gemaakt van verkeerde vrienden en financiële manipulaties. Financiële onafhankelijkheid zou in zijn geval nooit een afdoende vrijwaring tegen de verleidingen der wereld zijn geweest, maar ze zou hem meer bescherming hebben geboden tegen doorlopende pecuniaire behoeftigheid.

Met prins Bernhard zou dat niet gebeuren. De prins, die het droeve lot van zijn twee jaar eerder gestorven schoonvader natuurlijk veel te goed kende, zou het zelf zo ver niet hebben laten komen, maar ook het kabinet had er alle belang bij dat Bernhard niet de weg van Hendrik zou gaan. Die jongen mocht wat geld kosten, had Colijn tegen vertrouwelingen gezegd. 'Als hij hier komt om het voortbestaan van het Oranjehuis te verzekeren, dan moet daar een inkomen uit de staatskas tegenover staan,' liet hij er met een ruim gebaar op volgen. [5]

In die historische, primordiale functie die van hem verwacht werd, lag de verklaring dat Colijn prins Bernhard de vrijheid liet zijn eigen maatschappelijke voorkeuren te volgen en hem niet in een constitutioneel korset insnoerde. Misschien liet hij hem ook wel begaan, omdat Colijn nog niet van de duurzaamheid van de nieuwe relatie overtuigd was. Hij was de mislukking van een eerdere verloving, die zijn kabinet al in veilige haven meende te hebben geloodst, nog niet vergeten. Het kabinet had getracht de Nederlands-Zweedse neutraliteitspolitiek meer gewicht te geven door de koninklijke families van Nederland en Zweden nauwer met elkaar te verbinden, maar op dat streven had geen zegen gerust doordat prinses Juliana, de gedachte verlovingspartij voor de Zweedse prins Karl, roet in het eten had gegooid. Ze saboteerde, tot ontsteltenis van de Londense gezant Van Swinderen de Marees, een discreet geregisseerd rendez-vous (waarmee koningin Wilhelmina en koning Gustaaf al hadden ingestemd) en maakte voor de neus van haar Londense gastheer eenvoudig rechtsomkeert. Einde verinniging Nederlands-Zweedse betrekkingen.[6]

Na twee jaar in Nederland te hebben gewoond had prins Bernhard vrijwel iedereen die iets betekende in het Nederlandse bedrijfsleven leren kennen, maar over staatkunde en constitutie had hij nog steeds niets geleerd. Het politieke bestel waarin hij nu functioneerde en de politieke geschiedenis waarin dat bestel was gevormd, waren hem nog even vreemd als op het moment van zijn verloving, toen hij zijn eerste Nederlandse zinnen moeizaam voor de microfoon van de Avro had uitgesproken. Ofschoon de positie van prins-gemaal nergens was omschreven, had ze een grondwettelijke basis (art. 29 van de Grondwet van 1938, in welke bepaling zijn jaarlijks inkomen was geregeld), maar premier Colijn zag daarin geen reden voor een speciale scholing van de Prins der Nederlanden. Er waren wel voorzieningen getroffen om de prins bij verscheidene ondernemingen een stagevorming te geven en hij vond het eerder een voordeel dan een nadeel dat de prins, mede gelet op de wens van koningin Wilhelmina, zich niet met politiek zou inlaten.

Kenmerkend voor de eenzijdige introductie die het kabinet-Colijn voor prins Bernhard had bedacht, was de samenstelling van het gezelschap mentoren dat de supervisie kreeg over zijn stagetijd bij het Nederlandse bedrijfsleven: L.J.A. Trip, mr D. Crena de Iongh en dr Ernst Heldring. Een thesaurier-generaal en twee presidenten van de Nederlandsche Handel-Maatschappij. Aan deze drie ondernemers werd ook de taak opgedragen de prins een secretaris te bezorgen. Er zijn weinig feiten die de verbinding van prins Bernhard met het bedrijfsleven zo treffend symboliseren als het alles regelende peetvaderschap van dit driemanschap, maar het toont eveneens aan hoe weinig de regering zich gelegen liet liggen aan de opleiding van de toekomstige prins-gemaal.

De prins werd vertrouwd gemaakt met de doelstellingen en de netwerken van de Nederlandse handel en industrie, maar hij kreeg geen onderricht in wat, gezien zijn constitutionele positie, ten minste het belangrijkste bijvak had moeten zijn: de netwerken van het staatkundig bestel. Ook Heldring, die een scrupuleuze uitwerking aan zijn pedagogische opdracht gaf, beschouwde, hoewel hij zelf jurist was, een constitutionele bijscholing niet als een noodzaak. Hij maakte zich meer zorgen over de neiging van de prins – die hij verder 'zeer intelligent' vond – zich met verkeerde vrienden in te laten: Duitse snobs, Amerikaanse en Engelse nouveaux riches en Oostenrijkse adellijke klaplopers.[7]

De mentoren uit Amsterdam – die tot de patricische handelskringen behoorden waarin Oranje-sympathieën nooit buitengewoon groot waren geweest – beviel het maar matig dat het prinselijk paar zich te lang ophield in het mondaine wintersportoord Mittersill. 'Van enige instructie in waardigheid, die bij de Prinses niet overbodig is, komt niets in,' noteerde Heldring lichtelijk geïrriteerd. 'Te vrezen is ook dat hetzelfde gezelschap later habitué op Soestdijk wordt.'[8]

De begeleiders van prins Bernhard gingen niet over één nacht ijs. Ze keurden en wogen elke stagemogelijkheid die de prins zelf had geopperd of die door derden was gesuggereerd, voordat ze er een beslissing over namen. Ze waren het erover eens dat hij niet bij alle bedrijven die hem wilden accapareren te werk gesteld kon worden, maar ook dat niet alle bedrijven geschikt voor hem waren. Zo werd zijn positie niet verenigbaar geacht met een voorzitterschap of commissariaat bij ondernemingen. Een vast dienstverband met de Nederlandsche Handel-Maatschappij werd evenmin wenselijk gevonden. Een voorstel om de prins als 'beschermheer' te stationeren bij Hoogovens, werd afgestemd (omdat Hoogovens juist in expansie was en op protectie rekende, wat hevige strijd zou doen ontbranden). Hetzelfde lot onderging een voorstel om de prins te betrekken bij de organisatie van de bewapeningsindustrie. Hij mocht ook niet exclusief in de handen van het Amsterdamse bedrijfsleven vallen, uit billijkheid jegens Rotterdam en de provincie. Een tot niets verplichtend beschermheerschap bij de Koninklijke Nederlandsche Heidemaatschappij kon er net mee door. Uiteindelijk lieten de heren hun keuze vallen op een stage bij de 'Handelmaatschappij'. Maar eerst hadden ze hun pupil 'teruggefloten' van zijn betrekking bij de Hollandse Koopmansbank, omdat de Duitser G. Fritze, een oude I.G. Farben-relatie van de prins, daarvan de directeur was. Het werd de 'Handelmaatschappij' omdat deze voor een dergelijke studietijd goed geoutilleerd was. Ook jeugdige diplomaten liepen, voor hun toelating tot de Buitenlandse Dienst, bij de NHM stage.

In het licht van zijn latere dienstverband met de krijgsmacht is de ironie in de aanbeveling waarop de heren zich ten slotte wisten te verenigen onweerstaanbaar: hun voorkeur ging ernaar uit dat de prins een rol zou gaan spelen in het Koloniaal Instituut, de voorloper van het Koninklijk Instituut voor de Tropen te Amsterdam, en zich dus in dezelfde richting zou bekwamen als zijn schoonzoon prins Claus zou doen.

De zeventiende-eeuwse Staten van Holland, die zich na de dood van de stadhouder Willem II, voor een vergelijkbaar opvoedingsprobleem gesteld zagen, pakten dat in hun staatkundige wijsheid heel wat grondiger aan. Ter ondersteuning van de argumentatie dat de regering in 1936 voorzieningen had moeten treffen om prins Bernhard bij zijn introductie in de Nederlandsche Handel-Maatschappij c.a. ook een staatkundige opvoeding te geven, is het van belang op deze plaats over dat historische precedent nader uit te weiden. In de eerste plaats om eraan te herinneren dat een 'staatsopvoeding' voor een prins van Oranje, die door 'vijandige machten' (i.e. het Engelse hof) was opgevoed, niet vreemd is aan de Nederlandse staatkundige geschiedenis. In de tweede plaats om nog eens onder de algemene aandacht te brengen dat het belangrijkste gewest van de Republiek der Verenigde Nederlanden zich op het standpunt stelde dat de, door Engelsen opgevoede, toekomstige stadhouder van Holland en Zeeland bij de voorbereiding op zijn latere staatkundige ambten (waarin hij op dat moment nog niet was benoemd) in de vaderlandse constitutionele regels moest worden ingewijd. De Staten van Holland wilden de jongeman, nadat ze hem tot *Kind van Staat* hadden aangenomen, in de woorden van Jan Wagenaar, 'gans andere grondregels van Regeeringe inboezemen dan hij, tot hiertoe, uit zulken, die meest met hem verkeerden, hadt konnen leeren'. Intussen werd hij 'niet tot eenig krijgsampt bevorderd, gelijk de meeste gewesten begeerd hadden, sonder eerst de Engelsche grondregels, welke hem ingedrukt waren, geheellijk te sijn ontleerd'[9].

De prins moest zelfs zijn intrek op het Binnenhof nemen –

'in het huysch ende onder het ooch van Haer Edel Groot Mogenden' – niet in de eerste plaats omdat de Staten de achterdocht koesterden dat de Engelse koning anders nog zijn machtige arm over de jongen zou kunnen uitstrekken, maar vooral omdat ze zich ten doel hadden gesteld zijn staatkundige opvattingen in overeenstemming te brengen met de hoofdbeginselen van het staatkundig beleid van Holland.

Een training in het Nederlandse constitutionele recht had zelfs bij een prins-gemaal met een minimale staatkundige belangstelling niet bij voorbaat kansloos hoeven zijn, aangezien prins Bernhard in Berlijn rechten had gestudeerd. Weliswaar had hij daar, volgens eigen zeggen, met toewijding de frivole student uitgehangen en de rechtenstudie meer gekozen uit een oogpunt van algemene vorming, maar hij was in elk geval in het bezit van geldige papieren. Hij bezat de oorkonde van de Duitse *Referendar Juris* (een papier dat in officiële, door het Nederlandse ministerie van Buitenlandse Zaken uitgegeven levensbeschrijvingen van prins Bernhard in de jaren vijftig nog ten onrechte hoger dan het Nederlandse doctoraal examen werd gesteld) en zo iemand had zonder al te veel moeite de grondbeginselen van het Nederlandse constitutionele bestel kunnen worden bijgebracht.

Het was misschien wat veel gevergd om de jonge prins Lippe, die nog betrekkingen met het nazi-dom had, bij zijn komst in Nederland onmiddellijk een denazificatiebehandeling te geven. Maar men had van Colijn wel mogen verlangen dat hij de aanstaande Prins der Nederlanden van de noodzaak van elementaire kennis van het Nederlandse staatsrecht zou hebben doordrongen. Dat was in meer dan één opzicht geboden. Niet alleen was het aantal lieden met NSB-denkbeelden in het Haagse establishment met wie de prins in contact kwam, vrij groot, ook de top van de Nederlandse krijgsmacht was vergeven van rechtse sympathieën. En met de officieren van de Nederlandse landmacht zou prins Bernhard de komende jaren op intensieve voet komen te verkeren. Den Haag was ten dele besmettingshaard en ten dele een ideëel-gesteriliseerde bureaucratie. Wolfgang zu Putlitz, die op de Duitse ambassade aan de Lange Vijverberg de laatste der Mohikanen van het goede Duitsland in Den Haag was, deed wanhopig vergeefse pogingen zijn relaties in Nederlandse regeringskringen van het Germaanse gevaar te doordringen. Maar aan 'autoriteiten' die zich veilig waanden achter de kamerschermen van hun neutraliteitspolitiek, waren zijn waarschuwingen, zoals hij bitter aan zijn memoires toevertrouwde, niet besteed.[10]

Dat gold trouwens ook voor waarschuwingen van binnenuit. Den Haag was, schreef koningin Wilhelmina na haar troonsafstand in haar gedenkschriften, een slaapstad waar aan de vooravond van Hitlers overval van Polen (september 1939) velen nog rustig sliepen op het oorkussen van de neutraliteit. In haar ogen was dat 'een valse gerustheid' geweest, 'die ook menige drager van bijzondere verantwoordelijkheid in de greep had'[11].

Ze had ongetwijfeld het oog op Colijn en De Geer, de antirevolutionaire en christelijk-historische voormannen, die ze niet lang voor de oorlog erop had 'moeten attenderen dat Hitler ook een boek geschreven had en dat het niet van belang ontbloot was daar eens kennis van te nemen'[12].

Toch had het koningin Wilhelmina niet verontrust dat haar zesentwintigjarige aanstaande schoonzoon, die met de ziektekiemen van een gevaarlijke politieke leer Nederland was binnengekomen, 'de politiek' in een van hun eerste gesprekken al had afgeschreven. Er bestaan verschillende lezingen van die gedachtenwisseling. Volgens zijn eigen verklaring had prins Bernhard bij die gelegenheid gezegd: 'Laat mij daar maar buiten.' Volgens een andere versie had Wilhelmina haar schoonzoon na de verloving te verstaan gegeven dat hij zich buiten de politiek moest houden. De prins herinnert zich positief dat zij hem had toegevoegd: 'Politiek is voor mijn dochter,' en erop had laten volgen dat zij hem nooit officiële correspondentie en 'stukken' zou tonen. Of die instructie de goedkeuring van Colijn had en dus op regeringsbeleid steunde, is de prins nooit bekend geweest. 'Colijn bemoeide zich er niet mee.' De prins is stellig in zijn herinnering dat hij met Colijn nooit een gesprek over zijn positie heeft gevoerd.[13]

Prins Bernhards hart ging meer uit naar de luchtvaart en hij had een uitgesproken belangstelling voor handelsbetrekkingen en het zakenleven, maar zijn gebrek aan belangstelling voor

politiek steunde óók op het gevaarlijke misverstand dat een lid
van het koninklijk huis zich niet voor de staatkunde behoorde
te interesseren. Het was een hardnekkig misverstand dat prins
Bernhard altijd met de plicht tot bovenpartijdigheid zou blijven
verwarren.

Colijn verdient echter als eerst-verantwoordelijke bewindsman het historische verwijt dat hij het staatkundige bedrijfsri-
sico dat de prins zur Lippe-Biesterfeld bij al zijn kwaliteiten
meebracht, volledig heeft onderschat. Toch was Colijn anglo-
fiel genoeg om de betekenis van een staatsrechtelijke scholing
voor een prins-gemaal in te kunnen zien. Als gevolg van een
jarenlang verblijf in Engeland was hij vertrouwd geraakt met
het Britse staatsleven en met de eisen die de Britten aan de
constitutionele opleiding van de troonopvolgers stelden. Het
verzuim uit de Nederlandse leerjaren van de prins had enkele
jaren later in Engeland trouwens nog kunnen worden hersteld.
Prins Bernhard zou er voor de rest van zijn leven groot profijt
van hebben getrokken als hij naast zijn militaire opleiding in
Engeland tegelijkertijd enige constitutionele vorming in de
Angelsaksische traditie zou hebben gekregen. Hij zou dan
meer achting voor de democratische staatsinstellingen hebben
gekregen en zijn koudwatervrees voor de politiek eerder hebben overwonnen. Prins Bernhard hoefde zich als echtgenoot
van de Nederlandse kroonprinses weliswaar niet op zo'n verheven taak voor te bereiden als de Engelse kroonprinsen, maar
hij had zijn voordeel kunnen doen met hun intellectuele motto:
'Hoe meer een toekomstige monarch van de staatkunde weet,
hoe beter hij zijn rol boven de partijen kan spelen.' Om boven
de partijen te kunnen staan, moest iemand in zijn rol even veel
van het staatkundige bedrijf weten als de andere hoofdrol-
spelers.

Koning George VI, met wie prins Bernhard in de oorlogsjaren zeer bevriend zou raken[14], had hem tot voorbeeld kunnen
strekken. Die had, in zijn jonge jaren als prins Albert, in
Cambridge een intensieve studie van de geschiedenis van de
Britse grondwet gemaakt. De solide en serieuze Dicey (*Law of
the Constitution*) en de briljante, even ironische als satirische
Bagehot (*The English Constitution*) waren afwisselend zijn leer-
meesters en intellectuele 'helden' geweest.[15]

De enige ironie die met het intellectuele leven van prins Bernhard is verbonden, is zijn lidmaatschap van de Britse *Hansard Society for Parliamentary Government,* een studieus gezelschap lieden dat de bevordering van de parlementaire studie en de ontwikkeling van de parlementaire democratie, over heel de wereld, een warm hart toedraagt. Dat gezelschap maakte prins Bernhard op 20 oktober 1954 zelfs *Honorary Member,* een eer die tot dan slechts de Speaker van het Lagerhuis en sir Winston Churchill beschoren was geweest.[16]

Colijn was het ook als geen ander aan zijn intellectuele verleden verplicht geweest om de inburgering van prins Bernhard in staatkundige richting te leiden. Het zwaartepunt van Colijns lange ministeriële loopbaan mocht vooral bij de staatsfinanciën hebben gelegen, in zijn vroegere periode had hij zich juist een groot politiek schrijver en opvoeder getoond. Zijn pedagogisch credo was door en door antirevolutionair, in de stijl van Abraham Kuyper: staatsburgers worden niet geboren, maar gemaakt. Later was daar het devies bijgekomen: geen verantwoordelijk staatsburgerschap zonder grondige scholing. Zijn politieke handboek voor een antirevolutionaire staatkunde was een eminent scholingsgeschrift, dat in de jaren tussen de beide wereldoorlogen een tweede bijbel voor het staatkundig bewuste, gereformeerde volksdeel was. In het licht van die scholingsdrang was de nalatigheid die Colijn in 1936 tegenover de jonge Prins der Nederlanden beging onbegrijpelijk.[17]

Prins Bernhard lijkt van zijn gebrek aan kennis van de Nederlandse constitutionele zeden en gewoonte in de praktijk maar weinig hinder te hebben gehad. En zo hij er al last van had, wist hij zich doorgaans wel uit een verlegenheid te redden of de omstandigheden naar zijn hand te zetten. Die eigenschap ontwikkelde zich tijdens de tweede wereldoorlog zo voorspoedig dat hij, in de vijfjarige afwezigheid van parlementaire controle, praktisch onvatbaar werd voor ministerieel toezicht. Gedurende zijn Londense jaren in Stratton House (waar ook de Nederlandse regering in ballingschap verbleef) vormde hij een immuniteit tegen constitutionele sancties die minder verband hield met de 'zilveren lepel' waarmee hij geboren was dan met de bijzondere oorlogsomstandigheden, die op een wel zeer singuliere wijze op zijn hand waren. Want voordat hij in Nederland goed en wel op eigen benen stond, stelden die omstandigheden hem in staat aan zijn constitutionele rol te ontstijgen en in militaire sferen een hoogte te bereiken die hem vrijwel buiten het bereik van de ministeriële verantwoordelijkheid bracht.

Hij was in feite te groot geworden voor de bescheiden, ornamentele rol die hem vóór 1940 was toegedacht. En dat betekende vooral: te groot voor de kleine correcties waarmee een enkele minister-president in de volgende dertig jaar de Prins der Nederlanden in zeldzame gevallen durfde *lastig vallen*.

De voorzienbare constitutionele problemen die uit die Londense immuniteit zouden voortvloeien, wierpen al hun schaduwen vooruit, maar er was geen minister die daarop lette. Na de oorlog werden de consequenties van het gemis aan een constitutioneel vangnet al spoedig duidelijk De ministers bedekten vooral in de eerste jaren na de oorlog alle verwikkelingen naar vermogen met de mantel der liefde.

III. *Metamorfose in Londen*

De Parlementaire Enquêtecommissie die enkele jaren na de oorlog de opdracht kreeg 'een door de oorlog veroorzaakte lacune in de parlementaire controle op het regeringsbeleid op te vullen'[1], heeft in 1947 op grond van een behoudende uitleg van de grondwet een onherstelbare dwaling begaan: ze weigerde koningin Wilhelmina en prins Bernhard als getuigen te horen, ofschoon beiden zich daarvoor hadden aangeboden.

De Enquêtecommissie had in elk geval het aanbod van de prins met beide handen moeten aanvaarden, omdat zij dan gewaarschuwd zou zijn voor zijn toenemende constitutionele anarchisme. De sleutel van dat anarchisme, dat vele kabinetten voor problemen zou stellen, lag in de Londense oorlogsjaren 1940-1944. Prins Bernhard promoveerde daar in korte tijd van kapitein tot luitenant-generaal van de landmacht. Op 3 september 1944 werd hij door de geallieerde opperbevelhebber Eisenhower benoemd tot bevelhebber van de Nederlandse strijdkrachten in Engeland en in het bevrijde zuiden van Nederland. In deze periode bewoog hij zich even vrij onder de groten der aarde als onder de manschappen van zijn Binnenlandse Strijdkrachten (BS) en ontwikkelde hij een allergie voor constitutionele discipline die nooit meer helemaal over zou gaan.

De Enquêtecommissie zou om nog een aantal andere redenen er goed aan hebben gedaan hem te horen. De eerste was dat de prins in Londen de belangrijkste vertrouwensman van koningin Wilhelmina was geweest, die in haar oordeel over de toestand in het bezette Nederland meer afging op de inzichten van haar schoonzoon dan op die van de ministers. De tweede was dat zijn militair bevel over de Nederlandse strijdkrachten veel langer had geduurd dan bij zijn benoeming was voorzien.

Door die misrekening, veroorzaakt door het geallieerde fiasco in de Slag om Arnhem, opereerde prins Bernhard acht maanden lang in feite buiten effectief ministerieel toezicht. De derde reden was dat in 1947 nog steeds het meningsverschil woedde tussen prins Bernhard en de Britse opperbevelhebber Montgomery over de leiding van de laatste in de Slag om Arnhem, aangewakkerd door de beschuldiging vanuit Nederland dat de Engelse veldmaarschalk de inlichtingen van de Nederlandse verzetsbeweging over de Duitse troepensterkte niet serieus had genomen en daardoor de levens van soldaten en ondergrondse werkers op het spel had gezet. Prins Bernhard nam in die controverse een positie in die serieuzer aandacht van de Enquêtecommissie c.q. de Tweede Kamer had verdiend.

De belangrijkste reden was dat het bevrijde Nederland in 1945 een andere prins Bernhard zag terugkeren dan het bezette Nederland in 1940 had zien vertrekken. De jonge prins-gemaal, die bij zijn vertrek naar Engeland nog geen markante positie in de Nederlandse samenleving innam, had vijf jaar later naam gemaakt als militair organisator en als symbool van het Nederlandse verzet. Hij was een oorlogsheld geworden die in korte tijd erkenning had gevonden als de belangrijkste wegbereider van de bevrijding van Nederland. De KVP-senator magister S. Stokman OFM, een vooraanstaande figuur in het verzet der katholieken, schreef op 15 december 1945: 'Wij vereren prins Bernhard als een onzer aanvoerders in de strijd tegen de vijand.'[2]

Behalve als operationeel militair was de prins in de oorlogsjaren actief geweest als boodschapper tussen president Roosevelt in het Witte Huis en de Nederlandse regering in ballingschap. In 1942 gebruikte die laatste hem als go-between voor besprekingen in Washington over de voorwaarden van de Lend-Lease-overeenkomst en in 1944 vaardigde ze hem naar de Amerikaanse hoofdstad af om het verdrag over het Militair Gezag te ondertekenen. Oplettende waarnemers zagen dat hij die sprongen in zijn carrière niet allemaal even goed had verwerkt. Later vatte hij die stormachtige Londense periode zelf als volgt samen: 'Ik ben toen over het paard getild.'[3] Voor de regering en de Tweede Kamer had dat een reden moeten zijn om de dijkbewaking te versterken.

De verslagen die de Enquêtecommissie uit de Tweede Kamer van het 'Londense' regeringsbeleid in de oorlogsjaren 1940-1945 in acht indrukwekkende boekdelen heeft gepubliceerd, geven een samenvatting van de uitvoerigste verantwoording achteraf waaraan een regering ooit door een parlement is onderworpen.[4] Ze vormen de boeiendste en levendigste literatuur uit de geschiedenis van het Nederlandse parlement.[5] De Enquêtecommissie hoorde alle 'Londense' ministers, ambtenaren, Engelandvaarders en geheime agenten, maar niet prins Bernhard. De laatste was bereid voor de commissie te verschijnen om te vertellen wat hij in Engeland aan de oorlogsinspanning, en na september 1944 aan de voorbereiding van de bevrijding van Nederland, had bijgedragen. De Enquêtecommissie weigerde zijn aanbod echter met de motivering dat de Grondwet dit dwingend voorschreef, onder de toevoeging dat 'de constitutionele verhoudingen in ons land niet gedogen, dat getuigenverklaringen van een lid van het koninklijk huis onderwerp van openbare discussie zouden kunnen worden'[6].

De onhoudbaarheid van dat standpunt wordt al aangetoond in de onthullingen van de historicus dr L. de Jong, die in de Londense papieren van de Nederlandse regering talrijke voorbeelden van persoonlijk bewind van koningin Wilhelmina heeft gevonden.[7] Juist omdat de vorstin zichzelf de plaatsvervangster van de volksvertegenwoordiging achtte en deze vacante rol tegenover de ministers overnam, had de Enquêtecommissie die constitutionele dubbelrol in haar onderzoek moeten betrekken. Nederland had daarop zeker niet hoeven wachten totdat dr L. de Jong zijn negende deel had voltooid van *Het Koninkrijk der Nederlanden in de Tweede Wereldoorlog*, waarin de hand van koningin Wilhelmina in het Londense regeringsbeleid is ontbloot (1979).

Openheid over de rol van de koningin – waarop ze in dit geval, gezien de bijzondere omstandigheden, zelf had aangedrongen – is beter verdedigbaar dan de instandhouding van onbegrijpelijke taboes. De ministers blijven daarvoor te allen tijde verantwoordelijk, ook voor getuigenverklaringen die de koningin voor de Enquêtecommissie zou hebben afgelegd. Ministers kunnen daarover immers door het parlement worden bevraagd zonder dat de regel van de onschendbaarheid, die de onbespreekbaarheid van het koninklijk aandeel in het regeringsbeleid vooronderstelt, daarbij te kort wordt gedaan.

De Enquêtecommissie voerde voor haar weigering de traditionele interpretatie van artikel 55 van de grondwet aan, volgens welke bepaling (in de tegenwoordige grondwet artikel 42, tweede lid) de Koning onschendbaar is en de ministers verantwoordelijk zijn. Het Staatshoofd kon 'nimmer betrokken worden bij de beoordeling van het regeringsbeleid, aangezien het de ministers, en alléén de ministers zijn, die voor dit beleid verantwoording hebben af te leggen', aldus de Enquêtecommissie in stram proza.[8]

De Enquêtecommissie erkende wel dat de constitutionele verhoudingen in Londen verre van normaal waren geweest. Door het ontbreken van een wettig gekozen volksvertegenwoordiging kwam het overleg tussen kabinet en Staten-Generaal te vervallen en kreeg het overleg tussen de ministers en het Staatshoofd, aldus de commissie, een gewijzigde betekenis. In feite werd hierbij het zwaartepunt verschoven in de richting van het Staatshoofd, maar de Enquêtecommissie vond daarin geen reden de rol van de koningin te onderzoeken. Dat zouden latere geschiedschrijvers beter kunnen doen, voegde ze er laconiek aan toe.

Door met de weigering van de Enquêtecommissie akkoord te gaan, benam de Kamer zichzelf het zicht op de opzienbarende ontwikkeling die de loopbaan van prins Bernhard in Londen had doorgemaakt: van een intellectueel onbetekenende, ongeprofileerde verloofde van de kroonprinses was hij daar een militair met leiderscapaciteiten geworden, een bombardementsvlieger die boven vijandelijk gebied zijn vuurdoop had ondergaan, maar bovenal een prins-gemaal die te groot was geworden voor zijn onbetekenende rol in de schaduw van zijn vrouw.

Prins Bernhard had bovendien in zijn Londense jaren een grote internationale relatiekring opgebouwd. Hoeveel belasting dat voor de ministeriële verantwoordelijkheid zou kunnen opleveren, werd door de Enquêtecommissie niet onderzocht. Er was in Londen geen minister geweest die de opgang van de prins als RAF-piloot van nabij had gevolgd of altijd even nauwkeurig op de hoogte was geweest van zijn bezoeken aan president Roosevelt, bij wie hij zo'n goede entree had dat hem gevraagd werd op het Witte Huis te logeren.[9] Dat gold ook voor prins Bernhards goede betrekkingen met de rechterhand van de president, Harry Hopkins, en met een reeks van andere Amerikanen die later allemaal hoge regeringsposten zouden bereiken.

Na zijn eerste besprekingen in de zomer van 1942 met president Roosevelt over de werkingssfeer van de Lend-Lease Act (die kennelijk nog zo nieuw was dat prins Bernhard haar in zijn eerste verslag betitelde als *Lease-Lend* Act) rapporteerde de prins aan premier Gerbrandy welke plannen de Verenigde Staten voor het naoorlogse herstel van de door de oorlogshandelingen getroffen scheepvaart van de geallieerde landen hadden:

De President wil trachten alle handelsschepen in één *pool* samen te brengen; uit deze pool kan ieder land het noodige aantal schepen charteren. De charterprijs zal vastgesteld moeten worden overeenkomstig een redelijke standaard voor vredesomstandigheden, zowel wat de productiekosten betreft als de loonen der bemanning enzovoort.

Deze plannen zullen ten eerste de tijd voor de bouw van nieuwe schepen overbruggen, totdat iedere natie weer een voldoende aantal schepen in eigen bezit heeft; ten tweede zal het onnoodige werkloosheid onder de zeelieden voorkomen en ten derde zal het voorkomen dat de groote Amerikaansche tonnage na den oorlog door Amerikaansche reeders ten eigen bate uitgebuit wordt.

Zoowel de President als de heer Hopkins en de Minister van Financiën, de heer Morgenthau, drukten den wensch uit, dat Nederland zoo spoedig mogelijk onder de Lend-Lease Act (schepen) zal aankoopen.[10]

Het was proza dat aan duidelijkheid nog wel iets te wensen overliet, maar dat had de Enquêtecommissie (die van deze Amerikaanse reizen op de hoogte was, maar als consequentie van haar 'onschendbaarheidsopvatting' zelfs elke passage in de getuigenissen van de ministers over de rol van de koningin of de prins uit de stenogrammen van hun verhoren liet schrappen), niet ervan mogen weerhouden de ministers over deze 'ambassadeursrol' van prins Bernhard uit te horen.

Hoe hoog de prins bij het Pentagon stond aangeschreven, bleek al toen hij het Bevelhebberschap over de Nederlandse strijdkrachten nog uitoefende. De tweede wereldoorlog was in Europa nog maar enkele maanden afgelopen of de Amerikanen kenden hem al de eerste hoge onderscheiding toe voor militair leiderschap en voor diensten aan de geallieerde zaak bewezen. Generaal Eisenhower vereerde hem met een Bronzen Ster voor zijn inspanningen om een ondergrondse strijdmacht in Nederland te organiseren en omdat hij 'in hoge mate verantwoordelijk was voor de daadwerkelijke uitvoering van plannen van actie voor deze strijdkrachten'[11].

Die Amerikaanse decoratie werd een half jaar later gevolgd door een Engelse. Op voordracht van veldmaarschalk Montgomery, verleende koning George VI van Groot-Brittannië Prins Bernhard op 19 februari 1946 het Grootkruis in de orde van het Britse rijk, als erkenning van 'zijn grote verdiensten als bevelhebber der Nederlandse strijdkrachten gedurende de operaties in Noordwest-Europa'.

De Tweede Kamer had alleen al op grond van die twee eerbewijzen toekomstige problemen voor de regering kunnen zien aankomen: de prins had in Nederland nog geen enkele omschreven positie, terwijl hij internationaal al op een voetstuk stond.

Een Enquêtecommissie die prins Bernhard als getuige had gehoord, zou een beeld hebben gekregen van de comfortabele vrijheid van zijn Londense leven, waarin de kiemen verborgen liggen van wat de Commissie van Drie (1976) in haar rapport aan de regering noemde 'zijn gevoel voor onaantastbaarheid'.

In Londen was de vrijheid van prins Bernhard op geen enkel moment aan banden gelegd. Voor constitutioneel advies (en disciplinerende raad) was hij hoofdzakelijk aangewezen op zijn schoonmoeder, en verder op zijn eigen rudimentaire gevareninstinct. Ministers die er de wind onder hielden kruisten nooit zijn pad. Er was geen enkele druk van buiten. De regering hoefde zich niet het hoofd te breken over parlementaire controle, nu het parlement niet meer bestond. Bovendien genoot

prins Bernhard als 'bewaker' en vertrouweling van zijn
schoonmoeder zoveel koninklijke bescherming dat hij in de
ogen van de zich tegenover de koningin toch al schuchter
gedragende ministers min of meer boven de wet stond. Het
hoeft geen betoog dat die lankmoedigheid en die verzwakte
ministeriële controle hem in de jaren na de oorlog praktisch
onvatbaar maakten voor constitutionele tucht – zo de regering
die al had willen opleggen.

IV. Omwenteling

Kort voor en na de bevrijding zijn verscheidene plannen uitgebroed om prins Bernhard het middelpunt te maken van politieke omwentelingen die de verwijdering van het zittende kabinet, dan wel een grote schoonmaak van de grondwet op het oog hadden. Weliswaar haalde geen van die pogingen het bij een goede operetterevolutie, maar ze waren niettemin uitgedacht door romantische reactionairen in de buurt van de prins, die niets minder wilden dan zijn verheffing tot stadhouder of hem zelfs het koningschap toedachten.

Dat was nóg een reden voor de Parlementaire Enquêtecommissie geweest om prins Bernhard tot de verhoren toe te laten. Hoewel die omwentelingsplannen geen verband hielden met het regeringsbeleid in de oorlogsjaren (maar ze strikt genomen ook niet buiten de opdracht van het onderzoek vielen), waren er voldoende aanwijzingen over een politiek komplot in de omgeving van de prins om het wapen van de parlementaire enquête daartegen in stelling te brengen.

Het buitensporigste plan kwam uit de koker van de Binnenlandse Strijdkrachten (BS), die sinds begin september 1944 onder het bevel van prins Bernhard stonden. Enkele maanden na de bevrijding kreeg de prins op zijn hoofdkwartier te Apeldoorn bezoek van de regionale commandanten van de BS, die hem 'namens 200000 man' het voorstel deden zich aan het hoofd te stellen van een vernieuwingsbeweging die na een opruiming vooraf (want het kabinet-Drees/Schermerhorn moest daarvoor eerst aan de kant worden gezet) de wederopbouw van Nederland vastberaden ter hand zou nemen. Ze beloofden verder meer efficiency dan het parlementaire stelsel had gekend.

Volgens de Amerikaanse biograaf Alden Hatch, die de gebeurtenis in de woorden van de prins navertelde, zei de woordvoerder van de commandanten:

De manier waarop de zaken zich thans ontwikkelen bevalt
ons absoluut niet. In plaats van een nieuw en sterk bewind
te krijgen dat ons land weer tot bloei kan brengen en de
fouten van vroeger niet zal herhalen, lijkt het er nu al sprekend op dat we teruggaan naar de vruchteloze ruzies over
onbelangrijke zaken en naar het oude gebrek aan besluitvaardigheid.
   Allen die hier met mij te zamen zijn kennen u en vertrouwen u. Uw aspiraties zijn de onze en wij zijn van mening,
dat u de bekwaamheid en de integriteit bezit om ze te
verwezenlijken. Daar komt nog bij, dat wij gezien hebben
hoe u door het volk met ovaties bent ontvangen. U bent op
dit ogenblik de populairste man van ons gehele volk.
   Zoals wij hier staan beschikken wij over meer dan 200 000
man die ons zullen volgen waarheen wij ook voorgaan. Als
u ons daartoe toestemming verleent, zullen wij ons tot de
koningin wenden en tegen haar zeggen: 'Wij geven u en
prins Bernhard de macht om ons land langs nieuwe wegen
op te bouwen tot een land waarin onze idealen kunnen
worden verwezenlijkt.'[1]

Er bestaat een tweede versie van het verhaal die niet geheel
overeenstemt met de lezing van Hatch, ofschoon die ook van
prins Bernhard zelf afkomstig is. Die variant verscheen al in
1955, dus zeven jaar eerder, in een boek, geheten *Mijn vriend
de Prins*, van Tom Delmer, de internationale reporter van het
Britse dagblad *Daily Express*, die met prins Bernhard vóór de
oorlog al bevriend was in Berlijn, waar hij het correspondentschap vervulde voor de toen nog invloedrijke *Express*. 'Bernhard zou zich aan het hoofd moeten stellen van een delegatie
die 200 000 man van de Binnenlandse Strijdkrachten vertegenwoordigde. In die hoedanigheid en met die achterban zou
hij koningin Wilhelmina moeten vragen, het kabinet van de
socialistische professor Schermerhorn te ontslaan en te vervangen door ministers die bereid waren jegens de Indonesische
rebellen op Java en Sumatra een straffere koers te volgen.'

De vernieuwing die de beweging voorstond, vertoonde evenveel overeenkomst met het gedachtengoed van koningin Wilhelmina, die in Londen al haar sympathie voor een strakker gestructureerd politiek bestel had laten blijken, als met dat van prins Bernhard, die gecharmeerd was van een minder tijdrovende en vooral 'besluitvaardige' democratie. Maar de BS-commandanten, die hem zojuist het hof hadden gemaakt, kregen tot hun grote verbazing van de prins te horen dat hij van hun plannen niets wilde weten. Volgens Hatch gaf hij in een nogal hoogdravende volzin daarvoor de volgende principiële motivering: 'Nederland is geen Balkanland en de Oranjes zijn geen oosterse despoten. Wij zijn een van de oudste democratieën ter wereld. Wij kiezen onze regeringen volgens de voorschriften van onze grondwet. Zoudt u een einde willen maken aan deze grote traditie om ons land te onderwerpen aan de onzekerheden van een dictatuur? Als dit uw bedoeling is, zal ik er niet aan meewerken. Kom, vergeet het hele idee. Ik doe in geen geval mee!'

Volgens Delmer had de prins een nog onverbiddelijker toon aangeslagen: 'Ik verbied dit plan van A tot Z. U mag een dergelijk plan nooit meer ter sprake brengen, bij mij niet en onder elkaar niet. Ik verbied u zelfs erover te denken. Dat is een officieel bevel van mij als uw bevelhebber.'

Bij Delmer beende de prins zonder er nog iets aan toe te voegen zijn kamer uit, bij Hatch bleef hij in zijn kamer en hield hij de gemoederen in bedwang door zijn verhaal op het juiste moment te besluiten met een beproefde uitsmijter: 'En nu: "Leve de Koningin! Leve ons vaderland!"' een uitroep, die met gejuich werd beantwoord. Ze vertrokken, aldus Alden Hatch, 'volkomen ontnuchterd'[2].

De journalist dr Marc van Blankenstein, die in de oorlogsjaren redacteur van het Londense *Vrij Nederland* was, schilderde in zijn verklaringen voor de Enquêtecommissie de conspiratieve sfeer waarvan prins Bernhard in het bevrijde zuiden in 1944 het middelpunt was. Hier waren het niet de commandanten van het 'leger in overalls en op klompen' die een staatsgreep beraamden, maar officieren van de staf van de Bevelhebber van de Nederlandse Strijdkrachten (BNS) met een te groot whiskyrantsoen die probeerden de prins het hoofd op hol te brengen. 'De prins is in het zuiden in een omgeving vol intriges terechtgekomen. Hij kreeg toen Van Houten[3] in de omgeving, die later naar Indië ging en er zelfs van droomde dat de prins koning van Nederland zou worden en niet prins-gemaal.'

De voorzitter van de commissie, mr L.A. Donker, leek die mededeling niet au sérieux te nemen en maakte er zich in elk geval nogal laconiek van af. 'Nu zijn er in die tijd op het staatsrechtelijk gebied wel meer wonderlijke theorieën verkondigd.'

Van Blankenstein hield hem voor dat in een deel van de Nederlandse regering in Londen aan sommige 'theorieën' in elk geval een heilige betekenis werd toegekend. Koningin Wilhelmina geloofde elk woord dat de Engelandvaarders (de Nederlanders die uit bezet gebied met succes de oversteek naar de regering in Londen hadden gemaakt) haar vertelden onvoorwaardelijk. En die Engelandvaarders schetsten allemaal in min of meer dezelfde termen de stemming in het bezette Nederland: 'Ze willen dat parlement niet meer en de partijen vooral willen ze niet meer. Ze willen u alleen terughebben enzovoort.'[4]

Ook dr L. de Jong heeft in zijn Geschiedenis van *Het Koninkrijk* vermeld dat in de staf van prins Bernhard gedachten leefden over een benoeming van de prins na de oorlog tot stadhouder, maar heeft er slechts in een voetnoot terloopse aandacht aan besteed.[5] Hij betitelt die aspiraties als 'loos gepraat', voortgekomen uit een 'tekort aan democratisch besef bij enkele van de naaste medewerkers van de prins', maar ook hij bagatelliseert de ernst van de zaak zonder verder feitenonderzoek.

De oud-cavalerieofficier J.J.G. (Jan) Beelaerts van Blokland is een van de weinige leden van de staf van prins Bernhard die de verheffingsplannen die over het hoofd van prins Bernhard worden gesmeed, wel serieus nemen. Hij ergert zich aan 'deze dictatoriale neigingen' en gelooft ook niet dat het Van Houten cum suis alleen maar om een positieverbetering van prins Bernhard te doen is. Zij zien ook wel degelijk voor zichzelf kansen 'in een militair bewind onder leiding van prins Bernhard, die als een soort stadhouder zou moeten optreden'[6].

De wonderlijkste voorvechter voor een verheffing van de

prins tot een hogere waardigheid is het hoofd van de sectie VII van de staf BNS, de kapitein mr dr I.G(erry) van Maasdijk, die tegenover de pers optreedt als de voorlichter van de prins. Hij overbiedt het stadhouderschap waarvoor zijn collega's warmliepen en probeert de prins voor zijn idee te winnen. 'Ik moest koning worden in het vernieuwde naoorlogse Nederland', aldus prins Bernhard.[7] 'Het spreekt vanzelf dat er een voor-wat-hoort-watmotief achter zat. Als ik zou worden bevorderd, zo redeneerde hij, dan zou ik mij tegenover hem verplicht voelen.'

De reactionaire revolutionair Van Maasdijk blijkt een langere adem dan Van Houten en de zijnen te hebben, want wanneer koningin Wilhelmina in 1948 haar abdicatie aankondigt, be-ijvert hij zich nog steeds voor het koningschap van prins Bernhard. De voorstanders van het herstel van het stadhouder-schap hebben dan al jaren niets meer van zich laten horen. Van Maasdijk zit dicht bij het vuur: in die periode is hij zowel 'public relations officer' van prinses Juliana en prins Bernhard als 'lid van de hofcommissie ter voorbereiding van de inhul-diging' (zoals hij in het beknopte bericht van zijn levensloop opgeeft, dat een aantal jaren later wordt gepubliceerd).[8] Maar zijn koningspartij slaat niet aan en verdwijnt geruisloos in het niets.

Hoewel prins Bernhard zijn oren niet naar Van Maasdijk laat hangen, loopt hij toch zo veel met deze voormalige diplo-matieke correspondent (de functie met het meeste prestige in de vooroorlogse journalistiek) weg, dat hij hem met discretionaire hand enige betrekkingen bezorgt. De eerste is het hoofdredac-teurschap van de *Pen Gun*, het onafhankelijke weekblad voor de Nederlandse strijdkrachten, dat 'het kind' van prins Bern-hard is, die de krant in juni 1945 heeft opgericht. Die positie is een kostbare pleister op de wond, want Van Maasdijk, die van 1933 tot 1940 diplomatiek correspondent van *De Telegraaf* in Berlijn geweest, kan in 1945 niet meer bij zijn oude krant terecht, omdat zij bij de naoorlogse perszuivering wegens col-laboratie met een langdurig verschijningsverbod wordt bestraft (in eerste aanleg voor dertig jaar, maar in 1949 opgeheven).[9] De prins haalt de banden met Van Maasdijk nog sterker aan. Hij haalt hem in 1946 (wanneer de *Pen Gun* ter ziele gaat) aan het hof, eerst als p.r.-adviseur, vervolgens als algemeen secretaris van het koninklijk huis. Na de troonswisseling, die de secretaris niet de gewenste ommekeer bezorgt, worden de betrekkingen tussen prins Bernhard en Van Maasdijk allengs minder innig. In 1950 wordt de laatste ontheven van zijn secretarisfunctie en wordt hij benoemd tot kamerheer in buitengewone dienst. In 1956 verdwijnt Van Maasdijk met de 'Hofmans-partij', die op last van de regering van het hof verwijderd wordt, voorgoed uit Soestdijk, maar dan is zijn relatie met prins Bernhard al zeer lang onherstelbaar gebrouilleerd. De pleitbezorger voor het koningschap van de prins was tien jaar later een Fouché geworden die zijn beschermheer geheel in koningsmoordenaarsstijl aan de galg probeerde te brengen en de koningin vertelde dat zij door haar man financieel was benadeeld.[10]

Uit al deze staatkundige en huiselijke intriges komt prins Bernhard niet te voorschijn als een groot mensenkenner en evenmin als een leider die wist hoe hij zijn terrein van politieke smetten schoon moest houden. Maar op de momenten dat het erop aankwam, bleek hij sterker in zijn schoenen te staan dan alle politieke vleiers in zijn omgeving bij elkaar. Zijn zwakke democratische scholing in aanmerking genomen, is het niet minder dan verbazingwekkend dat hij tegenover alle politieke tinnegieterij uit die dagen steeds het goede standpunt innam. Om een geruchtmakend woord van de socialist mr J.A.W. Burger, de tweede minister van Binnenlandse Zaken in het eerste kabinet-Gerbrandy, te parafraseren: in termen van 'goed' en 'fout' was prins Bernhard ook in de staatkundige overgangsperiode die aan het herstel van de parlementaire democratie voorafging en waarin tal van lieden in zijn buurt hun hoofd kwijtraakten, onvoorwaardelijk 'goed'.

In de onmiddellijke naoorlogse omgeving van prins Bernhard keerden de 'fouten' na de oorlog niet terug. Hoewel hij de contacten met zijn reactionaire vrienden niet opgaf, koos hij tot eerste naoorlogse particulier secretaris, mr J. Thomassen, die lid was van de PvdA, de 'vernieuwde' sociaal-democratische partij waarvan zijn broer, W. Thomassen, de secretaris was. En zijn opvolger, dr F.A. de Graaff, was dezelfde politieke richting toegedaan. In die keuze van secretarissen werkte nog de invloed na van zijn vooroorlogse vriendschap met de sociaal-democraat dr J. Eijkman, de directeur van de AMVJ, met wie hij in de nadagen van de Crisis had samengewerkt aan werkgelegenheidsplannen voor kansloze jongeren. Joop Eijkman, die hem ook in contact bracht met de SDAP-politici Koos Vorrink, H.D. Wiardi Beckman en Evert Vermeer, was de enige verlichte geest van wie hij later verklaarde invloed te hebben ondergaan. Diens progressieve scholing bracht prins Bernhard geen blijvende politieke belangstelling bij, maar blijkbaar genoeg inzicht om niet in de val te trappen die zijn 'vrienden' van de BS en de staf BNS voor hem hadden gezet.

v. Londen (11)

De plannen voor een orangistische restauratie met prins Bernhard in de hoofdrol maakten geen enkele kans in het Nederland van de bevrijdingsdagen. In zoverre had de voorzitter van de Enquêtecommissie, mr L.A. Donker, de ongevoeligheid van de Nederlander voor een padvinderputsch goed getaxeerd. Des te meer aanhang vond het 'vernieuwingsdenken', dat zijn oorsprong had in de Londense ballingschap en onmiskenbare invloed zou hebben op de staatkundige opvattingen van de prins. Zijn eigen schoonmoeder – 'de enige man in de Nederlandse regering' – was de auctor intellectualis van dat 'vernieuwingsdenken', die haar idealen op dit punt had uitgewerkt tot een programmatische leidraad voor de 'vernieuwing' van heel Nederland na de bevrijding. Onder 'heel Nederland' verstond zij de onverdeelde, aan onderlinge partijtwist ontgroeide, solidaire samenleving, die zij het ene moment zag als het 'ene grote gezin' en het andere als 'een heldenvolk', dat onder de Duitse bezetting als één man had gestaan voor de verdediging van zijn edelmoedigste nationale gevoelens.[1]

Hoewel prins Bernhard vóór de oorlog gezworen had dat hij zich nooit met de binnenlandse politiek bezig zou houden, verkeerde hij in die Londense jaren in een milieu dat van het begin tot het eind door de politieke aspiraties van de 'vernieuwing' werd beheerst. 'Vernieuwing' was een vlag die allerlei ladingen dekte, variërend van een linkse 'doorbraak' tot een rechtse stroomlijning van de parlementaire democratie, maar in het milieu van de prins gaven toch hoofdzakelijk de rechtse stemmen de toon aan. In de eerste plaats de stem van koningin Wilhelmina, maar ook die van enkele bewindslieden met wie prins Bernhard op zeer goede voet stond, zoals minister-president Gerbrandy en de minister van Binnenlandse Zaken, Algemene Zaken en Defensie a.i., Van Boeyen. Deze twee werden vooral in het eerste jaar van de Londense ballingschap door de staatkundige hervormingsdrift van de vorstin aangestoken. Het gold ook, tegen het einde van de oorlog, voor de officieren die de prins als bevelhebber van de Nederlandse strijdkrachten in zijn staf koos. Onder die militairen zaten de overijverige pleitbezorgers voor een parlementsloze regering in de lange periode waarin het ontwrichte, vijf jaar lang geknevelde staatkundige leven op de overgang naar normale constitutionele verhoudingen moest worden voorbereid.

Dit Londense milieu was de bakermat van de verwrongen staatkundige denkbeelden die prins Bernhard op gezette tijden na de oorlog met de ministeriële verantwoordelijkheid in aanvaring zouden brengen. Zijn *gaffe* in het geruchtmakende – niet door de regering gedekte – interview in 1971 met NRC *Handelsblad*, waarin hij het 'voorstel' deed het parlement twee jaar naar huis te sturen om de regering meer vrijheid te geven, is daar het bekendste voorbeeld van – de zwakke nagalm van dat intellectuele klimaat in het Londen van de staatkundige 'vernieuwing'.

Onder het motto van versterking van de naoorlogse democratie werden in Londen 'dynamische' ideeën gepropageerd over een kleiner aantal politieke partijen, een 'volwassen en volgzamer' parlement en over een groter aandeel van de 'bésten' in de vertegenwoordigende staatkundige organen. Het gemeenschappelijk element in al die 'vernieuwingsplannen' was de neiging naar een terugkeer tot de absolute monarchie – met koningin Wilhelmina aan het roer van het schip van staat, op de brug gesecondeerd door prins Bernhard.

'Vernieuwing' was niet alleen een richtinggevend trefwoord in het vocabulaire van koningin Wilhelmina, het was ook een principiële loyaliteitsverklaring. Wie vóór 'vernieuwing' was, was vóór de koningin. En wie vóór de koningin was, was vóór 'vernieuwing'. In het zicht van de bevrijding ecarteerde zij iedereen in haar omgeving die in haar ogen niet voldoende 'vernieuwd' was: ministers die zich niet van hun conservatisme hadden ontdaan, evengoed als hoffunctionarissen die niet met hun tijd waren meegegaan. Zelfs de trouwe, onpeilbare Londense majordomus Van 't Sant, die zij vijf jaar lang tegen alle samenzweringen en aanvallen van de bureaucratie en de illegaliteit had beschermd, mocht niet mee naar het bevrijde Nederland, omdat hij niet 'vernieuwd' was.[2]

Wat Wilhelmina onder die schematische renovatie van het staatsbestel verstond, was rijkelijk vaag, maar één ding was dat niet: zij beschouwde een spoedige terugkeer van de vroegere politieke partijen als uitgesloten en in elk geval als hoogst onwenselijk en zij was zo gepreoccupeerd met die gedachte dat zij in elk teken van nationale eendracht dat haar in Londen bereikte de aanwijzing las dat de oude partijschappen hadden opgehouden te bestaan.[3]

In de 'Londense' delen van zijn geschiedenis van 'Het Koninkrijk' heeft de historicus dr L. de Jong enerzijds aangetoond dat koningin Wilhelmina tijdens haar regering in ballingschap on-Nederlandse, antiparlementaire visioenen had over de naoorlogse staatkundige hervorming, maar haar anderzijds in bescherming genomen tegen de verdenking van dictatoriale ambities. Dat wil geenszins zeggen dat zij geen autocratische trekken had; die had zij zeker. Wilhelmina zag ministers naar negentiende-eeuwse constitutionele opvattingen (en naar twintigste-eeuws calvinistisch staatsrecht) als haar 'rechterhanden', niet als bewindslieden met een eigen verantwoordelijkheid. Haar neiging tot alleenheerschappij – die de Parlementaire Enquêtecommissie dus niet onder ogen wilde zien – moest uiteindelijk wel de eenheid van de Kroon verlammen, omdat de ministers ten slotte van hun kant de samenwerking begonnen te saboteren. Had zij zich vóór mei 1940 steeds uiteindelijk moeten schikken in het oordeel van de aan het parlement verantwoordelijke ministers, in Londen kon zij – bij het ontbreken van parlementaire controle – die ministers dwingen uit andere vaatjes te tappen. Weigerde zij haar handtekening, dan was geen macht ter wereld in staat haar te dwingen die handtekening te zetten.[4] Met name wat de naoorlogse periode betrof, kende zij het Londense kabinet geen enkel gezag toe: de naoorlogse 'vernieuwing' van Nederland was háár zaak en zij was ervan overtuigd, die 'vernieuwing' voorbereidend, geheel te handelen in de geest van het Nederlandse volk.[5]

De meeste ministers met wie koningin Wilhelmina in Londen moest samenwerken, vond ze moreel en intellectueel beneden de maat. Dat oordeel was zeker mede bepaald door haar eigenzinnige, niet voor overleg geschapen natuur, maar haar geringschatting steunde in de eerste plaats op de wankelmoedigheid van de minister-president jhr De Geer, wiens vluchtgedrag ten enenmale buiten haar begrip viel. Dat zij met zo'n treurige *appeaser* in Engeland moest aankomen, had het aanzien van haar regering ook niet werkelijk gediend. Het was daarom vooral de schuld van De Geer, die niet opgewassen bleek tegen de taak die hem was toegevallen, dat al in de eerste maand van de ballingschap het kabinet de greep op de gebeurtenissen kwijtraakte en Wilhelmina in Londen het roer in handen kreeg.

De Jong heeft aan die verklaring nog een psychologisch gezichtspunt toegevoegd. Koningin Wilhelmina moest in haar contacten met de ministers, volgens hem, niet alleen veel afreageren, omdat zij ten diepste verontwaardigd was dat de heren (met wie ze bedoelde: de confessionele ministers) in de voorgaande jaren horende doof en ziende blind waren geweest voor het opkomende oorlogsgevaar, maar ze had ook 'de neiging vooral oudere mannen snel te minachten. [...] Van mannen vergde zij dat zij onder alle omstandigheden flink, weerbaar en met wat men 'mannelijke moed' placht te noemen, zouden optreden – ministers moesten bovendien bij uitstek gedreven worden door grote concepties en realistische toekomstvisies. Die concepties en visies had zij vooral in de jaren twintig en dertig in haar kabinetten bitter gemist en die miste ze ook in het kabinet-De Geer. Defaitisten verachtte zij en al op die grond konden talrijke leden van dat kabinet sinds de zomer van 1940 geen goed meer doen in haar ogen'[6].

Van alle defaitisten met wie het naar Londen uitgeweken kabinet zo rijk bedeeld was, was De Geer ongetwijfeld de ergste.[7] De Engelandvaarder mr J.A.W. Burger, die in 1942 minister werd in het kabinet-Gerbrandy, had begrip voor de minachting die Wilhelmina sinds zijn échec voor alle defaitisten koesterde. Welk armzalig figuur had Nederland niet met die als minister-president vermomde derdewegger geslagen. 'Een regeringsleider in ballingschap, die in die tijd van de *blitz*, in die tijd van *"the finest hour"* van het alleenstaande Engeland, naar Hitler wou voor een compromisoplossing. En die dat uitgerekend Churchill eens wou gaan vertellen. En een kabinet [...] dat meende tegen elke prijs de ramp van het uiteenspatten te moeten voorkomen. Het bezwoer daarom de koningin De Geer te handhaven – een koningin die nog nimmer in haar leven zo op zichzelf aangewezen was. Het gevolg van die situatie was dat zij haar minachting voor deze heren nimmer te boven is gekomen.'[8]

De socialist Burger behoorde tot de weinigen in de Nederlandse regeringsgemeenschap in Londen die verschoond bleven van de koninklijke banbliksems of ertegen bestand waren, zoals ook de journalist en romancier A. den Doolaard, de legendarische 'stem' van Radio Oranje, wiens radiopraatjes in het bezette Nederland een even grote populariteit hadden als die van J.B. Priestley in Engeland. Den Doolaard was een van de weinigen in het Londense circuit die het niet verkorven hadden bij de koningin en haar ook met een onbeschroomde directheid tegemoet traden. 'De meeste mannen ondergingen de verpletterende indruk van Wilhelmina. Vrijwel niemand was tegen haar overweldigende indruk bestand. De ministers (Van Heuven Goedhart en Burger uitgezonderd) sidderden voor haar.'[9] De koningin zelf vroeg hem daar eens een verklaring voor, waarop Den Doolaard, die een kritische bewondering voor haar had, antwoordde: 'Omdat u de meeste mannen verplettert, majesteit.' Dat antwoord lokte de niet van ironie ontblote wedervraag uit: 'Voelt u zich dan niet verpletterd?' De schrijver repliceerde met: 'U verplettert mij niet, majesteit, want ik ben van Friesen huize en heb van mijn oude Friese oom geleerd: de mens buigt de knie alleen voor God.'[10]

Konden we prins Bernhard vóór mei 1940, gelet op zijn gebrekkige voorbereiding op zijn positie in de nabijheid van de troon, moeilijk euvel duiden dat zijn kennis van het constitutionele koningschap niet verder reikte dan de scheurkalenderwijsheid dat zijn schoonmoeder 'het in Nederland voor het zeggen had'[11], in Londen kon hij van dichtbij zien dat het ook werkelijk zo wás. Hier maakte hij kennis met een afwijkende praktijk waarin de ministers de zeggenschap van zijn schoonmoeder nog probeerden uit te breiden. Zo was Gerbrandy[12] de eerste die in de ministerraad een poging deed de discussie

over de positie van de koningin in meer absolutistische richting
te leiden. Hij meende al in de zomer van 1940 dat koningin
Wilhelmina zich de ware leider had getoond en dat haar op een
viertal gronden de feitelijke leiding over de regering toekwam:
omdat zij Hitlers bedoelingen eerder had onderkend dan het
kabinet-De Geer, het kabinet moreel op de been had gehouden
(toen sommige ministers al in de overwinning van Duitsland
geloofden), het plan tot verplaatsing van de regeringszetel naar
Indië had verijdeld en De Geer tot ontslag had gedwongen.
Gerbrandy ging zelfs nog een stap verder: hij vond het in het
belang van Nederland dat de koningin ook na de bevrijding
die leiding zou *behouden*.[13]

Gerbrandy stelde zich in juli 1941 in de ministerraad tegenover de socialist Van den Tempel desgevraagd op het standpunt
dat 'de koningin hier de representatie is van het Nederlandse
volk'[14]. De antirevolutionaire minister-president, die in menig
opzicht uit hetzelfde harde hout gesneden was als koningin
Wilhelmina maar op dat moment een onkarakteristieke zacht-
heid aan de dag legde, zou die tegemoetkomendheid later,
nadat zijn verhouding tot de vorstin minder harmonisch was
geworden, trachten te relativeren[15], maar de notulen van de
ministerraad hadden er geen twijfel over laten bestaan dat er
stond wat er stond. Het betekende dat er tussen Wilhelmina
en Gerbrandy op dat moment overeenstemming van denken
was over de positie van de koningin in een bevrijd, 'vernieuwd'
Nederland. Volgens Gerbrandy diende zij niet *naast* het kabinet
te staan, zoals de constitutie het wilde, maar *boven* het kabinet.

Dat Gerbrandy's voorkeur voor een koninklijk kabinet in
Londen niet uitzonderlijk was, bleek uit een nota over de
reorganisatie van het naoorlogse staatsbestel, die minister Van
Boeyen in maart 1941 op Gerbrandy's verzoek aan de daartoe
ingestelde ministeriële commissie-Terugkeer voorlegde: ook
deze minister, die het Koninklijk Gezag 'tot de ziel van het
volk' wilde laten doordringen, kende de koningin na de oorlog
grotere bevoegdheden toe. Door dit stuk, zo schreef hij, 'moet
den volke geleerd worden: het is de Kroon die regeert'[16]. Ook
met kabinetszaken moest 'de Kroon' zich, aldus Van Boeyen,
meer bemoeien. Bij niet-principiële geschillen over beleidsaan-
gelegenheden tussen ministers onderling moest, volgens het

voorstel van deze christelijk-historische bewindsman, veel
meer dan tot dusver gebruikelijk was, 'tijdig de Kroon worden
ingeschakeld'. In dit opzicht, zo voegde hij eraan toe, zou
sterker worden geaccentueerd 'dat de ministers dienaren van
de Kroon zijn'. Van Boeyen verstond onder 'de Kroon' niet:
het kroonorgaan van koningin en ministers, maar louter de
koningin, als wier 'dienaren' de ministers optraden. Met Gerbrandy meende hij dat ook het lot van ministers van haar
discretie moest afhangen. Wat hun voorkeuren betreft, benoemde en ontsloeg de koningin inderdaad 'naar welgevallen'.

Van Boeyen en Gerbrandy wilden beiden de rol van de
politieke partijen in het naoorlogse staatkundig bestel terug-
dringen, de Tweede Kamer het recht van amendement ontne-
men en breken met het systeem van evenredige vertegenwoordiging, dat te veel versnippering van staatkundige partijen
veroorzaakte. Van Boeyen wilde zelfs breken met het algemeen
kiesrecht en Gerbrandy voegde bij wijze van persoonlijke noot
nog aan het geheel toe dat de koningin bijzondere vergaderingen van de ministerraad persoonlijk zou dienen te presideren.[17]

Is het een wonder dat prins Bernhard meende dat Nederland
nog een zuivere monarchie was, waarin de grondwettelijke
voorzieningen die de invloed van het volk verzekerden, er
eigenlijk niet zo veel toe deden? Alles wat hij in Londen zag,
verhief die gedachte tot in het kwadraat. Prins Bernhard zag
zijn schoonmoeder doorlopend het kabinetsbeleid dicteren en
bij conflicten vrijwel altijd de overhand hebben. Hij had eigenlijk nooit beter geweten. Dat was niet alleen een gevolg van
verkeerde voorlichting, maar ook een kwestie van perspectief.
Hij had de regeringsmacht altijd maar van één kant waargenomen: de kant van zijn schoonmoeder.

Veel tegengeluiden ving hij in zijn Londense milieu niet op
of zij drongen niet tot hem door. Zo bleef hij onwetend van
het protest dat het *Comité van Actie tegen het Neo-Fascisme* tegen
de 'law and order'-plannen uit de kokers van Gerbrandy en Van
Boeyen liet horen. Den Doolaard, die tot de initiatiefnemers
behoorde, had het willen noemen 'Comité van actie tegen
pogingen om in het bevrijde Nederland een tijdelijk autoritair
bewind te vestigen', maar die naam werd te lang bevonden,
ofschoon ze beter aangaf wat het comité beoogde. Het ma-

nifest, dat op de stencilmachines van Radio Oranje en het
Londense *Vrij Nederland* in een oplage van zevenhonderd
exemplaren was gedrukt en verspreid was onder alle ministers,
ambtenaren en overige leden van de Nederlandse kolonie,
was opgesteld door een groep anticonservatieve Nederlandse
intellectuelen in Londen. Die hoofdzakelijk uit journalisten en
schrijvers bestaande oppositie gaf daarmee uiting aan haar
verontrusting over de (naoorlogse) autoritaire koers waarin zij
de Nederlandse regering zag opstomen. Den Doolaard cum
suis legde de nadruk op de waarschuwing dat niet de regering
maar de Nederlandse bevolking zich eerst moest uitspreken
over de rol van de politieke partijen en dat 'wettige en werkelijke vernieuwingen in ons staatsbestel uitsluitend op parlemen-
tair-democratische grondslag en op een niet-autoritaire wijze
tot stand kunnen komen'[18].

In de militaire kringen waarin prins Bernhard kwam, werd
over de finesses van staatsrechtelijke ordening niet gesproken
en als er al belangstelling voor bestond, dan ging die in de
eerste plaats uit naar een sterke regering. Het meest typerende
geschrift uit die staatsrechtelijke 'school', was een anoniem
pamflet dat in 1943 in Londen circuleerde, 'afkomstig van een
in bezet Nederland wonend welingelicht intellectueel'. Daarin
werd enthousiast gepreludeerd op de komst van een militair
bestuur, dat de terugkeer van het wettig gezag na de bevrijding
in goede banen zou moeten leiden. Hoewel de schrijver be-
toogde dat de instelling van een militair bestuur slechts een
tijdelijk karakter zou kunnen hebben (die tijdelijkheid hadden
ook Gerbrandy en Van Boeyen beloofd), maakte hij er geen
geheim van dat hij het zou betreuren wanneer de oude partijen
onder het (militaire) overgangsbestuur zouden terugkeren. In
een naoorlogse 'krachtig geleide democratie' paste niet meer
het vooroorlogs partijbestel, dat versplintering van de democratie in de hand werkte en de regeerkracht ondermijnde.
'Daarom: geen heroprichting van politieke partijen, vóórdat
waar noodig onder leiding van de regeering, is vastgesteld
welke mogelijkheden tot samengaan van oude groepen bereik-
baar zijn.'[19]

Het is nodig wat langer bij dit pleidooi stil te staan, omdat het de geestesrichting van de leidende Londense kringen uit de oorlogsjaren ten voeten uitbeeldt en omdat het bovendien de denkwereld van het in 1944 ingestelde Militair Gezag, dat we in een later hoofdstuk tegenkomen, beter leert begrijpen. De sleutelfiguur in dit op 'staatsrechtelijk-publieke opbouw' gerichte beleid (deze terminologie zou ook het Militair Gezag doorlopend gebruiken) was de Opperbevelhebber. Ofschoon diens naam in het pamflet nog niet werd genoemd, zal de auteur waarschijnlijk in de eerste plaats aan prins Bernhard hebben gedacht. Deze werd al geruime tijd door verzetsgroepen in bezet Nederland gepousseerd (met name door de OD, de Ordedienst, die de militaire tak van de illegaliteit vormde) en het was een publiek geheim dat koningin Wilhelmina het liefst haar schoonzoon op die post wilde zien.

De drager van het hoogste militaire gezag zal, meer nog dan over militair-technische capaciteiten, over zeer grote staatsmansgaven moeten beschikken. De Opperbevelhebber, die met deze buitengewoon zware taak belast wordt, zal hier dus niet moeten staan als gemachtigde van een boven hem staand burgerlijk, en dus waarschijnlijk politiek gouvernement, maar zijn positie zal er voorloopig een moeten zijn 'uit eigen hoofde', beter gezegd: hij zal zijn gezag moeten ontleenen aan het vertrouwen, dat door de Koningin zelf, *rechtstreeks* in zijn persoon wordt gesteld; hij zal ook direct aan haar verantwoordelijk zijn. Ongetwijfeld wordt daarmede de persoon van de Koningin ook in de regeerings-verantwoordelijkheid jegens het Nederlandsche volk betrokken, maar dit zal in de toekomst, ook voor normale verhoudingen, nooit meer geheel zijn te ontgaan.

Het geschrift werd in Londen verspreid door het Bureau Inlichtingen (BI), de Londense voorloper van de Binnenlandse Veiligheidsdienst, maar hoewel dit bureau van het departement van Oorlog verklaarde buiten de staatkundige discussie te staan, was het geen geheim dat de leiding van BI allerwegen met de strekking ervan sympathiseerde.

Prins Bernhard stond in nauw contact met de man die voor

de verspreiding van het stuk verantwoordelijk was, het hoofd
van BI, majoor dr J.M. Somer, die al evenmin als Gerbrandy
en Van Boeyen voorzag in de matigende politieke invloed die
de prins nodig had. Somer was een voormalige KNIL-officier,
die weinig op had met volkssoevereiniteit en in momenten
van bravoure verkondigde dat 'alle socialisten tegen de muur
[moesten] worden gezet'[20]. Onder 'alle socialisten' verstond
hij ook alle: met inbegrip van de socialistische ministers in
Londen, ir J.W. Albarda en dr J. van den Tempel. In zijn ogen
waren zij de schuld van de bezuinigingen op de defensiebegroting en van de uitholling van de krijgsmacht. En uitgerekend
met deze ministers, de enige verdedigers van de klassiek-li-
berale hoofdbeginselen van de grondwet in het Londense kabinet, had prins Bernhard in Londen hoegenaamd geen contact.

VI. Londen (III)

Prins Bernhard was sinds mensenheugenis inspecteur-generaal van de krijgsmacht geweest[1], toen hij in 1976 al zijn militaire functies moest neerleggen, omdat hij in de jaren zestig onoorbare relaties met de Amerikaanse vliegtuigfabriek Lockheed had onderhouden. Tijdens het onderzoek dat de door de regering ingestelde Commissie van Drie in dat jaar naar zijn betrokkenheid bij de Lockheed-affaire instelde, wierp de minister van Defensie, ir H. Vredeling (zijn hiërarchieke chef), de vraag op waar historisch het begin van prins Bernhards militaire loopbaan moest worden gezocht. De minister wilde weten wie destijds voor de militaire benoeming van prins Bernhard verantwoordelijk was geweest en hoe de prins zijn hoge rang had verworven.[2] Het departement van Defensie gaf de minister per omgaande opheldering aan de hand van een Londens benoemingsbesluit van 25 mei 1942, waarbij prins Bernhard was bevorderd van kolonel à la suite tot generaal-majoor en per gelijke datum van kapitein-ter-zee à la suite tot schout-bij-nacht.

Met het oorspronkelijk exemplaar van het koninklijk besluit dat minister Vredeling onder ogen kreeg, bleek iets aan de hand te zijn geweest. Uit de tekst kon worden opgemaakt dat de voor het besluit verantwoordelijke minister van Oorlog a.i., H. van Boeyen, in 1942 van plan was geweest prins Bernhard in beide rangen te bevorderen tot officier à la suite. Dat betekende zoveel als: officier 'boven de sterkte' ofwel een ererang. Maar de woorden à la suite, die achter de rang van generaal-majoor op het benoemingsbesluit waren ingevuld (en achter die van schout-bij-nacht), waren doorgestreept, zodat het evident was dat de tekst op het laatste moment was veranderd.

Het was echter niet duidelijk wie die verandering had aange-bracht. Ir Vredeling concludeerde dat koningin Wilhelmina de woorden in kwestie had doorgestreept. 'Ze heeft het besluit inderdaad ondertekend, maar ze heeft met dezelfde Oostindi-sche-inktpen de uitdrukking *à la suite* geschrapt. En dat hebben die lui geslikt, daar in Londen, die hebben hun voorstel door Wilhelmina laten onthalzen,' zei hij in 1985 in een vraaggesprek met de *Haagse Post*.

Wat het onthalzen betreft, had Vredeling gelijk, wat het schrappen betreft, niet.[3] De Londense ministers hadden de doorhaling geslikt, hoewel de ministerraad over de verdwij-ning van de drie woorden 'verontwaardigd' was geweest, maar de 'redacteur' was onbekend gebleven. Uit de notulen van de ministerraad blijkt dat een vluchtig onderzoek naar de dader niets opleverde. De koningin ontkende met klem dat zij het was geweest. Premier Gerbrandy nam toen aan dat de prins het zelf had gedaan.[4] Daarmee was de kous af geweest. Ger-brandy had het ongenoegen van zijn ambtgenoten kunnen verzetten door een voorstel in bespreking te brengen om prins Bernhard in een bestuurlijke functie te benoemen. Dat voorstel lokte een lange discussie uit over de staatsrechtelijke positie van de prins waarvan de conclusie was dat hij onder directe verantwoordelijkheid van Gerbrandy belast zou worden met de leiding van een 'Centraal orgaan voor de voorbereiding van de terugkeer'. Koningin Wilhelmina ondertekende het daartoe strekkende besluit, maar het orgaan zou niet tot leven komen. Gerbrandy had er echter mee bereikt dat de verontwaardiging in de ministerraad over het 'aangerande' koninklijk besluit waaruit de woorden *à la suite* op 'onverklaarbare' wijze waren verdwenen, intussen was weggeëbd en in de bevordering van de prins tot generaal-majoor en schout-bij-nacht werd berust – zonder de eerder bedoelde toegevoegde woorden.

De ministers hadden zich collectief laten ondersneeuwen en meegewerkt aan iets wat ze in oorsprong niet hadden gewild – de versterking van de positie van de prins in constitutionele gevarenzones. De bevordering tot een volwaardige opperof-ficiersrang was een passe-partout voor bevelvoerende functies en andere executieve sferen waar men de prins als lid van het koninklijk huis juist zorgvuldig buiten had willen houden! En

dan te bedenken dat Van Boeyen, van wie het initiatief in juni
1942 was uitgegaan, zich waarschijnlijk door overwegingen
van compensatie had laten leiden. Hij had weerstand geboden
aan de van verschillende zijden (onder anderen van koningin
Wilhelmina) op hem uitgeoefende aandrang, prins Bernhard
tot opperbevelhebber te benoemen, maar hij had dat ook weer
zo sneu gevonden dat hij de pil had willen vergulden. Volgens
dr L. de Jong had hij toen het bevorderingsbesluit aan de
koningin voorgelegd 'wellicht uit de behoefte om de prins het
genoegen te doen dat hij een belangrijker status zou krijgen'[5].

Bij ontstentenis van het daderschap mocht prins Bernhard zijn
bevordering tot generaal-majoor op rekening schrijven van
zijn 'oorlogsgeluk'. Het mysterie van de zoekgeraakte ererang
zou in normale omstandigheden tot een parlementair onderzoek hebben geleid, dat de verantwoordelijkheid voor het
gewijzigde koninklijk besluit onomstotelijk zou hebben vastgesteld. Maar het kabinet-Gerbrandy werkte niet in normale
omstandigheden. In Londen waren weinig dingen normaal. Er
was geen parlement dat de regering aan de tand kon voelen
(en op annulering kon aandringen) en er was, zoals Gerbrandy
in de ministerraad opmerkte, 'geen krant die daarvan verslagen
bevat'[6]. Er waren alleen inschikkelijke ministers en die lieten
het erbij zitten nadat ze 'verontwaardigd' hadden geconstateerd
dat iemand aan het bevorderingsbesluit van prins Bernhard
had gesleuteld.

Het geval is kenmerkend voor de tegemoetkomendheid waarop de prins in de oorlogsjaren van de zijde van de 'Londense'
ministers onder wie hij ressorteerde kon rekenen. Gerbrandy
zocht diligent naar een interessante, dagvullende functie voor
de prins; Van Lidth de Jeude, sinds 15 september 1942 de
minister van Oorlog[7], ijverde meer dan Van Boeyen dat had
gedaan, voor zijn benoeming tot opperbevelhebber van land-
en zeemacht (die minder van de instemming van het Nederlandse kabinet dan van die der geallieerden afhing); en ook Van
Boeyen brak zich toegewijd het hoofd over mogelijkheden om
de prins aan gewichtiger werk te helpen.[8] Na lange deliberaties
in de ministerraad zouden ze ten slotte in hun opzet slagen,

maar het zou nog twee volle jaren duren voordat het in september 1944 zo ver kwam.

In augustus 1940 was de militaire bliksemcarrière van prins Bernhard in Londen begonnen. Op de leeftijd van nauwelijks 29 jaar werd hij bevorderd van kapitein (ritmeester) à la suite tot kolonel à la suite en kapitein-ter-zee à la suite. Die bevordering bracht hem in één keer drie rangen hoger. In de piramidale structuur van de vooroorlogse personeelsformatie was die paardesprong heel uitzonderlijk, al zou niemand het wagen die *geschenkbenoeming* te kritiseren. De vraag die minister Vredeling zesendertig jaar later over de rangen van prins Bernhard stelde, miste misschien de subtiliteit die bewindslieden altijd tegenover de Prins der Nederlanden in acht hadden genomen, maar ze was niet zonder relevantie. Hoe kon iemand die geen hogere militaire opleiding had genoten, die zelfs niet voor het militaire beroep in de wieg was gelegd, zo hoog zijn geklommen? Het antwoord was even cru als vanzelfsprekend: dank zij het 'begevingsrecht' van zijn schoonmoeder.

Formeel waren de militaire benoemingen en bevorderingen van prins Bernhard door ministers gecontrasigneerd, naar de letter stonden ze dus onder ministeriële verantwoordelijkheid, maar in feite waren ze louter een uitvloeisel van zijn schoonmoeders discretie geweest. Als de prins het zelf had mogen zeggen was hij als tweede luitenant – dus onder aan de hiërarchieke ladder – begonnen, maar zijn schoonmoeder beschikte dat hij meteen kapitein moest worden – kapitein à la suite.[9]

In het Nederlandse leger van vóór 1940 was kapitein een hoge rang, naar verhouding hoger dan in het tegenwoordige leger, doordat het aantal officieren in de hogere rangen zeer klein was en de doorstromingsruimte dienovereenkomstig beperkt. Als gevolg van het statische bevorderingsbeleid was de kapiteinsrang vóór 1940 voor de meeste officieren een eindrang. Een luitenant moest doorgaans tien tot vijftien jaar op bevordering wachten voordat hij uit zijn lijden werd verlost.[10] Het Nederlandse leger van vóór 1940 had slechts enkele generaals, enige tientallen kolonels en onder hen een massa, gelaten op bevordering wachtende hoofd- en subalterne officieren. Prins Bernhard kon op zijn weg naar de top de meeste 'statiën' overslaan, omdat hij voorbestemd was voor de hoogste functie in de krijgsmacht. Alle tekenen wezen erop dat zijn geluksster hem spoedig naar het opperbevelhebberschap van de Nederlandse strijdkrachten zou leiden.

In de Londense jaren van prins Bernhard zijn drie ontwikkelingsstadia te onderscheiden waaruit alle verdere opgang in zijn loopbaan zich laat verklaren:

1. zijn militaire dynamiek;
2. zijn politieke acceleratie;
3. de betrekkingen met zijn schoonmoeder.

De steile, opwaartse lijn die zijn militaire loopbaan in Engeland volgt, loopt evenwijdig met de ontwikkeling van zijn relatie met koningin Wilhelmina in die periode. Tegelijkertijd komt een parallel groeiproces op gang, dat minder opvalt maar niet minder belangrijk is. In de beslotenheid van Stratton House, de Londense zetel van de Nederlandse regering gedurende de oorlog, vergroot de prins geleidelijk ook de spanwijdte van zijn politieke armslag. Die drie lijnen komen samen op Chester Square 77, waar koningin Wilhelmina het grootste deel van de oorlog kantoor houdt.

Sinds de mobilisatie van september 1939 had prins Bernhard onder de bijzondere bescherming van zijn schoonmoeder gestaan: te beginnen met zijn rol als adjudant in speciale dienst, belast met de opdracht de koningin wekelijks rapport uit te brengen over de staat van paraatheid van leger en marine.[11] In die functie was hij haar *oog en oor* in de strijdkrachten geweest, waarbij hij zich door tact en diplomatie had onderscheiden: een inspecteur-generaal van de krijgsmacht in de dop! Eigenlijk had hij zich al in het jaar daarvóór door die eigenschappen doen kennen, maar bij die gelegenheid waren er goede redenen geweest om die niet aan de grote klok te hangen. De prins had op verzoek van zijn schoonmoeder de uitgaven van de hofhouding doorgelicht waarbij hij op een omvangrijke, goed toegedekte interne fraudezaak was gestoten. Prins Bernhard had zich vooral de instemming van zijn schoonmoeder verworven door zijn behoedzaam en doortastend optreden: hij ontmaskerde de hofkleermaker, die jarenlang rekeningen had gestuurd voor livreien die nooit waren geleverd en het hele livreipersoneel (dat volgens oude gewoonte jaarlijks een nieuw kostuum kreeg) in het komplot had betrokken. In de woorden van de prins:

De Oude Dame had mij gevraagd de uitgaven van de hofhouding door te lichten, omdat die naar haar mening al jaren onrustbarend hoog waren geweest. Je kon onmiddellijk zien dat er een opvallend groot bedrag opging aan de vervanging van kostuums van het hofpersoneel. Ik had dat al langer overdreven gevonden, want die uniformen waren van een kwaliteit dat ze wel honderd jaar konden meegaan. Toen ik op onderzoek ging ontdekte ik al gauw dat er al lang geen uniformen meer waren vervangen, maar wel uniformen in rekening waren gebracht. De hofkleermaker viel zonder een woord van ontkenning door de mand: hij had de opbrengst gedeeld met ieder lid van het hofpersoneel dat een kledingtoelage had.

Ook in de keuken ontdekte de prins gevallen van fraude. Daar hadden tal van leveranciers (hofleveranciers!) jarenlang dubbele rekeningen gestuurd. En aan het hof werden alle rekeningen, ook dubbele rekeningen, zonder protest betaald. De prins rapporteerde de zaak aan de koningin, die niet goed raad wist met de zaak. Als ze het hele hofpersoneel ontsloeg, zou het koninklijk huis in opspraak komen en als ze de oplichting door de vingers zag, zou ze het kwaad belonen. Op voorstel van de prins kregen de twee 'meest verantwoordelijke' hoffunctionarissen ontslag en het overige personeel, voor zover het in de zaak betrokken was, een generaal pardon. 'Dat was de beste oplossing om een groot schandaal te vermijden. De zaak is nooit in de pers gekomen en ook later nooit uitgelekt.'[12]

Op 12 mei 1940 had prins Bernhard zijn schoonmoeder moreel bijgestaan in de uren van haar zwaarste beproeving. Na haar overtocht naar Engeland had hij haar vrijwel onafgebroken gezelschap gehouden en haar bescherming verschaft. Aan zijn aanwezigheid in Londen (enkele weken per jaar onderbroken voor een bezoek aan prinses Juliana en hun kinderen in Canada) ontleende koningin Wilhelmina niet alleen haar gemoedsrust in de eerste weken van haar ballingschap, maar ook haar geestelijk evenwicht gedurende de rest van de oorlog. Het lag voor de hand dat haar schoonzoon, die in haar ogen in alles het tegendeel was van wat zij in mannen verfoeide, gaandeweg haar grootste steun en toeverlaat zou worden. Met haar eerste constitutionele adviseur minister-president Gerbrandy had zij een formele relatie, maar met haar niet-constitutionele adviseur Bernhard had zij een vertrouwensrelatie. Volgens prins Bernhard hadden zijn schoonmoeder en hij een apolitieke vertrouwensrelatie die alleen door de zorgen van het bedreigde bestaan werd bepaald. 'Wij spraken over alles behalve over politiek. Staatsstukken liet zij mij nooit zien,' heeft hij daarover gezegd.[13] Die laatste formulering sluit het tegendeel niet uit. Zo gebeurde het in werkelijkheid ook: prins Bernhard liet niet na zijn schoonmoeder alles te rapporteren wat hij in de commissie-Terugkeer hoorde. De politieke inlichtingen die hij aansleepte waren dus lang niet allemaal uit de tweede hand – en als ze dat wel waren, dan waren ze niet van mindere kwaliteit dan de gemiddelde informatie die de ambtenaren verzamelden. De prins maakte er trouwens zelf geen geheim van dat de koningin zijn inlichtingen over de toestand in bezet gebied tegen het einde van de oorlog (toen zij in nog maar weinig ministers vertrouwen stelde) hoger aansloeg dan die van haar ministers. 'Voor wat inlichtingen uit Nederland betrof, ging de koningin voornamelijk af op het oordeel van prins Bernhard,' schreef Alden Hatch, die dat weer uit de mond van de prins zelf had opgetekend.[14]

Onder de medewerkers van Radio Oranje (die in hetzelfde gebouw werkten waar de regering gevestigd was) bestond het vermoeden dat prins Bernhard bij de Centrale Inlichtingendienst (CID) in Londen achter de schermen aan de touwtjes trok. Of dat zo was, of niet, uit die bron kreeg hij alle politieke informatie die hij wenste, ook over de kabinetsbesprekingen, waarover zijn schoonmoeder in haar vaste contacten met de minister-president niet altijd volledig of slechts gedeeltelijk werd ingelicht. Zo kreeg zij in Londen niet de notulen van de ministerraadsvergaderingen, omdat die slechts in één exemplaar voorhanden waren: het schrift van de notulerende minister-secretaris G. Bolkestein, die dat voortdurend onder zich hield.

Prins Bernhard en Van 't Sant, het eerste hoofd van de CID, waren inderdaad twee handen op één buik. Zij zetten zelfs achter de schermen de inlichtingendienst voort nadat Van 't Sant op last van de Engelsen was ontslagen.[15] De prins was voor zijn informatie over het kabinetsbeleid overigens helemaal niet afhankelijk van derden. Regelmatig bracht hij zijn schoonmoeder informatie uit ministerskringen: de ene keer uit de ministeriële commissie-Terugkeer, de andere keer uit de ministeriële commissie-Oorlogvoering. Hoewel hij formeel geen zitting had in die twee commissies uit de ministerraad[16], nam prins Bernhard, die in die tijd nog steeds gezien werd als de toekomstige Nederlandse opperbevelhebber van land- en zeemacht, met Gerbrandy's goedvinden aan het overleg deel. De prins werd daarmee geen geringe gunst bewezen. De ene commissie bereidde het tegenover Japan te voeren beleid voor en de andere de ontwerpen voor een staatkundig bestel in het 'vernieuwde' naoorlogse Nederland (die, zoals we eerder hebben beschreven, uitgingen van een versterkt koninklijk gezag en een jaknikkend parlement). De Prins der Nederlanden was dus lid van een informeel kernkabinet (ook wel genoemd Gerbrandy's 'geheime fractie binnen het kabinet'[17]), dat zich met staatszaken van groot gewicht bezighield.

De aanwezigheid van prins Bernhard in de commissie-Oorlogvoering was in zoverre nog verdedigbaar dat daarin militaire en maritieme kwesties besproken werden die na 3 september 1944 ook direct de verantwoordelijkheid van de prins raakten. Op die datum was prins Bernhard, die bij KB van 5 januari 1944 was bevorderd tot luitenant-generaal van de landmacht en tot vice-admiraal van de marine, benoemd tot Bevelhebber van de Nederlandse Strijdkrachten. Zijn lidmaatschap van de commissie-Terugkeer daarentegen was moeilijker te verdedigen, zo het al niet enigszins absurd was, want in die commissie werd de grondslag gelegd voor een nieuw staatkundig bestel. Dat was een onderwerp dat de prins niet lag, waarover hij niets van belang te zeggen had en dat geheel behoorde tot het domein van de binnenlandse politiek waarvoor hij niet de geringste belangstelling had![18]

Gerbrandy zag er helemaal geen constitutioneel bezwaar in. Hij had alleen bezwaar tegen socialisten in zijn 'kernkabinet', die hij, tot woede van de desbetreffende ministers Albarda en Van den Tempel, dan ook uit de beide ministeriële commissies had geweerd. Gerbrandy had nog wel de goedheid de socialistische ministers gelijk te behandelen als de andere ministers die niet in die commissies waren opgenomen: zij kregen geen van allen de notulen die de commissies maakten. Die werden louter aan de leden van de betreffende commissies toegezonden.[19] Zo bleef de helft van het kabinet lange tijd verstoken van wat de collega's uit het kernkabinet over de verdediging van Nederlands-Indië en over het naoorlogse staatkundige bestel bespraken, om pas in de ministerraad, vele maanden later, de resultaten onder ogen te krijgen. De koningin stond evenmin op die mailing-list, maar zij werd via de interne 'familielijn' volledig geïnformeerd. Dat was ook de reden geweest waarom zij had gewild dat de prins toegang tot de commissies was verleend: om haar luisterpost te zijn.

De ministers van het eerste kabinet-Gerbrandy waren de prins intussen niet alleen maar welgezind (en bijgevolg inschikkelijk) uit deferentie voor zijn toekomstige opperbevelhebberschap (dat uiteindelijk een bevelhebberschap zou worden). Bij vrijwel iedere bewindsman had hij zoveel krediet alleen al op grond van zijn militaire en representatieve kwaliteiten, dat niemand bezwaar had tegen zijn informele aanwezigheid in hun kringen. Bovendien vond men hem te sympathiek of te aardig om hem de deur te wijzen, ook als de constitutie daarmee beter gediend zou zijn geweest. Daar kwam nog bij dat de prins bij Gerbrandy helemaal geen kwaad meer kon doen sinds hij deze bij het zwemmen in de Theems, toen de kleine minister-president het op een keer met een golf te kwaad had gekregen en dreigde onder te gaan, uit het water had gevist.[20]

VII. Generaal zonder leger

De stille strijd over de benoeming van prins Bernhard tot opperbevelhebber van land- en zeemacht die sedert het najaar van 1943 tussen de koningin en het kabinet woedde, was een oorlog binnen de oorlog. Het was een met constitutionele middelen gevoerde guerrilla, waarin de taaiheid van de ene partij met gelijke ontoegeeflijkheid door de andere werd beantwoord. De documenten uit die periode pleiten niet voor koningin Wilhelmina, maar voor premier Gerbrandy evenmin.

Gerbrandy's optreden in deze affaire, die vrijwel sedert het begin van de oorlog de vorm van een gordiaanse knoop had aangenomen, was grotesk, dilettantisch en weergaloos tweeslachtig. Hij was eerst vóór de benoeming van de prins, bedacht zich om zich daarna toch te laten overtuigen, kwam vervolgens weer tot andere gedachten en probeerde er toen nogmaals onderuit te komen. De betrekkingen tussen de koningin en het kabinet raakten daardoor onherstelbaar bedorven. Dat was in de eerste plaats te wijten aan Gerbrandy's onderschatting van de zaak (voor een privaatrechtsgeleerde had hij een povere kennis van de constitutie), maar ook aan zijn onvermogen de koningin een dienst te weigeren. Het gevolg was dat hij met een hijskraan uit de nesten geholpen moest worden en zich achterwaarts uit de vijandschap van de koningin moest redden omdat hij zijn woord niet had gehouden. Het was niet aan zijn vindingrijk of beleidvol premierschap te danken dat het kabinet uiteindelijk van het hersenschimmige opperbevelhebberschap werd verlost, maar aan geallieerd ingrijpen, nauwkeuriger gezegd aan een veto van generaal Eisenhower.

Deze War of the Roses hield niet alleen de Nederlandse gemeenschap in Londen langdurig in de ban, maar ook de inlichtingendiensten in de Britse hoofdstad en het geallieerde hoofdkwartier op Grosvenor Square. Uit Amerikaanse diplomatieke telegrammen weten we dat Nederlandse ministers bij de Amerikaanse gezant A.J. Drexel Biddle[1] hun gemoed luchtten over de pressie waaraan zij door de koningin werden onderworpen. Dat was een ongebruikelijke omweg om het vastgelopen kroonoverleg uit het slop te krijgen, maar het zou, zoals we nog zullen zien, een beslissende bijdrage leveren aan het doorbreken van de impasse. Drexel Biddles rechterhand, de politieke attaché Allen Dulles, de latere directeur van de Amerikaanse geheime dienst (CIA), schreef er voor zijn minister in Washington een rapport over, waarin hij de oppositie in het Nederlandse kabinet tegen de kandidatuur van prins Bernhard tot twee bezwaren herleidde: 'In de eerste plaats namen [deze] ministers het standpunt in, dat de neiging van de koninklijke familie om haar gezag in politieke aangelegenheden te vergroten, uiteindelijk zou uitlopen op een verzwakking van de positie van de Kroon. In de tweede plaats hadden zij het gevoel, dat prins Bernhard niet de persoonlijke eigenschappen bezat die voor de uitoefening van een intelligent staatsmanschap zijn vereist.'[2]

De ministers hadden dus hun toevlucht genomen tot een vorm van selectieve mededeelzaamheid om via diplomatieke communicatie de in Londen zetelende Supreme Commander Allied Expeditionary Force (Shaef) van hun problemen op de hoogte te stellen. De opmerkelijkste zinsnede in dat s.o.s.-bericht was de laatste regel. Het was de eerste keer dat de zich bezwaard voelende ministers een inhoudelijk bezwaar tegen prins Bernhard naar voren brachten. In het kabinet had de discussie zich steeds geconcentreerd op het formele argument dat een opperbevelhebberschap van prins Bernhard politieke kritiek op het koninklijk huis zou kunnen uitlokken en schade aan het koningschap zou kunnen toebrengen. De vraag of de prins aan de vereisten voldeed, was in dat verband nooit gesteld. Het was trouwens niet de enige vraag die in het kabinet nooit was gesteld. Ook vragen van strategische aard, die in feite veel dringender waren, zoals over het waarom van een opperbevelhebberschap, waren de ministers angstvallig uit de weg gegaan.

Koningin Wilhelmina, die al jaren de ambitie koesterde dat

haar schoonzoon tot opperbevelhebber van land- en zeemacht zou worden benoemd, werd evenmin geremd door de vraag of het schamele restant van de Nederlandse strijdkrachten überhaupt wel een opperbevelhebber nodig had. Toch was die vraag op dat moment hoogst relevant. Nederland had sinds de capitulatie onder de laatste opperbevelhebber van land- en zeemacht, generaal H.G. Winkelman, in de meidagen van 1940 geen leger meer dat die naam verdiende. Alle landstrijdkrachten die ons land in het Europese oorlogstheater op de been kon brengen (de in Engeland geformeerde Prinses Irenebrigade en een handvol provisorisch getrainde legereenheden) telden bij elkaar nog geen tweeduizend man. De Nederlandse strijdkrachten zouden er met een opperbevelhebber potsierlijk *overdressed* hebben uitgezien en het mikpunt van geallieerde spot zijn geworden. Bovendien waren de Nederlandse troepen die aan de oorlog deelnamen, al aan het geallieerde opperbevel ter beschikking gesteld en stonden operationeel onder Engels commando. De Nederlandse marine, die in de Indische Oceaan de strijd tegen Japan leverde, stond eveneens onder bevel van de geallieerde admiraliteit. Een Nederlandse opperbevelhebber van land- en zeemacht in Londen had dus niet veel meer kunnen zijn dan een bureaucommandant van de Home Guard. Een opperbevelhebber zonder leger.

De vraag die zich daarom in de eerste plaats opdrong, was niet waarom koningin Wilhelmina de benoeming van prins Bernhard tegen elke prijs, en tegen de uitdrukkelijke zin van het kabinet, wilde doordrijven, maar hoe een benoeming tot opperbevelhebber van land- en zeemacht op militaire gronden viel te rechtvaardigen. Voor zo'n benoeming ontbrak zowel de militaire noodzaak als logica. Indien al het geallieerde opperbevel de inschikkelijkheid zou hebben getoond een stoel vrij te maken voor een Nederlandse opperbevelhebber, zou dat eerder voor een marineman in Zuidoost-Azië, dan voor een legerman in Londen zijn gedaan. En dan ook nog eerder voor een doorgewinterde bevelhebber (vice-admiraal C.E.L. Helfrich) dan voor een vice-admiraal die voor een maritiem commando de kwalificaties miste.

De bijdrage die de Nederlandse marine in de Amerikaans-Britse, Australisch-Nederlandse vlootoperaties aan de geallieerde oorlogvoering in Zuidoost-Azië leverde, was op zichzelf belangrijk genoeg. En uit een oogpunt van strategisch belang kwam het door Japan begeerde Nederlands-Indië zeker voor een stem in het geallieerde commando in aanmerking. Maar de Amerikanen en de Engelsen hadden geen enkele behoefte aan een verdere deling van hun oppercommando. En dat was even begrijpelijk als redelijk.

Kabinetsgeheimen bleven in het overvolle Londen nooit langer dan enkele dagen ongerept. Met de talrijke regeringen in ballingschap die hun toevlucht tot het vrije Engeland hadden gezocht en daar veelal provisorisch waren gehuisvest, was de Britse hoofdstad in de jaren 1940-1944 een paradijs voor de geallieerde geheime diensten. De politieke attachés en geheime agenten, vaak in een-en-dezelfde diplomaat verenigd, profiteerden niet alleen van de armzalige organisatie van de emigrantenregeringen maar vooral van de 'low spirits' in die kringen. Toch behoorde het niet tot de typisch Nederlandse constitutionele zeden om de bevriende gezanten, zoals in dit geval de Amerikaanse ambassadeur, in vertrouwen te nemen over kabinetsplannen die nog niet tot een beslissing waren gebracht. Het uitzonderlijke geval van het 'lek' over de benoemingsstrijd om het opperbevelhebberschap van prins Bernhard illustreerde alleen hoe hoog de nood in het kabinet-Gerbrandy gestegen was.

Van een normaal overleg was al lang geen sprake meer, sinds koningin Wilhelmina in het najaar van 1943 Gerbrandy had opgedragen haar op 1 december uiterlijk het benoemingsbesluit ter tekening voor te leggen. De minister-president sprak de constitutionele bezwaren die hij op dat moment al tegen de voorgestelde benoeming van prins Bernhard had, echter niet uit, waarbij het overigens de vraag is of Wilhelmina die bezwaren zou hebben willen horen. Ze hield zich doof voor kritiek, zoals ze zich ook voor kritiek op haar denkbeelden over de naoorlogse staatkundige vernieuwing doof had gehouden, óók als die afkomstig was van de door haar vereerde ondergrondse in bezet Nederland.

Gerbrandy wekte te lang de indruk dat hij de door Wilhelmina gewenste benoeming van haar schoonzoon steunde. In de ministeriële commissie-Terugkeer had hij de benoeming zelfs officieel goedgekeurd. Ook de andere ministers stemden ermee in: Van Angeren, Burger, Kerstens en Van Lidth de Jeude alsmede Albarda, de enige van de 'buitengesloten' ministers wiens mening werd gevraagd.[3]

Waarom die zes ministers op dat moment een benoeming van de prins tot opperbevelhebber van land- en zeemacht met hun verantwoordelijkheid wilden dekken ofschoon ze er de grootste bezwaren tegen hadden, is nooit uit de doeken gedaan; ze zijn er ook na de oorlog niet meer op teruggekomen en de Parlementaire Enquêtecommissie heeft het evenmin uitgezocht. Hadden ze er eerst niet over nagedacht of waren ze pas door de realiteit van de geallieerde invasie tot het inzicht gekomen dat ze met een absurd voorstel hadden ingestemd? De vertragingsmanoeuvres die ze organiseerden, hadden geen van alle de uitwerking die ze ermee beoogden. Welke functies zij de prins ook aanboden (commissariaat van een fonds tot leniging van de nood van het volk na de bevrijding; commissaris-generaal van Herstel; directeurschap regeringsdienst voor de organisatie van de terugkeer naar Nederland), ze werden alle door de koningin en haar schoonzoon als niet-begeerde troostprijzen afgewezen.[4] De enige functie waarop de koningin haar zinnen had gezet, was het opperbevelhebberschap van land- en zeemacht, en daaraan zou zij vasthouden met de onverzettelijkheid waarmee zij in 1918, dwars tegen het hele kabinet in, aan de positie van de reeds ontslagen opperbevelhebber van land- en zeemacht, generaal Snijders, had vastgehouden.[5]

Slechts door een interventie van de geallieerde opperbevelhebber werd zij gedwongen daarvan af te zien. In april 1944 haalde Eisenhower onverwachts, en tegen eerdere positieve berichten in, een streep door haar rekening. Eisenhower verklaarde categorisch dat hij de prins niet in een 'functionele' maar slechts in een 'honoraire' capaciteit wenste te zien optreden. Zijn veto over een opperbevelhebberschap van prins Bernhard in de (operationele) 'eerste fase' van de bevrijding was onherroepelijk en liet voor de prins slechts de mogelijkheid van een regionaal commando in de (consoliderende) 'tweede fase' open. In de niet-operationele tweede fase, waarin de terugkeer van het burgerlijk bestuur in de bevrijde gebieden moest worden georganiseerd, zou een bevelhebberschap misschien nog aan de orde kunnen komen, maar daarover liet Eisenhower zich op dat moment niet uit. Uiteraard stond het de regering vrij voor die tweede fase zo'n functie in te stellen, hetgeen in het najaar van 1944 ook gebeurde. Op 3 september benoemde de Nederlandse regering, met de instemming van Eisenhower (onder gemeenschappelijke verantwoordelijkheid derhalve), prins Bernhard tot Bevelhebber van de Nederlandse Strijdkrachten (BNS). De titel was toch nog te ruim uitgevallen, want zijn bevoegdheden zouden zich in de praktijk alleen uitstrekken over de op 5 september opgerichte Binnenlandse Strijdkrachten (BS), maar het voorvoegsel 'opper' was er nu officieel af. En voor alle duidelijkheid: het veto over het voorgestelde opperbevelhebberschap van de prins betrof de persoon maar ook de functie. Aan een extra schakel tussen de reeds onder geallieerd bevel staande Nederlandse strijdkrachten en het geallieerde opperbevel bestond uit militair oogpunt 'geen behoefte'. De prins moest dus blijven wat hij was: hoofdverbindingsofficier tussen Eisenhowers hoofdkwartier en de Nederlandse strijdkrachten en zich daarmee vergenoegen. Het was een niet voor tweeërlei uitleg vatbare missive, waarover ook niet werd gecorrespondeerd.[6]

Die tegenslag sleepte een ander malheur met zich mee, want met de afwijzing door het geallieerde hoofdkwartier was niet alleen het opperbevelhebberschap van de baan, maar ook het bevel over het Militair Gezag (MG), een organisatie waaraan vergaande bevoegdheden en een veelomvattende taak waren opgedragen. De regering (in dit geval had ook het kabinet daarmee ingestemd) had het MG organiek aan de opperbevelhebber toegevoegd, maar was nu wel gedwongen het onder een ander te plaatsen. De keuze lag voor de hand. Kolonel mr H.J. Kruls, die in mei 1940 in de rang van kapitein als adjudant van de minister van Oorlog A.Q.H. Dijxhoorn met de regering naar Engeland was meegegaan, had van begin 1943 af de organisatie van het Militair Gezag voorbereid, had zich al een jaar langs de lijn ingelopen. Hij werd op 4 september 1944 in de rang van generaal-majoor aangesteld tot chef-staf Militair Gezag, een dag nadat prins Bernhard benoemd was tot Bevelhebber der Nederlandse Strijdkrachten en in naam de hoogste Nederlandse militair was geworden. In de praktijk zou de chef-staf van het Militair Gezag spoedig zoveel bevoegdheden naar zich toe trekken dat er in werkelijkheid maar één militair aan de top stond: de chef-staf Militair Gezag.

Het was duidelijk dat de s.o.s.-signalen aan de Amerikaanse gezant Drexel Biddle hun werk hadden gedaan. De berichten over de tegenstellingen in de Nederlandse regering waren in de staf van de geallieerde opperbevelhebber op hun juiste waarde geschat: Eisenhower kreeg het advies niet met een opperbevelhebberschap van de prins in te stemmen, zowel op grond van objectieve overbodigheid als op grond van tekort-schietend gewicht. Eisenhowers staf (alias prins Bernhards goede vriend Bedell Smith) zag in de prins 'niet een bestuurder van formaat'[7]. De prins, aldus het OSS-rapport, had *few political views of his own*. De ironie van dat veto zou pas latere geschiedschrijvers opvallen: dezelfde staf-chef van Eisenhower, generaal-majoor Walter Bedell Smith, die prins Bernhard, vol-gens diens eigen zeggen, in een persoonlijk onderhoud eerst het groene licht had gegeven, had nu het er voor de prins op aankwam tot een afwijzing geadviseerd. Volgens de prins – die zich zelf verre van afzijdig had gehouden van de benoe-mingslobby – had Bedell Smith 'geen bezwaar' gehad.[8] Welis-waar had die verklaring niet zwart op wit op papier gestaan, maar voor de koningin was dat geen reden geweest niet op-nieuw bij minister Van Lidth de Jeude op de benoeming aan te dringen, onder vermelding van 'de instemming' van generaal Smith.[9]

Het spreekt vanzelf dat Eisenhowers veto hard aankwam bij prins Bernhard[10], maar het bracht ook een zwak punt in de benoemingscampagne van de prins aan het licht. In het kabinet had nog niemand op dat punt de aandacht gevestigd. Het belangrijkste motief waarmee zijn supporters hem voor die functie hadden gepousseerd was steeds geweest dat prins Bern-hard als geen ander persona grata bij de geallieerden was. Men zag in de prins bij uitstek de figuur wiens stem in Nederland 'de meeste autoriteit zou hebben en die dus het beste gehoor-zaamd zou worden'. Nu bleek die kwaliteit geen overwegend gewicht in de schaal te hebben gelegd.[11]

Doordat de Enquêtecommissie zich niet heeft verdiept in de militaire functies die prins Bernhard gedurende de oorlog in Londen vervuld heeft en zijn Londense werkzaamheden ook anderszins niet zijn gedocumenteerd, is er weinig bekend over de manier waarop de prins zich van zijn taken als verbindings-officier heeft gekweten. Van wat zijn liaison-opdrachten in-hielden, is weinig achterhaald. De archieven geven daarom-trent geen houvast.[12] Een specifieke instructie voor zijn functie als Chief Liaison Officer bij Shaef is niet aangetroffen; wel een algemene instructie over zijn taken in de eerste jaren van de oorlog, maar die was niet meer van toepassing op zijn werk in de latere jaren.[13]

De vraag dringt zich echter op of de regering – met uitzon-dering van koningin Wilhelmina – met die kwijting wel zo tevreden is geweest als de obligate loftuitingen suggereren. De officiële waardering in Gerbrandy's *Hoofdpunten*, zijn naoor-logse verantwoording van het regeringsbeleid in Londen[14], beperkt zich tot de zinsnede dat de prins 'zich steeds beschik-baar heeft gesteld en met medewerking van het Geallieerd Hoofdkwartier sinds augustus 1944 het bevel heeft gevoerd over de Binnenlandsche Strijdkrachten en deze taak, naar ik van die zijde mocht vernemen, op zeer gewaardeerde wijze heeft vervuld'[15].

Kon de minister-president, die sinds de winter van 1944-1945 als minister-kwartiermaker vrijwel even lang in het bevrijde zuiden van Nederland was geweest als de prins en diens werk dus aan de beide kanten van de Noordzee kon gadeslaan, dat oordeel niet op zijn eigen waarnemingen baseren? Zijn waardering hield in elk geval niet over. Het is niet uitgesloten dat die zuinige bewoordingen in overeenstemming waren met zijn werkelijke gevoelens in 1946. In zijn *Hoofdpunten* komen drie passages voor op grond waarvan dat zou kunnen worden aangenomen. Eén daarvan betreft het werk van de Nederlandse missie bij het geallieerde hoofdkwartier en twee hebben be-trekking op het werk van de bevelhebber der Nederlandse strijdkrachten. In al die gevallen liet Gerbrandy zich kritisch uit over de effectiviteit van de missie en even zovele keren raakte het de persoon van prins Bernhard. Gerbrandy schreef:

De geallieerde missies werden én vanwege het Nederlandse
Militair Gezag én vanwege de Nederlandsche Regeering
herhaaldelijk aangesproken, wanneer Nederlandsche belangen in dezen tijd van heftige veldslagen in het gedrang
raakten. Ondanks echter het bestaan van de Nederlandsche
missie [...] was de mogelijkheid der Regeering om op dit
centrum der oorlogvoering invloed te oefenen, gering. Ook
de instelling van het Bevelhebberschap der Nederlandsche
Strijdkrachten met de benoeming van Prins Bernhard was
meer gericht op het eigen, door den Duitscher nog bezet
gebied dan op een samenwerking met de geallieerden op
ander gebied. Het gevolg is geweest, dat (vooral later) persoonlijk contact is gezocht met den politieken leidsman
Churchill en den militairen leider Eisenhower. [En over de
Slag om Arnhem] Kort vóór de uitvoering werd ik [pas]
met het plan op de hoogte gebracht.

Prins Bernhard had, voordat hij bevelhebber van de Binnenlandse Strijdkrachten werd, enkele intermediaire functies vervuld waarin hij als verbindingsofficier de belangen van Nederland moest behartigen. Eerst was hij Hoofd van de Nederlandse
militaire missie te Londen geweest (verbindingsofficier tussen
het Engelse leger en de Nederlandse regering), daarna was
hij Hoofdverbindingsofficier geweest tussen de Nederlandse
regering en het geallieerde opperbevel. Sinds september 1944
pendelde hij tussen Londen, waar de Nederlandse regering nog
officieel zetelde, Brussel, waar hij zijn eerste hoofdkwartier op
het vasteland had gevestigd, Eindhoven en Breda, waarheen
hij vervolgens met zijn staf verhuisde, en Parijs, waar Shaef
tegen het einde van de oorlog was gevestigd.[16] Volgens Van
Ojen hield de benoeming tot bevelhebber der Nederlandse
strijdkrachten in, dat prins Bernhard tevens hoofd werd van
de Nederlandse missie bij Shaef.[17] Hoewel hij daar slechts af
en toe kon zijn (doordat zijn BS-werk hem aan Brussel en later
aan Breda bond) en hij in Parijs door een chef de mission werd
vertegenwoordigd, droeg hij de verantwoordelijkheid voor
diens optreden.

Gerbrandy's kritiek had betrekking op drie gevallen waarin
prins Bernhard de verwachtingen van de regering had teleur-

gesteld. In het eerste geval ging het om militaire maatregelen van de geallieerde legers die buiten overleg met de Nederlandse regering waren genomen, zoals het bombardement op de zeedijk bij Westkapelle waartoe de geallieerden hun toevlucht namen om de Duitsers van Walcheren te verdrijven. Gerbrandy hoorde van Churchill dat deze ook niet was ingelicht en dat hij daarvoor bij Eisenhower moest zijn. De gevolgtrekking kon geen andere zijn dan dat de Nederlandse regering niet tijdig was gewaarschuwd door haar vertegenwoordiging in Parijs. De fungerend chef de mission daar bleek niet te hebben opgelet en de verantwoordelijke man voor die falende verbinding, prins Bernhard, werd er volgens de regels op aangezien, maar die was er zelf ook buiten gehouden.[18]

In het tweede geval ging het om een al even ongelukkige communicatiestoornis: Gerbrandy kreeg pas op 16 september 1944 bericht dat de luchtlandingen bij Arnhem de volgende dag zouden beginnen. Opnieuw beklaagde Gerbrandy zich bij Churchill en ook in dit geval hadden de geallieerden hun plannen niet voor de Nederlandse regering verborgen gehouden, maar waren de geheime berichten tussen het hoofdkwartier en de Nederlandse minister-president ergens blijven steken. In hoeverre prins Bernhard hier schuld droeg, is moeilijk te zeggen. Op 10 september 1944 (een week voordat de operaties bij Arnhem begonnen) was de prins – op dat moment pas enkele dagen bevelhebber der Nederlandse strijdkrachten – aanwezig geweest op een 'briefing' (bijeenkomst waar de officieren vóór de luchtlandingen hun instructies kregen) in het hoofdkwartier van de Britse generaal F.A.M. 'Boy' Browning in Moor Park. Klaarblijkelijk had hij Gerbrandy daarover niet onmiddellijk ingelicht. Maar het staat vast dat hij wel Montgomery waarschuwde voor de aanwezigheid van een Duitse troepenmacht in de bossen van Arnhem en de veldmaarschalk eveneens de risico's van zijn plannen voorhield. Een andere aanwezige op de 'briefing' in Moor Park, de inlichtingenofficier van Brownings staf, de majoor Brian Urquhart, ergerde zich aan het overmoedige optimisme dat hij op die bijeenkomst bij de meeste van zijn collega's ontwaarde, terwijl niemand serieus aandacht schonk aan de alarmerende inlichtingen van de Nederlandse ondergrondse die hij daar presenteerde. Uit die met luchtfoto's gedocumenteerde informatie bleek zonne-klaar dat twee Duitse pantserdivisies (Hohenstaufen en Frundsberg), die naar de mening van Browning al lang op de terugweg naar Duitsland waren, zich nog in Arnhem ophielden en zich in de directe omgeving van de plaatsen waar de Engelse luchtlandingstroepen moesten afspringen hadden gehergroe-peerd. Urquharts pessimisme bleek niet ongegrond. 'Arnhem', de operatie die een einde aan de oorlog in West-Europa had moeten maken, werd een gruwelijke ontgoocheling, die op een gruwelijke slachting uitliep en gevolgd werd door een even gruwelijke terreur en verhongering in het nog bezette Nederland benoorden de grote rivieren.

De stad Arnhem werd een Duitse roofstad, de geplunderde bevolking werd van huis en haard verdreven en de Airborne troepen (die in de traditie van Engelse militaire catastrofes, volgens Urquhart, 'tot nationale helden zouden worden ver-klaard') verloren bijna vier vijfde van hun manschappen. Brian Urquhart (niet te verwarren met de divisiecommandant ge-neraal-majoor R.E. Urquhart) liep geen gevaar doordat hij in Brownings hoofdkwartier aan de Nijmeegse kant van de linies zat, maar nog tijdens de gevechtshandelingen bij de Rijnbrug liet hij zich overplaatsen, lijdend aan hartzeer doordat zoveel van zijn kameraden in Arnhem het slachtoffer waren geworden van het misplaatste optimisme van hun leiders. Na de oorlog haalde hij met prins Bernhard herinneringen op aan die omi-neuze 'briefing' in Moor Park en aan de 'onfeilbare' Montgo-mery, waarover hij in zijn memoires noteerde: 'Het is geen wonder dat prins Bernhard mij zei dat zijn land zich nooit meer de luxe van zo'n succes van Montgomery kan veroorloven.'[19]

Prins Bernhards waarschuwingen waren misschien niet bij Gerbrandy terechtgekomen, maar hij had zijn inlichtingen over de positie van de Duitse pantserdivisies in ieder geval tijdig in handen van Montgomery gespeeld. Die zekerheid vormde jarenlang de grondslag van de controverse tussen de prins en de veldmaarschalk over de oorzaak van het Britse fiasco bij Arnhem, waarvoor de prins Montgomery verantwoordelijk hield. Ook in de Britse literatuur bestaat er geen twijfel over dat de bevelhebber der Nederlandse strijdkrachten, samen met zijn chef-staf luitenant-kolonel P.L.G. Doorman, Montgomery vóór de slag de risico's van de operatie onder ogen heeft gebracht maar niet werd geloofd: alleen de veldmaarschalk is er nooit met een woord op ingegaan.

Gerbrandy's derde opmerking in zijn *Hoofdpunten* raakte prins Bernhard direct, maar de kritiek die daarin besloten lag kon nauwelijks onder plichtsverzuim worden gerangschikt. Wie anders dan de regering was er verantwoordelijk voor dat de instelling van het bevelhebberschap der Nederlandse strijdkrachten met de benoeming van prins Bernhard 'meer gericht was op het eigen, door den Duitscher nog bezet gebied dan op een samenwerking met de geallieerden op ander gebied'? Dat verwijt kon de prins moeilijk treffen. Datzelfde gold voor Gerbrandy's knorrige mededeling dat hij als gevolg van prins Bernhards binnenlandse besognes zelf contact had moeten zoeken met Churchill en Eisenhower. Die contacten, die regelmatige overtochten van Londen naar Parijs noodzakelijk maakten, hadden misschien door prins Bernhard kunnen worden voorbereid, maar nooit op zijn bevoegdheid kunnen worden onderhouden. Het ging in die contacten om kwesties die om politieke beslissingen vroegen en het was Gerbrandy's plicht, niet die van zijn regionale militaire bevelhebber, daarover met Eisenhower overleg te voeren.

De belangrijkste van de vier besprekingen waarvoor de Nederlandse minister-president zich in Parijs met de geallieerde opperbevelhebber verstond, ging over het lot van het uitgehongerde westen van Nederland (Gerbrandy hield vast aan de terminologie het Nederland benoorden de rivieren het Noorden te noemen). De toestand in de provincies Noord- Holland, Zuid-Holland en Utrecht was na de hongerwinter zo ondraaglijk geworden dat een groot deel van de bevolking dreigde om te komen als de ergste nood niet ogenblikkelijk gelenigd zou worden. Die besprekingen resulteerden in de vermaarde voedseldroppings en andere *relief*-maatregelen, waaraan Nederland onder andere het legendarische Zweedse wittebrood dankte.

Aan de geallieerde strategie, die volledig op de opmars van de geallieerde legers naar Berlijn was geconcentreerd, viel na de invasie in Normandië echter geen tittel of jota meer te veranderen. De militaire doelstelling van de vernietiging van de Duitse militaire kracht in Centraal-Duitsland had nu eenmaal een hogere prioriteit dan de bevrijding van het uitgehongerde Nederland, hoe miserabel dat er ook aan toe was. Het lot van Nederland, dat in de geallieerde veldtocht niet meer dan een zijspoor was, lag historisch vast. De tijdigste interventie van welke bevelhebber der Nederlandse strijdkrachten ook, had daaraan niets kunnen verhelpen.

VIII. A horse! a horse! my kingdom for a horse!

Prins Bernhard was koningin Wilhelmina's eigen inlichtingendienst in Londen: hij was haar *'favourite son'* en tegelijkertijd
vertrouweling en hart onder haar riem, maar hij bracht haar
ook in contact met zijn vrienden van de RAF die luchtaanvallen
op Duitse steden hadden uitgevoerd en haar uit de eerste hand
verslag deden van de bombardementen op het Continent.[1] De
prins steunde zijn schoonmoeder door dik en dun, aanvaardde
volledig haar leiding en onderschreef volledig haar 'vernieu-
wingsprogramma' alsook haar ambities voor een koninklijk
'voorlopig bewind' in het naoorlogse Nederland, waarin zij op
dezelfde wijze hoopte terug te keren als eens haar overgroot-
vader had gedaan toen deze nog Erfprins was: in een pink bij
Scheveningen, door toegewijde onderdanen aan land gedragen.[2] Om inzicht te krijgen in de achtergrond van prins Bernhards rol als steun en toeverlaat van koningin Wilhelmina is
het van belang eerst in hoofdlijnen het complex van haar
staatkundige denkbeelden te schetsen.

Sedert het voorjaar van 1942 was koningin Wilhelmina gepreoccupeerd met vier bijzondere wensen, die zij met onverzettelijkheid verdedigde: de wens om zich te ontdoen van
Gerbrandy en zijn kabinet en andere, meer in haar lijn denkende
ministers uit te kiezen die geheel achter de doelstellingen van
haar vernieuwingsplannen zouden staan; de wens om haar
schoonzoon benoemd te zien tot Opperbevelhebber van Land-
en Zeemacht (OLZ) in het bevrijde Nederland (een modaliteit
waarvoor Eisenhowers veto in principe de ruimte liet); haar
wens om Van 't Sant te benoemen tot directeur-generaal van
politie in de 'vernieuwde' naoorlogse organisatie van Justitie;
en de wens om een vetorecht te krijgen over de samenstelling
van de delegatie van 'minister-kwartiermakers' die vooruit

zou reizen teneinde (onder meer) een snelle terugkeer van de koningin voor te bereiden. Alleen die vierde wens van de koningin is ingewilligd. De benoeming van Van 't Sant stuitte al af op het wantrouwen dat een deel van de illegaliteit tegen hem koesterde, maar had ook interne oorzaken, want nog vóór de bevrijding werd deze loyale 'trouble-shooter' door de koningin afgedankt, omdat hij niet 'vernieuwd' was. De benoeming van de prins werd tegengehouden door generaal Eisenhower, en van Gerbrandy raakte de koningin niet verlost, integendeel, hij overleefde al haar aanslagen op zijn positie, bereikte op eigen kracht de eindstreep en voorkwam daarmee nog grotere constitutionele schade.

We zullen hier niet verder stilstaan bij de eerste twee wensen, maar ons beperken tot de laatste twee, omdat die met de kern van ons verhaal samenhangen.

Met de benoeming van prins Bernhard tot Bevelhebber der Nederlandse Strijdkrachten (BNS) was de strijdbijl nog niet begraven. De initialen BNS hadden weliswaar de drie omstreden letters OLZ van de voorgrond verdrongen, maar de koningin had haar ambitie om die vaandels op een later tijdstip weer om te wisselen allerminst opgegeven. In Eisenhowers ingrijpen had ze zich maar half geschikt. 'Ik stel er prijs op dat mijn schoonzoon *thans reeds*, in afwachting van zijn benoeming tot opperbevelhebber van land-, zee- en luchtmacht, benoemd wordt tot Bevelhebber der Nederlandse Strijdkrachten onder Eisenhower', schreef ze aan minister Van Lidth de Jeude. Deze stoorde zich aan de 'hals-over-kop-methoden waarmee dit door HM wordt doorgedreven'[3]. Die tegendraadse cursivering in de 'blocnoot' van de koningin was de klaroenstoot dat zij zich nog niet gewonnen had gegeven en betere tijden afwachtte.[4] Die waren vooreerst nog niet in zicht, want de ministers, aan wie ze uiteraard het desbetreffende benoemingsbesluit had moeten overlaten, schrapten de formulering 'in afwachting van de voorgenomen benoeming van mijn schoonzoon tot opperbevelhebber van de Nederlandse strijdkrachten' die zij aan de tekst had toegevoegd. Van een 'voorgenomen' benoeming was trouwens geen sprake en voor zover het van de ministers afhing, zou het er ook nooit van komen.

De uitzending van Radio Oranje waarin de benoeming werd bekendgemaakt, maakte uiteraard geen melding van die nog lang niet overwonnen interne tegenstellingen. Wél klonk een imperiale toon in de bekendmaking door.[5] 'Het is mij bekend dat onze binnenlandse strijders het grote ogenblik van zich aan te sluiten bij de actie der zegevierende legers met ongeduld afwachten. Ik wil u thans mededelen dat ik prins Bernhard heb benoemd tot Bevelhebber der Nederlandse Strijdkrachten onder het opperbevel van generaal Eisenhower. Prins Bernhard neemt hierbij de leiding op zich van het gewapend verzet. Tot spoedig weerziens.' Daarna richtte de prins zich tot de zojuist gemilitariseerde en tot Binnenlandse Strijdkrachten gedoopte 'Nederlandse ondergrondse strijders'[6], aan wie hij zijn eerste 'bevelen' gaf, onder meer het 'bevel' zich van vroegtijdige en afzonderlijke wilde acties te onthouden. 'Te veel in de toon: "Ik beveel,"' noteerde Van Lidth in zijn dagboek.[7]

De juridische implicaties van de zaak hielden Van Lidth blijkbaar minder bezig. Toch was daar alleszins reden voor geweest. Weliswaar was prins Bernhard door de Nederlandse regering benoemd, maar in feite was die beslissing door generaal Eisenhower genomen. De geallieerde opperbevelhebber paste daarmee een verdragsrechtelijke bevoegdheid toe die voortvloeide uit het verdrag over de instelling van het Militair Gezag, dat Nederland tijdens de oorlog met Engeland en de Verenigde Staten had gesloten. De militaire status van prins Bernhard was dus van hogerhand vastgesteld – in evenredigheid met de militaire draagkracht van Nederland, om zo te zeggen. De militaire classificatie van de prins was gerelateerd aan de omvang en de betekenis van de militaire steun die Nederland aan de bevrijding van Europa en van het eigen land bijdroeg. Een opperbevelhebberschap zou daarvoor te groot zijn geweest.

De staatsrechtelijke betekenis daarvan hield de regering op dat moment kennelijk niet bezig, want er werd in de ministerraad niet over gesproken. Maar het novum was bepaald geen kleinigheid: voor het eerst sinds de graaf van Leicester hier militair de dienst had uitgemaakt, had een internationale overheid een beslissing voor Nederland genomen die buiten de zeggenschap van de Nederlandse regering lag. Dat organieke besluit van het geallieerde hoofdkwartier stelde de ministeriële verantwoordelijkheid weliswaar niet buiten werking maar beperkte wel de constitutionele armslag van de regering. Het betrof in dit geval immers een Nederlands onderdaan die niet alleen militair in geallieerde dienst was, maar ook lid van het koninklijk huis. Op die laatste hoedanigheid had de regering, door de ongrijpbaarheid van zijn militaire positie, nu nog maar nauwelijks greep.

De staatsrechtelijke haken en ogen die aan die beslissing vastzaten, waren in de oorlogsomstandigheden niet van ogenblikkelijk belang, maar ze verleenden actualiteit aan een theoretisch probleem waarover het kabinet zich nog nooit het hoofd had gebroken. België had met die dubbelrol (van koning en opperbevelhebber) een traumatische ervaring opgedaan. Dat had de onderschatting van dat probleem in 1940 met het verlies van de eer van zijn capitulerende koning moeten bekopen.[8]

Intussen bleef de titel Bevelhebber der Nederlandse Strijdkrachten verwarring oproepen. De Amerikanen waren argwanend geworden door de merkwaardige taal van BS'ers die boodschappen kwamen brengen van hun 'opperbevelhebber', in casu prins Bernhard. Nog geen twee maanden na diens benoeming tot bevelhebber (BNS) voelde minister Van Lidth zich gedwongen de 'misverstanden' daaromtrent tegen te gaan en officieel duidelijk te maken dat de regering de prins uitsluitend en alleen beschouwde als 'bevelhebber'. In een brief van 16 november 1944 gaf hij generaal Eisenhower tekst en uitleg over de werking van de ministeriële verantwoordelijkheid. De essentie van die uiteenzetting was dat de Bevelhebber der Nederlandse Strijdkrachten, op grond van een koninklijk besluit van 19 juni 1944 (waarin nog geen naam werd genoemd), gebonden was aan een door de minister van Oorlog vastgestelde instructie en leiding gaf aan een aantal met name genoemde militaire eenheden '*as are placed under His command by Our Minister of War*'. In een tweede koninklijk besluit, zo vervolgde de brief, was prins Bernhard met ingang van 3 september 1944 benoemd tot '*Commander of the Netherlands Forces*'. De minister gaf Eisenhower de verzekering dat het bevel van de prins beperkt was tot '*the Netherlands Forces of the Interior and to such other units, staffs, etc. of the Royal Netherlands Army as may be determined by me and that his powers do not, therefore, automatically embrace all Netherlands forces'*. Eisenhower kreeg dus de verzekering dat de minister van Oorlog het laatste woord had, en dat er generlei autonomie van de prins bestond noch van *'any operational authority'* sprake was.[9]

Naar buiten was de kwestie nu ondubbelzinnig uit de wereld geholpen, maar intern was zij nog steeds niet tot bedaren gekomen. Naarmate de ministers zich krachtiger van de koninklijke strategie distantieerden, kwam de koningin met grotere regelmaat op de zaak terug. De psychologische oorlogvoering die Churchill in het groot voerde, werd tussen Chester Square en het bevrijde zuiden van Nederland, waar Van Lidth en de andere minister-kwartiermakers zich nu meestentijds bevonden, in het klein nagespeeld. Ongeduldige brieven van de koningin aan het kabinet werden uit de zijflanken gevolgd door telegrammen van het Bureau Inlichtingen, waarin op hoge toon erop werd aangedrongen de uitgestelde benoeming van de prins tot OLZ met spoed te regelen. De ministers in het bevrijde deel van Nederland betrokken de egelstelling en brachten nu voor het eerst zakelijke bezwaren tegen het bevelhebberschap van prins Bernhard over de Binnenlandse Strijdkrachten ter tafel. In een telegram aan Van Kleffens cum suis in Londen wezen ze op de kritiek die in het bevrijde zuiden onder de bevolking begon op te komen tegen de activiteiten van de BS, die in het wilde weg en vaak op zeer losse gronden van collaboratie verdachte Nederlanders hadden gearresteerd.[10] De berichten over 'cowboymethoden' van de BS – die zich spoedig vermenigvuldigden tot beschuldigingen over 'Gestapo-methoden', 'BS-sheriffs' en 'oranjefascisme'[11] – bleken niet ongefundeerd te zijn, zoals enkele ministers persoonlijk hadden ondervonden. Van Heuven Goedhart en zijn ambtgenoten werden door een BS-post bij een brug niet doorgelaten, omdat zij geen geldige papieren bij zich hadden en 'de prins niet wilde' dat zij passeerden. Dat gebeurde, aldus de oud-minister van Justitie voor de Parlementaire Enquêtecommissie, zogenaamd op grond van een 'opdracht van de prins'. 'In die tijd gooide men alles maar op de naam van de prins,' aldus Van Heuven Goedhart.[12]

Prins Bernhard onderkende de anarchistische tendensen in

de Binnenlandse Strijdkrachten wel[13], maar hij had al die verspreide en ongedisciplineerde troepen niet in de hand. De ministers, die er niet in waren geslaagd de koningin ervan te overtuigen dat de prins geen functies moest ambiëren die hem in controverses konden betrekken, hadden ruimschoots gelijk gekregen. De prins probeerde overigens niet de gesignaleerde uitwassen goed te praten of te bagatelliseren. Hij liet merken dat hij er in het geheel niet van gediend was. In een poging zich te ontdoen van de schadelijke reputatie van 'roverhoofdman', gaf hij noodgedwongen een bevel uit dat niemand arrestaties in zijn naam mocht doen.[14]

Het kabinet was machteloos tegen die willekeur van de Binnenlandse Strijdkrachten iets te doen, maar het stijfde Gerbrandy en de zijnen in hun voornemen de benoeming tot opperbevelhebber-op-termijn, waarvan de koningin niet was af te brengen, te torpederen. Burger (Binnenlandse Zaken), Van Heuven Goedhart (Justitie) en Van den Broek (Financiën) verbonden er in Oisterwijk, waar ze hun tenten hadden opgeslagen, de portefeuillekwestie aan en Gerbrandy bewerkte de prins in Londen. Hij hield hem voor dat er sterke weerstanden waren tegen de BS, dat de onder prins Bernhards verantwoordelijkheid uitgevoerde arrestaties tot veel verontwaardiging hadden geleid en dat diens eventuele benoeming tot opperbevelhebber van land- en zeemacht in elk geval moest worden uitgesteld, totdat het publiek zou merken dat de toestand overal volledig geregeld was. Bij dat uitstel legde de prins zich neer.[15] Van Lidth wilde niet meewerken aan de benoeming tot OLZ, maar speelde geen open kaart. Omdat hij het niet tegen prins Bernhard durfde te zeggen, vluchtte hij in een doorzichtige uitsteltactiek. De prins zou 'te zijner tijd' opperbevelhebber van land- en zeemacht worden, maar er moest nog iemand worden gevonden die de dagelijkse verantwoordelijkheid zou dragen. Die buffer moest ervoor zorgen dat de prins buiten het strijdgewoel zou blijven en geen klappen zou oplopen.[16]

Gerbrandy deed ten slotte niet langer alsof en adviseerde de prins eind december 1944 in een brief dat hij er verstandig aan deed zijn functie als Bevelhebber der Nederlandse Strijdkrachten neer te leggen, omdat uit die functie alleen maar meer moeilijkheden zouden voortvloeien. Het gevolg was een 'vreselijke ruzie' met de koningin, die Gerbrandy verweet zich te hebben bemoeid met aangelegenheden van het koninklijk huis. Zij zou de positie van de prins bij de vorming van een nieuw kabinet wederom aan de orde stellen. Voor Gerbrandy was dit een geheim noch een verrassing. Hij wist dat de koningin haar zinnen had gezet op een kabinet waarin hij en zijn zittende collega's niet zouden terugkeren en waarin zij de handen zou vrij hebben.[17]

Die droom zou misschien werkelijkheid zijn geworden als het haar na de kabinetscrisis van februari 1945 had meegezeten en zij er bij de reconstructie van het kabinet in geslaagd was de vacatures op te vullen met bewindslieden die aan het profiel van haar vernieuwingsplannen hadden beantwoord.[18] Maar de eerste de beste kandidaat voor de portefeuille van Oorlog onder de nieuwkomers gooide al roet in het eten. De aspirant voor de opvolging van de niet-terugkerende Van Lidth de Jeude, de militaire commissaris van Noord-Brabant, ir J.B. ridder de van der Schueren, hield enige slagen om de arm om twee weken later de hem aangeboden portefeuille af te wijzen op grond van staatsrechtelijke bezwaren tegen de executieve functie van prins Bernhard in de legerleiding.[19] Hij vond het bevelhebberschap onverenigbaar met de staatsrechtelijke positie van een lid van het koninklijk huis en wilde tevoren de grenzen van de functie vaststellen.

De laatste maanden van de Londense ballingschap van de Nederlandse regering hadden veel weg van de gemeenteraad van Zwinderen: ministeriële kuiperijen waren aan de orde van de dag en ook de koningin liet zich niet onbetuigd. Naarmate de chaos in de regering groter werd, de onderlinge irritaties toenamen en de bestuurskracht verminderde, gaf zij zich vaker over aan constitutionele improvisaties die het midden hielden tussen grensverleggende experimenten en vindingrijke ongrondwettelijkheden. Sommige ministers spraken met twee tongen en onderhandelden vrolijk met de koningin over de opvolging van Gerbrandy (wiens stoel zij enige keren achter zijn rug aan 'frisse buitenstaanders' aanbood) om enige tijd later ferm te verklaren dat het kabinet pal moest staan tegenover haar pogingen nog in Londen een noodbewind te vestigen

(zoals P.A. Kerstens). Koningin Wilhelmina liet zich aan wel-
gemeende waarschuwingen noch kritiek veel gelegen liggen.
Wanneer zij een telegrafische ontmoediging van de illegaliteit
kreeg om in de richting van een versterking van de staatsrechtelijke positie van het staatshoofd te werken, dan verdween dat
telegram in een lade.[20] En tegenover Gerbrandy's vermaningen
dat een noodkabinet – dat zij *naast* het nog zittende kabinet
wilde formeren – constitutioneel onmogelijk was, hield zij zich
opnieuw Oostindisch doof.[21]

Of zij inderdaad in strijd met de grondwet handelde, is een
academische vraag, die in de grond al beslist was nadat De
Geer aan de kant was gezet. De ministers van het daarna
geformeerde kabinet-Gerbrandy bezaten geen parlementaire
legitimatie en waren ook nog op de voorwaarden van de
koningin tot het kabinet toegetreden. De Jong heeft melding
gemaakt van een schriftelijke afspraak van mei 1943 waarbij ze
zich akkoord hadden verklaard met de clausule dat de koningin
'onverkort het recht [bezat] om, wanneer het landsbelang het
aftreden van kabinet of van ministers eist, daartoe het nodige
te doen'[22]. Of ze daardoor ook constitutioneel tweederangs-
ministers waren geworden, is een vraag die door de praktijk
in Londen al werd gelogenstraft, maar dat nam niet weg dat
ze dat wél waren in de ogen van de koningin. Wilhelmina
demonstreerde dat in een veelheid van onaangenaamheden
waarop ze 'de heren' trakteerde. Het kostte haar geen moeite
ministers te froisseren of hun van haar minachting te doen
blijken. Het bleek uit haar correspondentie (wanneer ze het
kabinet wilde ontslaan, schreef ze: 'het hele stel') en uit klachten
van ministers die door de vorstin 'als voetveeg' waren behandeld.[23] Gerbrandy, die in het begin geruime tijd haar vertrouwen had genoten, kreeg het daarmee zwaar te verduren. Maar
Gerbrandy sauveerde zichzelf.

Zijn morele onverzettelijkheid hield hem op de been, maar
redde ook de continuïteit van zijn regeringsbeleid en van zijn
ministersploeg. Wat er gebeurd zou zijn als dát niet was gebeurd, als hij voortijdig was gesneuveld, dan wel in het zicht
van de haven onder verdachte omstandigheden overboord gezet, laat zich gemakkelijk raden. Het gereconstrueerde kabinet
zou dan aan de hand van prof. dr J.E. de Quay in Nederland

zijn teruggekeerd. Een nieuwkomer aan het hoofd van een 'vernieuwd' kabinet, maar een nieuwkomer met een politiek besmet verleden.[24] Zou de Enquêtecommissie ook dán het formalistische standpunt hebben gehandhaafd dat de grondwet haar voorschreef de rol van de koningin in een parlementair onderzoek buiten beschouwing te laten? De parlementaire oppositie zou het zeker niet hebben gedaan en het is al even onaannemelijk dat geen van de beledigde ministers het zwijgen zou hebben verbroken. Koningin Wilhelmina en haar koninklijke nazaten mochten zich gelukkig prijzen dat de antirevolutionaire mannetjesputter niet alleen op het cruciale moment in de geschiedenis van Nederland nee had gezegd tegen Duitse knechting, maar op een even historisch moment ook tegen een autocratisch oranjebewind. Het was al erg genoeg dat de koningin enkele maanden vóór de bevrijding, misleid door haar verering voor het verzet, nog met de uit het zuiden bestelde *appeaser* De Quay als minister van Oorlog in zee was gegaan. Die benoeming illustreerde haar desoriëntatie omtrent het wezen van de illegaliteit, waarvan zij noch de ideologische verschillen noch de interne tegenstellingen kende. De Quay's overkomst naar Londen werd na de oorlog ook afgekeurd door de Parlementaire Enquêtecommissie, die oordeelde dat het geen wijs beleid van Gerbrandy was geweest de benoeming (die er door de koningin was doorgedrukt) door te zetten, terwijl het onderzoek naar de *faits et gestes* van De Quay in verband met zijn voorzitterschap van de Nederlandse Unie nog moest komen. Zelfs op het Foreign Office was ten tijde van die benoeming bezorgd de vraag besproken of koningin Wilhelmina 'autoritaire neigingen begon te vertonen'[25].

Tot haar verdediging moet worden aangevoerd dat het nooit haar bedoeling was geweest zich na de breuk met de ministers van het 'oude' bestel alleen met ministers van het type-De Quay te omringen noch dat het haar wens was terug te keren met een kabinet zonder socialisten. Zij had al in 1941 de socialisten Koos Vorrink en dr H.B. Wiardi Beckman in het kabinet willen opnemen. De geheime agent Peter Tazelaar was in november 1941 door de organisatie-Hazelhoff Roelfzema (die de bijzondere protectie van prins Bernhard genoot) in Scheveningen op het strand gezet met de opdracht de overtocht

van de socialisten te regelen. Wiardi Beckman was echter op
het strand gearresteerd en zou dat met zijn dood bekopen en
Vorrink kwam niet, omdat hij zijn illegale werk belangrijker
vond dan het ministerschap in Londen.[26]

Slechts aan Gerbrandy was bekend dat de koningin tegen
elke prijs De Quay in het kabinet wilde opnemen: omdat zij
zich intussen ervan had vergewist dat deze de benoeming van
prins Bernhard tot opperbevelhebber (OLZ) voor zijn rekening
wilde nemen. Zij herzag haar mening over De Quay, die zij
eerder in een notitie van 9 maart 1945 aan Gerbrandy 'te veel
een bespiegelende natuur' had genoemd, van wie 'niet genoeg
voortvarendheid en kracht te verwachten' was. Maar nu kon
Gerbrandy De Quay 'gerust' nemen, 'mijn inziens blijkt hij
een goede kijk te hebben op wat ons volk verlangt ten opzichte
van het nieuwe leger'[27]. Het zou haar echter niet mogen baten.
Van haar denkbeelden over de 'terugkeer' noch van De Quay's
ijveren voor het opperbevelhebberschap van de prins kwam
na de bevrijding iets terecht.

IX. Geheim in Gerbrandy's brandkast

Enkele weken voor de bevrijding van Nederland benoorden de grote rivieren vloog generaal Kruls uit zijn tijdelijk onderkomen in het bevrijde zuiden naar Londen voor zijn zoveelste competentiegesprek met de Nederlandse regering. Hij was de rivaal van prins Bernhard voor het opperbevelhebberschap, maar er was geen twijfel aan dat zijn papieren hoger genoteerd stonden. Als de regering het opperbevelhebberschap opnieuw zou instellen, was hij de voorbestemde kandidaat. Maar de regering was inwendig nog altijd verdeeld (de ministers: voor Kruls; de koningin: voor prins Bernhard) en bleef de beslissing uitstellen.

Luitenant-generaal mr H.J. Kruls was de hoogste militair-gezagsdrager in het bevrijde zuiden. Hij droeg de verantwoordelijkheid voor de uitvoering van de gezagshandhaving en nog tal van andere essentiële gezagstaken in de overgangsperiode tussen de bezetting en de bevrijding. Kruls was het gezicht van het Militair Gezag, maar eveneens van de regering, die aan hem de voorbereiding van de normalisering van het gehele maatschappelijk leven na de bevrijding had opgedragen. In zijn tweevoudige functie van chef-staf van het Militair Gezag en van Bevelhebber Territoriaal Nederland was hij gedurende korte tijd in feite de belangrijkste man van Nederland. Zijn ster zou in de loop van dat jaar nog verder stijgen door zijn benoeming tot Chef van de Generale Staf, onder voorlopige handhaving van zijn beide andere functies, zodat hij meer titels met zich meetorste dan sterren en balken, en dienstbevelen gaf die hij ondertekende met de onuitsprekelijke afkortingen CSMG, TBN en CGS.

Kruls had met prins Bernhard één probleem gemeen, dat al jaren om voorziening vroeg, maar onder het excuus van

oorlogsomstandigheden almaar door de regering op de lange
baan was geschoven: nooit was uitgemaakt wat precies zijn
militaire bevoegdheden waren. De chef-staf van het Militair
Gezag was er de man niet naar om tastend de wereld te verken-
nen. Het lag meer in zijn robuuste aard om te grijpen wat voor
het grijpen lag, hoewel die neiging weer werd getemperd door
zijn juridisch brein, dat in de eerste plaats geïnteresseerd was in
de rechtsgrond van bepaalde maatregelen en dat alarm sloeg
wanneer het 'grijze zones van onzekerheid' betrad. Kruls was
te veel democraat om onzekere situaties naar zijn hand te zetten
en zo de verantwoordelijke ministers voor voldongen feiten te
plaatsen. In zulke situaties, wist Kruls, moest de regering
duidelijkheid scheppen en grenzen trekken. Nergens was daaraan zoveel behoefte als in het bevrijde zuiden, waar tal van
gezagsorganen elkaar de bevoegdheden betwistten en elk
ogenblik stammentwisten konden uitbreken. Kruls verlangde
duidelijkheid over de bevoegdheidsverhouding tussen het Militair Gezag (zijn club) en het College van Vertrouwensmannen, dat de regering in Londen in augustus 1944 had benoemd
als haar vertegenwoordiging hier te lande bij de bevrijding en
dat intussen als de alternatieve regering naar voren was gekomen (de club van Drees).[1] Kruls vroeg aan Gerbrandy hoe de
onderlinge relatie regering-vertrouwensmannen-Militair Gezag was geregeld. De chef van het Militair Gezag werd met
een kluitje in het riet gestuurd. 'Generaal, het zit allemaal in
mijn brandkast, zodra de tijd daar is, zal ik u inlichten.' Dat was
een variant op de overbekende formules waarmee Gerbrandy in
Londen ook zijn ambtgenoten met wie hij geschillen had,
afscheepte. De spijkerschriftdeskundigen wisten wat dit betekende: dat men op niets mocht hopen.[2]

Kruls' rijzende ster was met die van prins Bernhard in een
wedloop geweest sinds de 41-jarige kapitein begin 1943 in de
tijdelijke rang van majoor benoemd was tot hoofd van het
bureau Militair Gezag in Londen. Hij had in die functie een
organisatie voor een gemilitariseerd overgangsbestuur moeten
ontwerpen, die hem ook van een beslissende invloed op de
uitvoering verzekerde. Zo was Kruls betrokken bij de formulering van het Zuiveringsbesluit-1944, hij schreef een uit-

voeringsregeling voor de arrestatie van collaborateurs en van degenen die van collaboratie werden verdacht, hij zette schema's voor de voorbereiding van de Bijzondere Rechtspleging op papier en hij organiseerde in Arlington House 'burgemeesterscursussen', waarin de Nederlandse functionarissen van het Militair Gezag in Londen op hun tijdelijke bestuursfuncties in het overgangsbestuur werden voorbereid. Kruls dirigeerde en regisseerde in die tijd een reusachtig bestuursapparaat, dat hijzelf met gevoel voor relativiteit betitelde als 'het circus van Kruls'[3].

Het lag in de verwachting dat de directeur van dat circus te zijner tijd ook het militair gezag in het bevrijd gebied zou gaan uitvoeren. Zolang er geen opperbevelhebber van land- en zeemacht was, zou de chef-staf van het Militair Gezag in zijn plaats komen. Volgens prins Bernhard echter was die plaats al vergeven aan hem als bevelhebber van de Nederlandse strijdkrachten – hoewel daarover evenmin zekerheid bestond. Want in werkelijkheid waren de bevoegdheden van de chef van het Militair Gezag en de bevelhebber van de Nederlandse strijdkrachten op cruciale punten – namelijk daar waar ze elkaar in de wielen konden rijden – nog niet vastgelegd. De regering had de kool en de geit gespaard, maar niets geregeld.

Kruls onderkende die onduidelijkheid in de bevoegdheidsstructuur het eerst, daarom was hij ook naar Londen gevlogen. Over de hiërarchische verhouding tussen de regering en het Militair Gezag had hij geen nadere uitleg nodig, die was duidelijk genoeg. Het Militair Gezag was ondergeschikt aan de Nederlandse regering en gedurende de operationele fase van de bevrijding ook aan de geallieerde opperbevelhebber. Maar hoe die verhouding tussen het Militair Gezag en de Binnenlandse Strijdkrachten zou moeten worden, ofwel: tussen hem en prins Bernhard, was verre van duidelijk. 'Dat bleef voorlopig nog in de schoot der goden [verborgen]'[4]. De regering had dus een aantal bevoegdheidsvragen aan interpretatie overgelaten. Dat was een understatement voor een voorzienbare competentiestrijd die vroeg of laat op de nederlaag van de een of de ander moest uitlopen.

In de praktijk bleken de problemen die Kruls voorzag, mee te vallen. De soepelheid van prins Bernhard en de regelkennis

van Kruls bevorderden een vruchtbare samenwerking tussen
hun organisaties, die een 'bijltjesdag' in de eerste dagen van de
bevrijding voorkwamen en ontoelaatbare extremiteiten op het
punt van arrestaties tot een min of meer fatsoenlijk minimum
beperkten. Op zichzelf mocht dat een wonder heten, want de
uitwerking van het arrestatiebesluit was dusdanig ingewikkeld,
dat men door de bomen het bos niet meer kon zien.⁵

De vage instructies en de weigering van Gerbrandy om zelfs
op expliciete vragen duidelijkheid te verschaffen, hingen niet
alleen samen met de complicaties die de juridische vormgeving
van sommige grote vraagstukken veroorzaakten, maar ook
met de politieke tegenstellingen die het kabinet beheersten.
Enerzijds verkeerde de regering in Londen, door de onderbe-
zetting van de departementale wetgevingsafdelingen, in permanente tijdnood, als gevolg waarvan de voortgang van bepaalde projecten werd vertraagd. Anderzijds groeiden de interne controverses haar regelmatig boven het hoofd, waardoor
allerlei kwesties op hun beloop werden gelaten. Het belangrijkste gevolg van de interne controverse over de benoeming
van een opperbevelhebber was dat de beide concurrenten,
Kruls en prins Bernhard, onderling óf ieder voor zich, moesten
uitmaken, hoe de besluiten, regels en beschikkingen die op hun
terrein van toepassing waren, moesten worden geïnterpreteerd.
Op dat gebied was de regering in juridisch-administratieve zin
te kort geschoten, maar ook in morele zin: Kruls was in feite
bevelhebber-effectief (de 'echte'), maar mocht dat niet hardop
zeggen, de prins was slechts bevelhebber-titulair (alleen in
naam), maar dat was hem nooit gezegd, omdat de regering
die waarheid te hard vond. Gerbrandy liet de prins en zijn
schoonmoeder liever in de waan dat zijn kansen nog niet
verkeken waren en de zaak nog open was.
    Enkele maanden na de bevrijding werd de voorstelling van
deze *Comedy of errors* in een andere omgeving geprolongeerd.
Het decor was nu niet het ministerie van Algemene Zaken,
maar het ministerie van Overzeese Gebiedsdelen, en de verantwoordelijke minister niet Gerbrandy, maar Logemann.⁶ De
minister moest uitzoeken of een hoge ambtenaar van zijn departement zich tegenover een officier van de staf van prins

Bernhard denigrerend over de prins had uitgelaten. De prins had daarover een rapport gekregen dat hij aan de minister van Overzeese Gebiedsdelen had toegestuurd. Deze had vervolgens de minister van Oorlog, Meynen, erin betrokken en daarna was de ambtenaar die zich aan een 'te Haren opzichte ongepaste uitlating' had schuldig gemaakt, op het matje geroepen.[7] (Uit het schriftelijk antwoord van de minister kon worden opgemaakt dat eerst het woordenboek eraan te pas was gekomen om vast te stellen of de kwalificatie *denigrerend* op het 'klachtdelict' van toepassing was. De minister kon kiezen uit *zwartmaken* en *te kort doen aan de waarde van*.)

De prins zou de ambtenaar van zijn 'ongepaste uitlating' waarschijnlijk geen grief hebben gemaakt als die ambtenaar niet de oud-bewindsman P.A. Kerstens was geweest, die een jaar tevoren nog de portefeuille van Economische Zaken in het kabinet-Gerbrandy beheerde. Kerstens, die intussen Nederlands-Indisch Regeringscommissaris was geworden, had in een conversatie met de kapitein G. Pruys (de stafofficier) de opmerking gemaakt dat prins Bernhard naar zijn mening slechts 'honorair' bevelhebber van de strijdkrachten was en dat het 'daadwerkelijk' bevel berustte bij de chef van de Generale Staf. Die opmerking had Pruys in de ziel getroffen, maar toen deze Kerstens had tegengesproken en voor zijn chef was opgekomen, had de oud-bewindsman geantwoord dat hij meende te weten dat de prins inderdaad aanvankelijk tot bevelhebber was benoemd, maar dat dit in het laatste kabinet-Gerbrandy tot een 'formeel commando' was teruggebracht. Kerstens had daaraan toegevoegd dat hij staatkundige bezwaren had tegen een effectief bevelhebberschap van een lid van het koninklijk huis 'die hierop neerkomen, dat het bekleden van openbare, politiek verantwoordelijke functies de positie van de Kroon in gevaar kan brengen'.

Het ging prins Bernhard uiteraard om de opmerking dat zijn bevelhebberschap in het laatste kabinet-Gerbrandy tot een commando in naam was *teruggebracht*. Of de minister van Overzeese Gebiedsdelen maar zo goed wilde zijn een en ander te laten nagaan.

De minister trok zijn ernstigste gezicht en verklaarde in

ongemakkelijk proza dat het onderzoek de volgende feiten had
opgeleverd:

> Vast is komen te staan, dat de heer Kerstens allerminst
> heeft willen suggereeren, dat U.K.H. zich een titel zou
> aanmatigen, die Haar niet zou toekomen. Dat daaromtrent
> bij den kapitein Pruis een andere indruk is kunnen ontstaan,
> schijnt uitsluitend daaraan toe te schrijven, dat deze – staats-
> rechtelijk ongeschoold – zich niet kan indenken, hoe iemand
> bevelhebber zou kunnen zijn, zonder ook daadwerkelijk
> bevel uit te oefenen.
>
> In de tweede plaats heb ik de overtuiging gekregen, dat
> de heer Kerstens volkomen te goeder trouw meende te
> weten, dat het bevel van U.K.H. over de Nederlandsche
> Strijdkrachten slechts een honoraire functie was en het daad-
> werkelijk bevel berustte bij den Chef van den Generalen
> Staf. Hem was dit verteld en hij heeft gedurende zijn korte
> verblijf in Nederland en zijn op gansch andere zaken gerichte
> ambtsbezigheden geen aanleiding gekregen aan de juistheid
> van die mededeeling te gaan twijfelen, vóór het gesprek met
> den kapitein Pruis.

Minister Logemann concludeerde dat 'het eigenlijk den heer
Kerstens ten laste gelegde onjuist is gebleken', dat het gesprek
'in geen enkel opzicht in onbetamelijke vorm is gevoerd' en
dat het aangeroerde staatkundig probleem 'een ieder als staats-
burger mag en moet interesseeren'. Toch had Logemann de
oud-minister niet verborgen dat deze in het gesprek met de
kapitein Pruys zijns inziens 'een tekort aan gevoel voor de
juiste verhoudingen aan den dag [had] gelegd'.

Logemanns samenvattende conclusie was als het slotstuk
van een duister filosofisch traktaat: 'Nochtans openbaart dit
gesprek tusschen *deze* personen, in hun actueele en gewezen
functies, een wezenlijk verschil in aanvoelen der verhouding
tusschen den politicus Kerstens en hen, die zich in de disciplinaire verhoudingen van leger of bestuursdienst beter hebben
ingeleefd.'

Of Kerstens het bij het rechte eind had gehad dan wel op
verkeerde bronnen was afgegaan, had de minister veiligheids-

halve in het midden gelaten. Misschien was zijn laatste zinsnede over *hen, die zich in de disciplinaire verhoudingen van leger beter hebben ingeleefd* (een omzwachtelende manier om te zeggen dat militairen niet snugger genoeg waren om de finesses van het staatsrecht te begrijpen) niet meer dan een ironische poging de aandacht van de in het geding zijnde kwestie af te leiden. Want over de kwestie zelf had Logemann geen oordeel gegeven. Op de benoemingsgeschiedenis was hij niet ingegaan en zijn ambtgenoot Meynen, die zijn conclusies had onderschreven, had dat evenmin gedaan.[8]

Minister Logemann ging om voor de hand liggende redenen niet op het onderscheid tussen 'daadwerkelijke' en 'titulaire' bevelhebbers in: het was per slot van rekening niet zijn portefeuille en bovendien was hij niet de woordvoerder van het kabinet, laat staan van het vorige kabinet. Het was derhalve niet aan hem te verwijzen naar recente veranderingen in de legerstructuur. Uit die veranderingen al kon worden afgeleid dat Kerstens de geschiedenis geen geweld had aangedaan en niet alleen maar de klok had horen luiden. In feite had de regering in Londen al lang gekozen voor generaal Kruls, die in drie jaar tijds van tijdelijk kolonel tot tijdelijk generaal-majoor en van generaal-majoor tot luitenant-generaal was bevorderd – zonder die keuze wereldkundig te maken. Dat blijkt uit de volgende feiten:

1. Kruls was gedurende een deel van 1945, zowel onder het laatste kabinet-Gerbrandy als onder het kabinet-Schermerhorn/Drees, steeds aanwezig in de vergaderingen van de ministerraad – prins Bernhard niet;

2. Kruls kreeg op 3 augustus 1945 de opdracht van de ministerraad het hoofd van de Shaef-mission (Netherlands) te bevestigen dat de Nederlandse regering weer de volle verantwoordelijkheid voor het civiele bestuur had aanvaard – nadat op 9 juli de zogenoemde eerste of militaire fase van de bevrijding was geëindigd;

3. In de zomer van 1945 besloot de regering het Militair Gezag en het chefschap van Kruls te handhaven zolang de bijzondere staat van beleg voor het gehele grondgebied bleef gelden;

4. Het kabinet trof in de zomer van 1945, vrijwel gelijktijdig, voorbereidingen voor de benoeming van Kruls op 1 november

1945 tot chef van de generale staf en voor de eervolle ontheffing van prins Bernhard uit zijn functie van Bevelhebber van de Binnenlandse Strijdkrachten, onder gelijktijdige benoeming van de prins tot inspecteur-generaal der koninklijke landmacht; 5. Op diezelfde datum werden de troepen die prins Bernhard tot dan toe had gecommandeerd, onder de bevelen van Kruls geplaatst. De operationele functie van de prins was sinds de bevrijding stapsgewijs ontmanteld en de bevoegdheden van Kruls – die sinds 1 november 1945 optrad als chef van de generale staf en op 1 mei 1949 werd benoemd tot voorzitter van het comité verenigde chefs van staven van de drie krijgs-machtdelen – werden in dezelfde periode evenredig uitgebreid.

Ook aan de prins was deze nieuwe bevoegdheidsstructuur al geruime tijd bekend. Er bestond een memorandum van de hand van prins Bernhard waarin deze in zijn eigen woorden zijn onderschikking aan generaal Kruls had bevestigd. Dat document, waarin de prins een nadere omschrijving van zijn positie en een specificatie van zijn militaire bevoegdheden gaf, dateerde al van vóór de bevrijding van Nederland benoorden de rivieren, namelijk van 22 maart 1945. De prins had dit stuk eigenhandig geschreven om te demonstreren dat hij niet gediend was van de tegen zijn troepen gerichte lastercampagnes over wild-westarrestaties en van de aantijgingen dat hij de rover-hoofdman van een bende geüniformeerde struikrovers was.

Het memorandum, getiteld 'Mijn positie en verantwoorde-lijkheid', begon met een opmerkelijke defensieve verklaring, waarin elke verwijzing naar de ministeriële verantwoordelijk-heid ontbrak: 'Mijn operationeel bevel strekt zich alleen uit over de Binnenlandsche Strijdkrachten tot en met hun bevrij-ding en wordt gedekt door orders van de geallieerden.'⁹ Achter 'geallieerden' had uiteraard moeten staan: 'en door de minister van Oorlog' – een essentiële, maar geen verbazingwekkende omissie uit de pen van iemand die zich over de werking van de ministeriële verantwoordelijkheid niet het hoofd placht te breken.

Het document ging op dezelfde defensieve toon verder:

Na de bevrijding worden de Binnenlandsche Strijdkrachten onmiddellijk geconcentreerd en in Compagnieën gevormd, en speciale arrestatieploegen gaan onmiddellijk over naar en onder de bevelen van het Militair Gezag. De gevormde Compagnieën worden ter beschikking gesteld voor operationeele doeleinden aan: a. de geallieerden, b. het Militair Gezag [...].

Mijn taak is geen andere dan ze tot nu toe in bevrijd gebied is geweest, met name het demobiliseeren der Binnenlandsche Strijdkrachten en het vormen van Light Infantry Battalions of andere gewenschte legereenheden, daarbij zooveel mogelijk gebruik makend van de beste krachten uit de Binnenlandsche Strijdkrachten. Ik heb noch in het reeds bevrijde gebied hier noch in de toekomst in het nog te bevrijden gebied in het Noorden eenigerlei operationele zeggenschap, maar slechts een functie, die eigenlijk neerkomt op hetzelfde wat een inspecteur-generaal zou doen [...].

Naar mijn gevoel is deze geheele opzet zoo duidelijk en mijn verantwoordelijkheid dermate beperkt, dat welke Minister van Oorlog dan ook, deze altijd zou kunnen moeten dekken, mits hij vertrouwen heeft in het feit, dat ik mij inderdaad aan deze orders en aan deze opzet zal houden. Wat, gezien deze opzet, dan nog mis zou kunnen loopen en op mijn naam terug zou kunnen vallen, dus dingen die mochten worden gedaan door [andermans] troepen en op andermans verantwoordelijkheid [...], is m.i. niet de moeite van het vermelden waard [...].

Bevatte dit memorandum van de prins aanwijzingen genoeg dat het bevelhebberschap van de Binnenlandse Strijdkrachten al geruime tijd vóór de bevrijding van het noorden was uitgekleed, nog duidelijker bleek dit uit een brief van de minister van Oorlog van 18 augustus 1945, waarin de Bevelhebber der Nederlandse Strijdkrachten (prins Bernhard) gelast werd vijf operatieve bataljons van de Binnenlandse Strijdkrachten aan de territoriale bevelhebber Nederland (Kruls) te leveren. De minister had dit dienstbevel aan de prins gegeven, omdat deze de door het Militair Gezag gevraagde bataljons had geweigerd over te dragen. Prins Bernhard beriep zich daarbij op de be-

staande regeling voor het verlenen van militaire bijstand, die
volgens de prins geen overdracht van militaire troepen 'aan
welke instantie dan ook' kende. De minister aanvaardde dat
verweer niet en besliste dat de prins de gevraagde troepen
moest overdragen aan de territoriale bevelhebber, onder toevoeging van de mededeling dat de overgedragen bataljons
'administratief blijven ressorteren onder den Bevelhebber Nederlandsche Strijdkrachten'. Ditzelfde gold 'voor hun training
en militaire oefenschema's, voor zover de Territoriale Bevelhebber over hen niet anderszins heeft beschikt, in verband met
de bijzondere taken van orde en rust, welke hij hun meent te
moeten opdragen'[10]. In wezen beheerde de Bevelhebber der
Nederlandse Strijdkrachten in de maanden na de bevrijding
niet meer dan een lege huls.

Het jaar waarin hij eervol uit het bevelhebberschap van de
Nederlandse strijdkrachten werd ontheven en het opperbevelhebberschap definitief buiten zijn bereik raakte, eindigde per
saldo niet slecht voor prins Bernhard. In december ontving
hij een opwekkend salarisbriefje van de minister waarin hem
mededeling werd gedaan van een jaarlijkse vergoeding van
tienduizend gulden voor zijn nieuwe functie van inspecteur-
generaal. Om redenen die de prins niet veel belang kunnen
hebben ingeboezemd, mocht die vergoeding echter geen
schadeloosstelling worden genoemd. Omdat prins Bernhard
al een grondwettelijk inkomen had, kon hem voor zijn militaire
functie niet nóg een salaris worden toegekend. In een vertrouwelijk camouflagebriefje (*Persoonlijk* GEHEIM La. o 121)
motiveerde minister mr J. Meynen die regeling enkele maanden
later als volgt: 'Het lijkt mij volkomen billijk, dat het salaris
van een luitenant-generaal der Koninklijke Landmacht in den
vorm van representatiekosten wordt uitbetaald. Op de begroo-
ting voor het jaar 1946 heb ik dan ook deze post laten opnemen,
zoodat dit bedrag U in maandelijksche termijnen zal worden
uitbetaald. U zult het met mij eens zijn, dat het beter was dit niet
op te nemen onder salarissen, teneinde hierover vragen van de
Rekenkamer en Staten-Generaal te vermijden, terwijl als representatiekosten het resultaat hetzelfde is en de verantwoording
gemakkelijker. Met vriendelijke groeten, J. Meynen.'[11]

x. Op de bres voor Jan Soldaat

John Lukacs noemde 1945 YEAR ZERO, 'het jaar waarin de moderne tijd geboren werd', maar dat was een Amerikaanse definitie die de niet-Amerikaanse werkelijkheid op geen stukken na dekte: voor Europeanen was 1945 een ondefinieerbaar jaar, een onbenoembaar tijdvak tussen een apocalyptische winter en een caleidoscopische lente. Een jaar van levenskrachtige vooruitzichten en van gezwelvormige herinneringen, van vernieuwing en van restauratie. Een jaar van handvesten en Hiroshima, van geboortengolven en dodenvalleien, van Nieuw Babylon en sluimerende KZ-syndromen, van het ontologisch bewijs van het bestaan van god en van zijn niet-bestaan.

Het was het onvatbare jaar van de rooftochten, waarin ook in het nog lang niet geordende Nederland van om en nabij de bevrijding onvatbare, anarchistische dingen gebeurden die voordien alleen in avontuurlijke jongensromans gebeurden. Het was de glorietijd van de geüniformeerde koeienstropers van de Binnenlandse Strijdkrachten en de Gezagstroepen, die in april 1945 na de doorbraak bij Remagen, gedekt door Pattons legermacht, met lasso en opsporingsbevoegdheid – en de zegen van prins Bernhard en generaal Kruls – over de Duitse grens het zojuist veroverde/bevrijde oorlogsgebied binnentrokken om gestolen Nederlandse koeien weer naar hun vertrouwde Nederlandse weiden terug te brengen. Het bevrijde deel van Nederland juichte deze twintigste-eeuwse jongens van Bontekoe, die hun bijnaam van 'veedieven' koesterden als een geuzentitel, stormachtig toe – zoals Den Briel en Hellevoetsluis vroeger de mannen van Tromp en De Ruyter stormachtig hadden toegejuicht.

Opzienbarende huzarenstukjes tegen de achtergrond van een gespleten werkelijkheid: aan de ene kant van het front was

Nederland nog bezet en leden vijf miljoen mensen nog onverminderd onder de Duitse overheersing, aan de andere kant was het Duitse leger van Model in het Ruhrgebied door de Amerikaanse, Engelse en Canadese legers ingesloten en stonden de Amerikaanse stoottroepen voor het nog niet gevallen Berlijn.

Met een van die stoutmoedige strooptochten in het kielzog van de geallieerde legers ging er iets mis. De geallieerde militaire politie hield een koeientransport aan en stelde de Nederlandse begeleiders in verzekerde bewaring. Prins Bernhard moest alle registers opentrekken om de overtreders (zijn *jongens*) weer uit de geallieerde politiecellen te praten. Hij schreef een brandbrief aan zijn hoogste geallieerde vriend, generaal Bedell Smith, volgens het devies: de aanval is de beste verdediging. Het was 'een grof schandaal' dat de arrestantenhokken in een politiebureau in Aken vol zaten met leden van zijn Binnenlandse Strijdkrachten, die waren aangehouden op Duits (nu geallieerd) grondgebied waar ze weliswaar zonder geallieerde toestemming waren, maar die zich daar ophielden om een volkomen rechtmatige missie uit te voeren. Zouden ze soms hun eigen koeien, die door de vluchtende Duitse troepen in Nederland waren gestolen, niet terug mogen halen? Begrepen de geallieerden dan niet dat het voor de Nederlandse illegaliteit (die in het bezette deel van Nederland nog ondergronds was) een onverdraaglijke gedachte was haar mensen in Duitse politiecellen te zien belanden, en nog wel onder bewaking van Duitse politie? 'Vooral dit laatste heeft in heel Zuid-Limburg waar de zaak grote bekendheid heeft gekregen, begrijpelijk veel kwaad bloed gezet.'

'Ik kan er niet genoeg de nadruk op leggen,' schreef de prins, 'dat er van plundering geen sprake is geweest, maar indien de geallieerde bezettingsautoriteiten dit als zodanig beschouwen, dan verzoek ik je dringend deze militairen aan de Nederlandse justitie over te dragen.' Twee dagen later werden de zeven Nederlandse BS'ers vrijgelaten en in een busje van de Amerikaanse MP van Aken naar de grens gebracht.[1]

Weinig documenten beelden de anarchistische tijdgeest zo typerend uit als een briefje van prins Bernhard van 7 april 1945 aan dezelfde Amerikaanse generaal W.B. Smith. Het begrip organiseren wordt daarin gehanteerd volgens de luchtige betekenis van het militaire woordenboek – in de zin van slinks verwerven, ritselen, versieren, gappen. Blijkens de joviale toon van dit 'My dear Bedell'-briefje is generaal Smith vertrouwd met de reputatie die de prins zich als deugdzame 'organisator' heeft verworven. Het hele geallieerde leger is daar trouwens mee bekend, sinds prins Bernhard zijn Britse tegenvoeter en geallieerde superieur Montgomery op een geruchtmakende manier te slim af is geweest met het binnenslepen van legervoorraden voor zijn slecht bewapende en slecht geklede troepen. De vraag die de prins aan Bedell Smith voorlegt is deze: zou de generaal hem in dit kader (van het 'organiseren') een kleine persoonlijke dienst willen bewijzen en hem aan enkele goede Duitse auto's kunnen helpen? Alles wat de Nederlandse regering aan auto's bezit, is legerschroot dat niet meer vooruit te branden is.

'Onze auto's zijn allemaal door de Duitse bezetter gestolen.' Wat mij betreft, schrijft de prins (die een hekel heeft aan lange inleidingen en bij voorkeur met de deur in huis valt), 'zou ik er graag enkele van willen terugzien, en wel drie auto's van het volgende merk: B.M.W. (Bayerische Motoren Werke), die in München worden gemaakt. Ik denk dat generaal Patton daar het eerst zal aankomen, en ik vraag mij af of het jou mogelijk is hem een briefje te sturen, waarin je hem vraagt er drie of vier (liefst nieuwe) voor mij te reserveren. Tegen de tijd dat ik er aankom, is er, vrees ik, niets meer voor mij over! Zo gaat het nu eenmaal, maar ik zie niet in waarom ik niets van de buit zou kunnen krijgen. Ik kan ze trouwens ook aan jou aanbevelen: het zijn heel mooie auto's – niet groot, maar snel, met een prachtig koetswerk en uitstekend gemaakt. Ik zie je lachen wanneer je deze brief onder ogen krijgt.' Was getekend, met de beste wensen en de hartelijke groeten/B).[2]

De brief had niet het gewenste effect, want aan het eind van het jaar behielpen de prins – intussen inspecteur-generaal – en zijn staf zich nog steeds met uitgewoonde auto's, die een gevaar op de weg waren. Maar kort voor Sinterklaas ontving prins Bernhard het bevrijdende bericht van de kwartiermeester-generaal dat er vier Humber staff-cars in nieuwe staat naar hem onderweg waren. Bij aankomst bleek het begrip 'nieuwe staat' uit de oorlogseconomie te zijn bedoeld. Van de aangekondigde vier auto's waren er maar drie afgeleverd en die misten de meest noodzakelijke voorzieningen. De nieuwe inspecteur-generaal schrijft de kwartiermeester-generaal:

> De door ons ontvangen drie auto's hebben gezamenlijk één lamp. Indien de Engelsche oorlogsstandaardverlichting uit helemaal geen licht bestaat, zouden wij dit natuurlijk moeten aanvaarden, maar dit is voor mij iets geheel nieuws. Voorts zijn twee auto's met volkomen kapotte spatborden afge-leverd en zijn de banden dermate versleten, dat zij het nog maar korte tijd zullen uithouden. Aangezien ik haast dage-lijks op straat dezelfde Humbers in goeden staat zie rijden en er tot nu toe nog zelfs geen poging is gedaan om mij aan vier goede auto's te helpen, zie ik mij gedwongen, indien niet op 10 Januari a.s. deze drie auto's in een behoorlijken staat zijn gebracht en met een vierde aangevuld of door vier andere zijn vervangen, de Militaire Politie vier Humber staff-cars op straat te laten aanhouden en in beslag te laten nemen en onze drie wrakken aan de inzittenden ter beschik-king te stellen.

Het dreigement was als grapje bedoeld, maar het had de be-doelde uitwerking: enkele weken later waren de auto's van de staf van de inspecteur-generaal in behoorlijke staat gebracht.

Als de regering had gedacht dat prins Bernhard in het inspec-teur-generaalschap veilig was opgeborgen en geen kwaad meer kon doen, was dat een misrekening.[3] De prins rekende snel af met de gedachte dat hij zich op het zijspoor van de ereambten had laten rangeren waar men alleen nog van hem zou horen wanneer hij ergens een lint doorknipte of een defilé afnam. Binnen enkele weken was men al vergeten dat hij geen bevel-hebber van de Nederlandse strijdkrachten meer was.[4] Men zag het verschil eenvoudig niet meer doordat hij in zijn nieuwe functie hetzelfde elan ten toon spreidde als hij in zijn oude had gedaan. De prins maakte er meer van dan de minister voor mogelijk had gehouden en logenstrafte de voorspelling dat hij zich had laten kortwieken. Hij liet zich met nog even veel dingen in als vroeger, maar hij werd ook nog even veel als vroeger bij de leiding van de legerzaken betrokken. En met dezelfde geestdrift en dezelfde onstuimigheid als vroeger liet hij zich in alles betrekken. Hij werd lid van de Raad voor de Oorlogvoering, een door de minister ingestelde adviesraad (die na de capitulatie van Japan snel aan betekenis inboette); lid van een uit de top van het departement geformeerde braintrust, de Legerraad; voorzitter van de Demobilisatieraad en na opheffing daarvan voorzitter van de Nationale Raad voor het Welzijn van Militairen. Daar zouden in de loop der jaren nog tal van functies bijkomen (maar zelden afgaan) zoals marinestaf, luchtmachtraad, comité verenigde chefs van staven, onderraden van de ministerraad e tutti quanti.

In elk geval: *never a dull moment*. Voor de regering had dat een waarschuwing moeten zijn, al kon die nog worden verontschuldigd doordat zij op dat moment dringender zaken aan het hoofd had, zoals de kwestie-Indonesië, de bijzondere rechtspleging en de wederopbouw. Maar zo veel was zeker, dat de geest die tijdens de Engelse ballingschap uit de fles was ontsnapt, zich niet meer onder de kurk zou laten vangen. En niemand, die later kon zeggen dat hij het niet gezien had.

De schrijfmachine werd een onmisbaar attribuut van de nieuwe inspecteur-generaal van de landmacht (IGKL). Hij gebruikte haar met de intensiteit waarmee men tegenwoordig het visitekaartje gebruikt. De prins deed zich als een uitbundig brievenschrijver kennen, die honderden, eigenhandig ontworpen (in een groot aantal gevallen ook eigenhandig geschreven) brieven per week produceerde – aan ministers en commandanten, geallieerde bevelhebbers en 'onze jongens overzee', aan kameraden in Engeland en in de Verenigde Staten en aan vrienden van het voormalige verzet. Talrijke enveloppen met de initialen IGL (een enkele met het prinselijk wapen) werden bezorgd op eenvoudige adressen waar communisten woonden en gereformeerde boeren, en oud-BS'ers die na de opwindende maanden van de bevrijding nog geen werk hadden gevonden. Veel van die briefjes eindigden met de verzekering: 'Ik zal kijken wat ik kan doen,' niet zelden ook met: 'Ik zal kijken wat ik voor je kan doen.'

Uit de correspondentie die de inspecteur-generaal van de landmacht in de eerste jaren produceerde, komt een vitaal dienstbaarheidsbetoon naar voren. De prins is zowel het oog van de minister als het oor van de militairen, hij luistert zowel naar de ene partij als naar de andere en hij doet dat niet met de diplomatie die het apparaat (de minister) het meest gelegen komt, maar met een directheid die het individu (vooral uit de lagere rangen) het meest waardeert. Hij is de voorloper van de ombudsman, klankbord, klaagmuur, maar ook nieuwlichter die in de ogen van sommige hogere officieren van de oude stempel gevaarlijke denkbeelden over de democratisering van het leger uit Engeland heeft geïmporteerd.

In de ogen van zijn adjudant generaal-majoor H.J. Phaff (bijna tweemaal zo oud als de prins) toonde hij trouwens al vóór 1940 een 'zo grote toegankelijkheid voor iedereen' dat hij, volgens deze opperofficier, de tucht onder de troepen verzwakte. Phaff voegde daaraan toe: 'Daardoor kwamen velen bij U met ongegronde klachten en ondoordachte voorstellen, die U door Uwe groote spontaniteit en zeer te waardeeren drang naar verbetering en daden zonder nader beraad aanvaardde.'[5] Een jaar of twintig later zal prins Bernhard zich in dezelfde zin uitlaten over de langharige dienstplichtgeneratie van de jaren zestig, maar in die eerste periode van zijn inspecteurschap staat hij nog dicht bij de 'gewone man'. Het is de periode van de opbouw van het leger, waarvoor hij in Londen al ideeën heeft opgedaan en waarvoor hij zich de eerste jaren na de oorlog – met Kruls – energiek inzet. De denkbeelden die hij tot afgrijzen van tal van prominente oudgedienden uit het Engelse leger heeft meegenomen (waaronder zijn voorkeur voor het Engelse uniform die hij samen met Kruls weet door te drukken), illustreren de vooruitgang die zijn eigen inzichten in de voorgaande jaren hebben doorgemaakt: hij wil experimenteren met de doorstroming van bekwame onderofficieren naar de officiersrangen. Karakter, schrijft hij, is belangrijker dan een hbs-diploma. De officieren moeten 'een vader en een vriend zijn voor hun ondergeschikten' en uit hun gesloten sociale kringen breken, waar hun belangstelling zich heeft vernauwd tot 'drinken, kaarten en vrouwen'. Ook de oude scheidslijnen tussen de officiersmess en de manschappenverblijven moeten volgens de prins verdwijnen.[6]

Er kwam in de praktijk niet veel van terecht, maar het waren verfrissende gedachten die de inspecteur-generaal met een jeugdige geestdrift beleed en die ook pasten bij het nieuwe leger. Het kostte hemzelf geen moeite die gedachten in praktijk te brengen: hij was Griek met de Grieken, Romein met de Romeinen en hij verkeerde even gemakkelijk tussen de officieren als tussen de soldaten. De invloed die hij in de veel democratischer Engelse krijgsmacht had ondergaan, bleek ook uit zijn arrestatiebeleid in zijn functie van BNS. Uit de dossiers van de omstreden 'arrestatieregeling' springen twee gevallen in het oog, die de moeite van nadere beschouwing waard zijn. In het ene geval werd de integriteit van prins Bernhard op de proef gesteld; in het andere hield hijzelf het Militair Gezag zijn maatstaf van integriteit voor.

Het eerste betrof een wel heel ongewone interventie van de procureur-generaal te 's-Hertogenbosch mr F. A. J. Deelen, die in een brief van 1 mei 1945 prins Bernhard verzocht zijn invloed aan te wenden ten gunste van de voorzitter van de Koninklijke Nederlandse Voetbal Bond Karel Lotsy. Het was hem *ter ore* gekomen dat het plan bestond de KNVB-voorzitter te arresteren (met andere woorden, hij had zojuist de arrestatielijsten van de BS *onder ogen* gekregen). 'De vraag of Lotsy zich gedurende de bezettingsjaren al dan niet behoorlijk heeft gedragen, vermag ik in haar algemeenheid niet te beantwoorden, maar wel kan ik U de verzekering geven, dat ik Lotsy van zeer nabij ken en dat aan zijn vaderlandsliefde en mede aan zijn liefde voor het Huis van Oranje niet kan en mag worden getwijfeld,' aldus de Brabantse procureur-generaal, die daarop liet volgen: 'Waar ik vermeen te mogen aannemen, dat de persoon van Lotsy Uwe Koninklijke Hoogheid zeker niet onbekend is, meen ik goed te doen het bovenstaande aan U te doen weten.'[7]

Het was een ongepast briefje voor een procureur-generaal, die nog maar sinds enkele weken waarnam voor de omstreden (te veel aan de vorm hangende, door de illegaliteit weggepeste) Speyart van Woerden. Het was een iets te doorzichtig briefje ook: het verhulde dat Lotsy het middelpunt was geweest van een kring van sportofficials met *uitgesproken* NSB-sympathieën (zoals de voorzitter van het Nederlands Olympisch Comité kolonel P.W. Scharroo, die tot de oprichters van de NSB behoorde). En het probeerde hem vrij te pleiten (van de nietvermelde aanklacht) met een beroep op precies die twee kwaliteiten waarop NSB'ers zich het liefst lieten voorstaan: vaderlandsliefde en oranjeliefde.

Die poging van de procureur-generaal tevens fungerend Directeur van Politie om het oordeel van de prins ten gunste van Lotsy te beïnvloeden – ofwel het begin van klassejustitie – slaagde niet, althans niet bij prins Bernhard, doordat deze de brief ter afhandeling naar generaal Kruls doorzond, maar ze vormde een aanwijzing dat de onkreukbaarheid van het justitieapparaat in die dagen ook haar grenzen had.

Het tweede geval betrof een brief van prins Bernhard van 17 juni 1945 aan generaal Kruls naar aanleiding van informatie van zijn staf dat de voorzitter van de Hoge Raad van Adel, baron de Vos van Steenwijk, getracht had de arrestatie van zijn vrouw, lid van de NSB, te voorkomen, en zich daarbij had beroepen op zijn voorzitterschap van dit hoge college van staat. Mevrouw De Vos van Steenwijk had er tijdens haar detentie nog een schepje bovenop gedaan door bij haar medegedetineerden met de naam van prins Bernhard te schermen en te roepen: 'Wanneer de prins weet dat ik hier zit, ben ik morgen vrij.' De prins maakte ernstig bezwaar tegen die suggestie en vroeg Kruls 'alle maatregelen te treffen die U gewenscht of noodig mocht achten'. De brief was belangwekkend door de laatste volzin: 'Tevens moge ik hierbij aanteekenen, dat menschen, die een bevoorrechte positie in de maatschappij genieten, op grond daarvan niet beter behandeld mogen worden dan anderen. Hierdoor kan namelijk een gevaarlijke ontevredenheid in het leven worden geroepen.'[8]

Uit de officiële correspondentie van prins Bernhard komt een kleurrijk psychogram te voorschijn, dat veel verklarend materiaal bevat voor geschoolde waarnemers van de inwendige psychische dynamiek. De prins doet zich in zijn brieven kennen als een impulsief man, snel partij kiezend, snel toegevend aan sympathieën, snel bewogen door zijn afkeer van regelzucht en

bureaucratie. De ene keer wordt hij gedreven door hulpvaar-
digheid, de andere keer door een beledigd rechtvaardigheids-
gevoel. Soms spreekt hij voor zijn beurt, niet zelden is hij half
geïnformeerd en half gedocumenteerd, niet zelden wordt hij
daarvoor ook op de vingers getikt. Op een uiterst kort briefje
waarin hij minister A.H.J.L. Fiévez begin 1948 wees op de
'schandalige' laksheid van de overheid, die had zitten slapen
toen Philips haar 'een belangrijke uitvinding op militair gebied'
had aangeboden, kreeg hij per kerende post een korzelig antwoord, dat als volgt begon: 'Uw dringend, persoonlijk en
vertrouwelijk schrijven van 12 dezer heeft mij zeer verbaasd
en – laat ik eerlijk zijn – ook gehinderd.' Waarop een uitvoerige
beschrijving van de feitelijke stand van zaken volgde waarin
de minister gedocumenteerd de 'feiten' weerlegde waarop de
prins zich had gebaseerd.

Prins Bernhard kon goed tegen kritiek en ontliep niemand
die hem iets zinnigs had toe te voegen. 'Ik ben er, zooals U
misschien wel weet, bijzonder op gesteld van kritiek te leeren,
wanneer deze opbouwend is en altijd bereid in ieder geval over
de juistheid ervan van gedachten te wisselen, sans rancune,'
schreef hij de oude generaal Roëll.[9] De inspecteur-generaal kon
ook retireren, hij was een goed inbinder en gaf zich gemakkelijk
gewonnen wanneer hij tegenover sterkere feiten kwam te staan.
En zelfs een geïrriteerde minister wist hij weer voor zich te
winnen door een aardig spijtbetuiginkje te schrijven, dat eindigde met de laconieke dooddoener: 'De alinea waaraan U
aanstoot hebt genomen, berust op een misverstand. Hierover
echter gaarne later nog eens mondeling.' *Ill feelings* hielden
tegen zoveel opgewektheid nooit stand, maar voor dezelfde
hoeveelheid *misfire* had een gewone soldaat enige weken ver-
zwaard arrest moeten opknappen.

Als bevelhebber van de Binnenlandse Strijdkrachten had
prins Bernhard zich al doen kennen als een kortschrijver, met
een bijzonder talent voor *one-liners*. Een brief van twee alinea's
(entrees en plichtplegingen niet meegerekend) beschouwde hij
al gauw als te lang. Wanneer één alinea niet kon volstaan, was
het eigenlijk een mislukte brief. Aan Kruls schreef hij naar
aanleiding van een bezoek dat een pas aangestelde commandant
van de gezagscompagnieën hem had gebracht: 'Hoewel ik

begrijp, dat men hiervoor niet een van de allerbeste krachten behoeft uit te zoeken, is het toch erg vervelend om een dergelijke, uiterlijk reeds belachelijke figuur in uniform te zien, te meer waar wij alle moeite doen ongeschikte figuren voor het leger te weigeren. Ik wist werkelijk niet wat ik zag, toen deze man binnen kwam.'[10]

Zijn negatief advies aan minister Meynen over de kandidatuur van de overste mr R.P.J. Derksema voor de post van hoofd van de afdeling opsporing van oorlogsmisdadigers in het Britse leger in Duitsland (21st Army Group) was even pregnant als ongenuanceerd. Prins Bernhard kende Derksema uit Londen, waar deze een tijdlang het weinig beminde hoofd van de Nederlandse inlichtingendienst was geweest. Derksema had in Londen de onder Engelse druk ontslagen Van 't Sant opgevolgd, maar had de Engelsen nooit kunnen imponeren. Het hoofd van MI-6, C.E.C. Rabagliatti, was geen moment bereid met hem samen te werken en noemde de incompetentie van Derksema's bureau 'het treurigste wat ik in deze oorlog heb aanschouwd'[11]. Die diskwalificatie droeg niet bij tot Derksema's effectiviteit maar versterkte eerder de (nooit bewezen) geruchten dat hij een van de schakels in het 'Englandspiel' was geweest. 'Gezien het feit, dat door totaal ontbrekende leiding en besluiteloosheid van Overste Derksema het werk van de Sectie IIIA tot niets heeft geleid, zou het naar mijn mening voor ons land een ramp zijn indien deze man – gelet op zijn karaktereigenschappen – een dergelijke functie bij 21st Army Group zoude innemen. Dit zou er positief toe leiden dat 3/4 van de door hem te beoordelen war criminals vrijuit zou gaan. Ik kan mij moeilijk voorstellen dat de Regeering dit verantwoord zou achten.'[12] De prins beheerste zowel de techniek van de tactvolle interventie als de methode van de zachte overreding, maar zijn kracht zat toch in het verrassende gebruik van de korte hoek en de linkse directe.

Prins Bernhard bereed het vaakst zijn stokpaard van de zuivering. Hij voorzag dat de 'slapjanussen' uit de vooroorlogse legerleiding weer de dienst zouden gaan uitmaken indien de regering zich niet zou houden aan de Londense aankondiging van een grondige uitkamming van het leger. Minister van Lidth de Jeude, die al meermalen had beloofd met een uitvoeringsbeschikking te komen, werd er meermalen door de prins aan herinnerd.

> U beloofde een beschikking, waarbij U alle beroeps- en reserve-officieren op non-actief stelt, teneinde te voorkomen dat de heeren zich op de borst slaan en zich in uniform steken, terwijl wij dan met de gebakken peren zitten, wat uitermate onaangenaam zou zijn. Bij reservepersoneel hebben wij de boel in zooverre in handen, dat wij ze niet oproepen, maar met beroepspersoneel is dat anders. Wij zouden bijvoorbeeld menschen kunnen krijgen die uit Duitsche krijgsgevangenschap terugkeeren, en die naar het oordeel van hun medegevangenen (op grond van hun karakter) niet geschikt zijn om in het leger opgenomen te worden, terwijl men hun het recht niet kan ontnemen zich in uniform te steken totdat zij met vreeselijke moeilijkheden *gezuiverd* zijn. Het zijn natuurlijk geen menschen die met den vijand geheuld hebben, doch wel slap en onbruikbaar zijn en per se niet meer in het leger *mogen*.[13]

De prins was bij de bevrijding zelf niet veel ouder dan de manschappen van het nieuwe leger en het thema verjonging komt dan ook regelmatig in zijn brieven aan de minister voor. Zonder zichzelf te presenteren als de schutspatroon van de soldaat, deed hij toch zo veel regelmatige aanbevelingen voor een verbetering van diens werk- en leefomstandigheden in het leger dat er van een programmatische aandacht kon worden gesproken. Zijn favoriete thema bleef in die eerste jaren van de legeropbouw de verkleining van de afstand tussen officieren en manschappen. 'Het lijkt mij dat de reserve-officieren der Koninklijke Landmacht die naar de Mariniers zijn overgegaan en daar de jonge Mariniers hebben opgeleid, nog niets geleerd hebben,' schreef hij de minister eind 1945. 'De manschappen worden door hen nog altijd als een stom nummer behandeld, dat het niet waard is, dat je je er buiten den dienst mede bemoeit.'[14] In de materiële sfeer van belangenbehartiging bestookte hij de minister met papiersalvo's over de zijns inziens noodzakelijke soldijverhoging. In 1946 lag de soldij van de Nederlandse soldaat (een getrainde soldaat ontving *f* 5,25 per week) ver achter bij die van de Engelse en de Amerikaanse. Daarmee werd veel van de motivatie afgebroken die de Nederlandse regering in Engeland door betere betaling juist had gestimuleerd. 'We hadden in Engeland het oude principe dat de soldaat alleen maar een zakgeld behoeft, vervangen door het principe van betaling voor vakmanschap. Dit is een zeer principiële beslissing geweest waarvan wij op het oogenblik weer dreigen af te wijken.'[15] Drie jaar later waren de klachten over de betaling aan de dienstplichtige militairen nog maar miniem verholpen en moest de prins voor de zoveelste keer op de kwestie terugkomen. In een brief aan de minister van Defensie hekelde hij niet alleen de onderbetaling van de lagere rangen die in eigen voeding moesten voorzien, maar kwam hij ook op voor beroepsmilitairen die inzicht verlangden in een nieuwe bezoldigingsregeling maar van het kastje naar de muur waren gestuurd. Zelfs de demobilisatieraad, die zich op zijn verzoek over de kwestie had laten voorlichten, had er niets van kunnen begrijpen. 'Van ons allen maakte zich een gevoel van stomme verbazing meester over deze ingewikkelde materie en de daarin bestaande mogelijkheden om de menschen het leven zoo zuur mogelijk te maken!'[16]

Prins Bernhards inspecteurschap bereikte in de jaren zestig zijn volle omvang bij de omzetting van zijn afzonderlijke inspectoraten in een benoeming tot inspecteur-generaal voor de krijgsmacht. Hij was intussen zo overladen met functies, en lidmaatschappen van adviesraden en -colleges dat hij bijna onder zijn eigen gewicht bezweek. De boeiendste periode lag toen al lang achter de rug. Naarmate het aantal functies was toegenomen was de belangwekkendheid van het geheel evenredig afgenomen – overeenkomstig de cyclische wetmatigheid van opgaan, blinken en verzinken. De officiële correspondentie geeft daarvan een getrouwe afspiegeling. Dat ligt voor een deel aan de afnemende attractiviteit van het inspectiewerk in een steeds beter georganiseerde en zich professionaliserende krijgsmacht, maar ook aan het niet-militaire internationale werk dat prins Bernhard in de jaren vijftig begint te accumuleren. Die curve die zich daarvan aftekent, volgt de wetten van de logica: naarmate de prins meer opgaat in de internationale wereld,

neemt zijn belangstelling voor zijn inspectoraat – in defensie-
code 'De Zwaluwenberg', naar de villa op de heide bij Hilversum waar de staf van de inspecteur-generaal is gevestigd – af
en begint zich te kenmerken door routine.

De invloed die de functie in de loop van de jaren heeft
gehad, is moeilijk te schatten doordat de papieren daarover niet
spreken en de meningen van de insiders daarover uiteenlopen.
Het staat vast, dat die invloed in de hoogtij van de legeropbouw
zeer groot was; de officiële correspondentie getuigt daarvan.
Het staat daarentegen niet vast dat die invloed zo groot is
geweest als prins Bernhard in de biografie van Alden Hatch
zelf heeft beweerd. Van de beslissende druk die hij op opeenvolgende ministers zou hebben uitgeoefend om de zelfstandigheid van de koninklijke luchtmacht, tegen de voorkeuren van
de toenmalige defensieleiding in, in de wacht te slepen, is in
de archieven niets te vinden – noch in de archieven van Defensie
noch in die op Soestdijk.[17]

Er zijn evenwel genoeg aanwijzingen dat de informele invloed van de inspecteur-generaal van de krijgsmacht in de loop
der jaren op verscheidene beleidssectoren – variërend van de
kwaliteit van de gevulde koeken in de kantines tot de aanschaf
van vliegtuigen – groter is geweest dan ministers hebben willen
toegeven. De chroniqueur van het leven op De Zwaluwenberg,
de luitenant-kolonel der grenadiers H.F. Fabri, heeft daarover
de veelzeggende kanttekening gemaakt: 'In de jaren van de
prins liepen ministers hier de deur plat.'[18] Voor de militairen
uit de staf van prins Bernhard was het niet altijd duidelijk of
hun chef het meeste gedaan kreeg in zijn hoedanigheid van
inspecteur-generaal of in die van Prins der Nederlanden, 'want
het was lang niet altijd zichtbaar welke van de twee petten hij
droeg'. Maar dat hij op het departement veel bereikte, was
voor de staf van De Zwaluwenberg zo zeker als een huis.

XI. *Steekpenningen voor Perón*

Het begon allemaal nogal amateuristisch: met onderzetters voor bloempotten, die het, naar de mening van prins Bernhard, in de Verenigde Staten goed zouden doen. Waarom geen fietstassen? Tweezijdige fietstassen, die in het stadsverkeer een Cadillac overbodig zouden maken. Of kleurvaste reprodukties van Theo van Doesburg, wat weer eens wat anders zou zijn dan Holland Promotion met Rembrandt of Van Gogh. Maar onderzetters! 'Onderzetters voor bloempotten zouden in de Verenigde Staten zeer verkoopbaar zijn.'

Prins Bernhard suggereerde ook een *next best*. 'Wanneer men zich door een Amerikaan zou laten vertellen welk Nederlands fabrikaat in Amerika zeer in de smaak zou vallen, dan is het Makkums aardewerk.' Maar ook de Nederlandse bloembollenkwekers zouden hun aandeel op de Amerikaanse markt kunnen vergroten als ze hun marketingstrategie in een vrolijk idee zouden verpakken. Het idee was van een Amerikaanse vriend van hem: de Nederlandse bloembollenexporteurs moesten zich gaan toeleggen op 'de verkoop van kleine pakjes met daarin enkele tulpenbollen – niet meer dan drie tot vijf – waarbij in ieder pakje een brief van een Hollandsch kind wordt gedaan, dat met een Amerikaansch kind wil beginnen te corresponderen'. Volgens de prins 'zou dit op de sentimentaliteit van de Amerikanen werken en men zou dan een betrekkelijk hoogere prijs voor deze enkele bloembollen kunnen vragen dan gebruikelijk is'.

Zo begon het: met een brief in de zomer van 1950 aan de minister van Economische Zaken, waarin prins Bernhard zijn eerste diensten aanbood aan de regering – een koninklijk *aanjager* in dienst van het gemenebest.[1] Hij had zojuist op verzoek van de regering zijn eerste reis naar Suriname, de Nederlandse

Antillen en enige Zuidamerikaanse landen gemaakt, en dat was hem zo goed bevallen dat hij het zeker niet bij die ene reis zou willen laten. Er lag een wereld voor het Nederlandse bedrijfsleven open, mits de kansen die zich voordeden met beleid zouden worden aangegrepen. Bij zijn terugkeer schreef prins Bernhard een rapport voor de minister, waarin hij allerhande aanbevelingen deed voor verbetering van de export naar die landen die hij had aangedaan en waarin hij zich beschikbaar stelde voor de *sophisticated follow-up* die nu geboden was.

Nog dezelfde week betuigde minister J.R.M. van den Brink zijn schriftelijke adhesie met de suggesties van de prins: 'Uw opmerkingen hebben mijn volle belangstelling. Waar het in de bedoeling ligt het beleid ten aanzien van de exportbevordering aan de hand van de opgedane ervaringen te herzien, meen ik, dat stellig ook dit stuk van nut zal kunnen zijn.'[2] Daarmee was prins Bernhards loopbaan als *ambassadeur extraordinaire et plénipotentiaire* van de Nederlandse export in feite begonnen.

Minister Van den Brink had nog een korte mededeling aan zijn antwoord vooraf laten gaan, die de moeite van het onthouden waard is. 'Wat betreft het memorandum inzake de bevordering van de export naar de Verenigde Staten van Amerika kan ik Uw Koninklijke Hoogheid mededelen, dat de door U verkregen indruk van het werk van de heer S. geheel overeenstemt met het oordeel, dat ik mij zelf thans aan de hand van meerdere rapporten [...] heb kunnen vormen. Vertrouwelijk kan ik U mededelen, dat door mij, gelijk door U wordt gesuggereerd, wordt overwogen de heer S. te vervangen. Waar de heer S. nog niet uit Amerika is teruggekeerd en derhalve nog niet in de gelegenheid is geweest mij te rapporteren, stel ik er veel prijs op, indien bovenvermelde mededeling voorshands als strikt vertrouwelijk wordt beschouwd.'

Prins Bernhard was op zijn reis een ambtenaar van het ministerie tegengekomen die naar zijn inzicht zijn vak niet verstond en hij had niet geaarzeld de minister daarover een weg-met-hembriefje te schrijven in het genre *one-liners* waarmee hij in zijn militaire functie naam had gemaakt (zie vorige hoofdstuk). Tegen gebrek aan ambtelijk professionalisme kon

hij heel kortaangebonden uitvallen, dan verloor hij zijn aange-
leerde gelijkmoedigheid, soms ook zijn courtoisie – zoals een
ambtenaar van Buitenlandse Zaken ondervond, die in de jaren
zestig zijn gramschap opwekte en publiekelijk werd uitgemaakt
voor 'een of andere idioot van Buitenlandse Zaken'. Nu waren
de buitenlandse vertegenwoordigingen van de departementen
in die tijd ruim voorzien van vooroorlogse types die soms
sterk vervreemd waren van de samenleving waarvoor ze werkten, zodat de prins de handen vol had aan het schrijven van
stafbrekende briefjes naar het thuisfront. Aangezien in de Buitenlandse Dienst veel meer van zulke uit-de-tijdse lieden rond-
liepen, liep zijn gal vooral daarover rijkelijk over. Zo moest
ook de Nederlandse ambassadeur in Venezuela, die zijn diplomatieke krediet bij het Venezolaanse regime had verspeeld en
volgens de prins een *bord voor zijn kop* had, het ontgelden. In
dit geval correspondeerde het oordeel van de prins niet met de
mening van de minister, zodat de ambassadeur met bord en al
op zijn post bleef. Maar de prins zou in de komende jaren nog
tal van brandbrieven schrijven. Soms hadden die geen, soms
hetzelfde effect als in het geval van de uit de Verenigde Staten
overgeplaatste ambtenaar S.

De archieven maken ook melding van een tussenvorm.
Wanneer het departement de bui al zag hangen, werd een
zwakke ambtenaar op een ambassade waar de prins op bezoek
zou komen uit de wind gehouden of ook wel vervroegd overgeplaatst. 'Je weet de critische houding van de Prins en zijn
omgeving tegenover de Buitenlandse Dienst, zodat wij nog
steeds bang zijn dat daaruit in het eindverslag van de Prins,
vooral wanneer hij met de kolonie spreekt, enige moeilijkheden
zullen ontstaan,' schreef de secretaris-generaal van het ministerie van Buitenlandse Zaken, dr H.N. Boon in 1952 aan de
Nederlandse gezant in Mexico. 'Teneinde een en ander zo
goed mogelijk te ondervangen, leek het ons verstandig om de
beslissing om V. na het bezoek van de Prins over te plaatsen,
reeds thans te nemen, zodat wij altijd kunnen zeggen dat V.
alleen daar is aangehouden, omdat zijn locale kennis gedurende
het bezoek van de Prins volstrekt noodzakelijk was.'[3]

Prins Bernhard was nu over de brug. Het emplooi dat hij
naast zijn werk als inspecteur-generaal van de landmacht zocht

voor zijn internationale talenten, lachte hem goedgunstig toe. De economische sectoren van handel en industrie beheersten nog lang niet de geavanceerde technieken van exportbevordering die in Amerika en elders in de wereld werden toegepast, en de prins kwam met zijn uitgebreide, in Londen opgebouwde, internationale relatiekring als geroepen. Nederland had behoefte aan voortrekkers die in het buitenland deuren open kregen. Bij minister Van den Brink vond de prins een willig oor. Het zou nog mooier zijn wanneer ook andere ministers voor de prins warm gingen lopen. Spoedig zou een tweede departement op de *bandwagon* van de prins springen, al zou dat niet helemaal op de meeslepende wijze gebeuren die de geschiedenis ons wil doen geloven. Volgens Alden Hatch zou het initiatief voor de grote reizen die prins Bernhard in het begin van de jaren vijftig op verzoek van de regering maakte, zijn uitgegaan van de minister van Financiën, dr P(ieter) Lieftinck. De officiële stukken tonen echter het tegendeel aan.

Uit de archieven van Buitenlandse Zaken blijkt dat het initiatief van prins Bernhard uitging. De eerste keer dat hij daartoe zijn voelhorens uitstak, kreeg hij van minister Van Boetzelaer (Buitenlandse Zaken) nog de kous op de kop. De prins had via via gehoord dat de Nederlandse gezant in Mexico het wenselijk vond dat hij een goodwill-reis naar dat land zou maken om zich in te zetten zowel voor de landingsrechten van de KLM als voor de verbetering van de handelsbetrekkingen van Nederland met Mexico. 'Ik zou U toch willen vragen om met Uw ambtgenoten van EZ en F eens een keer van gedachten te wisselen over het eventueele nut van een reis van mij naar Noord- en Zuid-Amerika, vergezeld van enkele economische en financiëele experts, ten einde onze betrekkingen op dit gebied d.m.v. enkele diners, ontvangsten, speeches etc. te kunnen verbeteren c.q. bevestigen, zooals dit vóór en ook na den oorlog door andere landen is gebeurd, die leden van hun Koningshuisen voor zooiets hebben "gebruikt". Met mijn hartelijke groeten/B, Prins der Nederlanden.'4 De constitutioneel bewuste baron Van Boetzelaer zag niets in dat voorstel en weigerde het in de ministerraad te brengen. Hij voorzag constitutionele moeilijkheden als een lid van het koninklijk huis verwikkeld raakte in onderhandelingen over landingsrechten, waarin het niet alleen altijd hard toeging, maar waarin ook geheimhouding nooit verzekerd was. In een persoonlijk gesprek deelde Van Boetzelaer de prins mee dat hij meer mogelijkheden voor hem zag in de sfeer van de marine.

Na het vertrek van de strikte Van Boetzelaer, die in de zomer van 1948 werd opgevolgd door de bierbrouwer-jurist D.U. Stikker[5], legde prins Bernhard een nieuw, concreet voorstel aan de minister van Buitenlandse Zaken voor. Volgens de prins was de tijd nu rijp om de grond voor de Nederlandse handel in Argentinië te bewerken. De ambtelijke top van het departement was er verdeeld over en Stikker aarzelde.

Secretaris-generaal Boon voerde de volgende bezwaren tegen een reis naar Argentinië aan:

1. een dergelijk bezoek van de prins zou in brede kringen van de bevolking bevreemding wekken, gezien de in Nederland bestaande geringe sympathie voor de Argentijnse president en diens vrouw;

2. de prins zou verwikkeld kunnen raken in de gespannen verhouding tussen de regering in Argentinië en de oppositie, met dien verstande dat de Argentijnse hogere kringen en in het algemeen de grootgrondbezitters tot de oppositie behoorden. Aangezien de kans groot was dat de prins met één of meer grootgrondbezitters in contact zou komen, zou hij zich daarmee begeven in de kringen van de oppositie, hetgeen niet wenselijk was;

3. de kans was aanwezig dat de Argentijnse regering een bezoek van de prins propagandistisch zou uitbuiten.[6]

Van de zijde van het kabinet van de minister werd sterk gepleit voor het bezoek van de prins aan Argentinië. De directeur van het kabinet bracht het argument naar voren dat voorkomen moest worden de Argentijnen, met wie de Nederlandse industrie goede zaken kon doen, 'onnodig te froisseren'[7].

Minister Lieftinck daarentegen zag wel iets in het voorstel. Maar wat belangrijker was, hij wist ook de ministerraad, die in de loop van 1949 nog tegen was, op zijn hand te krijgen. In zoverre was Lieftinck, zonder de initiatiefnemer te zijn, de minister die de prins op weg hielp. De jaartelling van de ministeriële verantwoordelijkheid voor de reizen van prins

Bernhard ontspringt derhalve bij Lieftinck in 1949. Hier begint de staatsrechtelijke demarcatielijn, die ononderbroken doorloopt tot 1975, het jaar waarin prins Bernhard een belangrijke, tot dusver onderbelichte missie naar Teheran vervulde – zijn laatste grote reis op verzoek van de regering vóór zijn val, een jaar later, wegens zijn aandeel in de Lockheed-affaire. Over die missie naar de sjah op verzoek van het kabinet-Den Uyl c.q. de minister van Economische Zaken Lubbers gaat een volgend hoofdstuk.

Uit het gezichtspunt van het staatsrecht zijn de reizen die prins Bernhard in de jaren vijftig naar Latijns-Amerika maakte van bijzondere betekenis. Ze tonen zowel bij de regering als bij prins Bernhard een zwak constitutioneel besef: de regering liet het bepalen van de spanwijdte van zijn armslag aan de discretie van de prins over, en de prins maakte daar, als door 'landhonger' gedreven, gulzig gebruik van. Ze vormen ook het begin van een ontwikkeling naar de constitutionele vrijstaat waarin het bestaan van prins Bernhard zich ruim een kwart eeuw zou afspelen – totdat de wal in 1976 zijn schip keerde. Het staatsrechtelijke aspect krijgt in dit hoofdstuk een ruimere belichting dan de geschiedenis van de reizen zelf.[8] Het meeste licht valt daarbij op de reis naar Argentinië in 1951, die resulteerde in de verwerving van de zogenaamde Werkspoororder, een bestelling van de Argentijnse staatsspoorwegen bij de Werkspoorfabrieken voor de levering van 553 spoorrijtuigen en locomotieven ten bedrage van om en nabij driehonderd miljoen gulden.

Het belang van deze reis springt eerst goed in het oog als we de transactie in het perspectief plaatsen van de trage ontwikkeling die de Nederlandse uitvoereconomie in die periode doormaakte: het bedrag van het basiscontract van tweehonderd miljoen gulden was bijna zo groot als de totale Nederlandse uitvoer naar Latijns-Amerika in het jaar 1950 bedroeg (272 miljoen). Het aandeel dat prins Bernhard in het succes van die reis had, leverde hem dubbel dividend op: in de eerste plaats stond zijn naam van dat moment af in de reuk van: *succes verzekerd*, in de tweede plaats verwierf hij met dat succes een vrijheid van handelen die nadien vrijwel niet meer is ingeperkt. Hij schiep daarmee een nieuw constitutioneel feit, dat gevolgen zou hebben voor zijn bewegingsvrijheid in de komende jaren. Door de associaties van de Werkspoororder met een astronomische hoeveelheid steekpenningen (dertig miljoen gulden) is de geschiedenis van de Argentijnse reis van 1951 geleidelijk overwoekerd door een dikke vegetatie van mythes. In dit bestek zal de 'Werkspoorreis' daarom hoofdzakelijk worden ontleed aan de hand van de officiële archiefstukken. De belangrijkste bronnen daarvoor zijn geweest de archieven van de gezantschappen van het ministerie van Buitenlandse Zaken, het kabinetsarchief van dit ministerie en de directiearchieven van De Nederlandsche Bank. Om de bekendste feiten daarbij niet nog eens te releveren, is de geschiedenis van de Werkspoororder hier achterstevoren behandeld, te beginnen bij de schriftelijke vragen die het Tweede-Kamerlid A. van der Hek op 15 maart 1976 aan de regering stelde over de ministeriële verantwoordelijkheid voor de destijds verleende deviezenvergunning.[9]

Van der Hek noemde het kind bij de naam en vermeed het eufemistische begrip 'retourcommissie': de Argentijnse regering had in 1951 *steekpenningen* geëist en Werkspoor had, met goedkeuring van de Nederlandse regering, *steekpenningen* betaald. Het kabinet-Drees had een deviezenvergunning verleend, in de volle wetenschap dat het geld bestemd was voor de familie, dan wel voor de 'sociale fondsen' van de familie Perón.

De vraag die zoveel jaar later iedereen bezighield, was vooral deze: wat kon ministers van het kaliber Drees (de soberheid in persoon), Lieftinck (de spaarzaamheid in persoon) en Van den Brink (de deugdzaamheid in persoon) bewogen hebben zó overduidelijk de hand te lichten met de meest stringente deviezenregels ter wereld die, op Engeland na, in Nederland golden? Regelmatig was voor veel kleinere transacties een deviezenvergunning geweigerd (voor elk bedrag van vijfduizend gulden of hoger was een vergunning nodig), maar in dit geval had men zomaar dertig miljoen gulden 'provisie' doorgelaten! Van der Hek stelde de regering een complex van vragen: welke rol heeft de Nederlandse regering destijds gespeeld bij de totstandkoming van de Werkspoororder, hoeveel steekpenningen waren met de order verbonden, heeft De Nederlandsche Bank op

grond van het deviezenbesluit een vergunning verleend voor
de overmaking daarvan naar Argentinië en hoeveel ministers
droegen kennis van deze zaak?

De schriftelijke vragen van het kamerlid waren uitgelokt
door een publikatie in het dagblad *De Telegraaf* waarin een
oud-directeur van Werkspoor een belastende verklaring had
afgelegd over dr M.W. Holtrop, de oud-president van De
Nederlandsche Bank. Holtrop was lid van de Commissie van
Drie, die in opdracht van de regering het onderzoek verrichtte
naar de eventuele betrokkenheid van prins Bernhard bij de
Lockheed-affaire, en door de publikatie was de verdenking op
hem gekomen dat hij in 1951 de hand had gehad in de export
van smeergeld voor Werkspoor. Een rechter-commissaris met
boter op zijn hoofd, zogezegd. Maar de ex-president kon
zich er totaal niets van herinneren. Holtrop dreigde tot zijn
verbazing – maar vooral tot schrik van het kabinet – het
middelpunt van een rel te worden. Volgens de oud-directeur
van Werkspoor, die een deel van de steekpenningen destijds
zelf in Argentinië te bestemder plaatse had bezorgd, had de
president van De Nederlandsche Bank de vergunning in 1951
zelf verleend. Holtrop weersprak dit zo krachtig als hij kon,
maar omdat hij al jaren president in ruste was, kon hij niet
meer namens De Nederlandsche Bank spreken.[10]

Zijn opvolger, dr J. Zijlstra, belastte zich persoonlijk met
de leiding van het archiefonderzoek bij de Bank. Zijlstra inter-
viewde onder meer de inmiddels naar het buitenland verhuisde,
voormalige directeur-generaal van de Buitenlandse Economische Betrekkingen, A.B. Speekenbrink, die verklaarde dat
hijzelf de grote boosdoener was geweest. Diens verklaringen en
de officiële stukken die uit de archieven te voorschijn kwamen,
bevestigden Holtrops 'onschuld' – tot opluchting van het kabinet-Den Uyl, dat anders het onderzoek in de Lockheed-zaak
wel had kunnen staken.

Holtrops handen waren van alle smetten schoongewassen.
De voormalige president had al in 1948, toen de zaak voor het
eerst in de hoofddirectie van De Nederlandsche Bank werd
behandeld, zijn veto over de deviezenvergunning uitgesproken. De zaak was voor hem afgedaan toen de overige directie-
leden zich aan zijn oordeel hadden geconformeerd. Voor de

Bank was nu het dossier gesloten, maar niet voor het directoraat-generaal van de Buitenlandse Economische Betrekkingen. Dit directoraat-generaal van Economische Zaken zou de Werkspooraanvraag erdoor slepen, hoeveel tijd dat ook zou kosten. Via ambtelijke omwegen in de vertragingsapparatuur van de rijksoverheid kwam de zaak enkele maanden nadien opnieuw ter tafel, maar nu niet meer in de hoofddirectie van De Nederlandsche Bank, doch in de deviezencommissie, waarin ook een van de directeuren van De Nederlandsche Bank, mr H.J.O. graaf van den Bosch qualitate qua zitting had. Holtrop was nog steeds tegen, maar de aanvraag was buiten zijn greep geraakt en de deviezencommissie, die uit goeddeels 'onaantastbare' topambtenaren bestond, hoefde zich niets van de president van De Nederlandsche Bank aan te trekken.

De deviezencommissie zocht niet lang naar politiek-neutrale argumenten om de treinstellen het zeegat uit te loodsen. In december 1948 besloot ze de vergunning af te geven, op grond van de overweging dat het voor de Nederlandse economie van essentieel belang was de handel met Latijns-Amerika tot ontwikkeling te brengen 'en dat Nederland zich daartoe aan de handelsgewoonten van dit werelddeel niet kon onttrekken'. Wilde Nederland daar een been aan de grond krijgen, dan zou het aan het betalen van 'provisies' moeten geloven.[11]

De kogel was door de kerk, Werkspoor kon aan het werk en De Nederlandsche Bank (belast met de uitvoering van de regeling van het deviezenverkeer) werd mededeling gedaan van het besluit. 'De directie van De Nederlandsche Bank heeft van dit besluit nota genomen,' aldus het antwoord van de regering op de kamervragen in 1976. De Nederlandsche Bank was dus voor een voldongen feit gesteld.

Misschien kwam dat Holtrop toen wel beter uit dan het een kwart eeuw later zou lijken. Door de beslissing uit zijn handen te nemen, had de deviezencommissie hem immers interne verlegenheid bespaard. De directie van De Nederlandsche Bank was in werkelijkheid minder eensgezind dan zij had voorgegeven. Mr graaf van den Bosch had zich volgens de officiële lezing bij de meerderheid van de commissie neergelegd, maar evengoed meegewerkt aan een *overruling* van 'de president', zoals hij later toegaf.[12] Pikant was zijn motief: Van den Bosch gaf zijn instemming pas nadat hij zich eerst in een telefoongesprek met een collega van de Argentijnse *Banco Central* uitvoerig had laten inlichten over de werking van het steekpenningensysteem van de familie Perón. Die collega, voor wiens woord hij durfde instaan, legde hem uit dat een deel van de aldus vergaarde 'commissies' aan de strijkstok van de familie bleef hangen, zeker, daarover kon geen misverstand bestaan, maar dat *meer dan vijftig procent* terechtkwam bij de sociale stichtingen waaraan mevrouw Evita Perón haar naam had verbonden. De particuliere fondsen die zij beheerde waren, begreep Van den Bosch, min of meer vergelijkbaar met ook hier bekende gesubsidieerde particuliere instellingen – die ook in Nederland niet onder de striktste openbare controle stonden. Aldus 'gerustgesteld' was Van den Bosch bereid geweest aan te nemen dat een groot deel van de Nederlandse steekpenningen een sociale bestemming kregen die hem verantwoord toescheen.[13]

De president van De Nederlandsche Bank was formeel ontlast, maar wat wisten de meest betrokken verantwoordelijke ministers, Van den Brink en Lieftinck, ervan? Zij waren er door hun ambtenaren – de naar God noch gebod luisterende gewichtheffers uit de deviezencommissie – net zo buiten gehouden als Drees erbuiten was gehouden – zulks weer tot grote opluchting van Den Uyl. De laatste antwoordde in overeenstemming met de leer: 'Er is dan ook geen enkele twijfel dat de betrokken ministers verantwoordelijk zijn geweest.' Dat was een hele geruststelling. De ministeriële verantwoordelijkheid was onverminderd van kracht geweest. Hij zei er alleen niet bij dat die verantwoordelijkheid nooit geactiveerd werd. Want in de jaren vijftig trapten de ambtenaren harder op de pedalen dan hun ministers, zonder dat ze daarvoor door de volksvertegenwoordiging op de vingers werden getikt. Nederland was een ambtenarenstaat, die door ambtenaren werd geregeerd.

Prins Bernhard had in 1951 met dr Holtrop en de ministers gemeen dat hij onkundig was van het steekpenningenakkoord, en zelfs op de 'betaaldag' in Buenos Aires de gecodeerde handdrukken die de directie van Werkspoor met de Peróns uitwisselde, niet opmerkte. De ontvangst die de Nederlandse handelsdelegatie werd bereid, was geen rinkelend ceremonieel waarbij gouden dukaten over de grond rolden of met dollars volgepropte postzakken voor de voeten van de Argentijnse caudillo werden geworpen. Over geld werd bij de ontvangst trouwens niet gepraat. Dat hoefde ook niet, want de 'provisiemiljoenen' waren met het oog op de geheimhouding (zoveel eergevoel had de Perón-clan nog wel) reeds op *een speciale rekening* in New York gestort. Maar de prins merkte ook de speciale verstandhouding tussen de Werkspoordirectie en de *croupier* van de familie Perón niet op. Ofschoon hij 'met de handelsgewoonten van dit werelddeel' inmiddels wel enigszins vertrouwd was (en al eens door een 'belastinginner' van de familie Perón met opgehouden hand bij de vliegtuigtrap was verwelkomd), zou hij anderhalf jaar lang in de veronderstelling verkeren dat de opzienbarende Werkspoororder 'zonder één enkele steekpenning was afgesloten'[14].

Bij zijn terugkeer in Nederland was hij zo naïef met 'dat interessante nieuwe feit' zijn verslag aan de ministers van het kabinet-Drees te beginnen. Vervolgens vertelde hij het nog eens bij twee gelegenheden aan een groep Nederlandse ondernemers, die hem hadden uitgenodigd over zijn Latijnsamerikaanse reiservaringen een lezing te komen houden. 'Met een zekere trots vertelde ik dat wij er als eerste land in waren geslaagd een contract met schone handen te sluiten.'[15] Pas anderhalf jaar later werd hij uit de droom geholpen: voor het eerste hoorde hij van de rivier aan steekpenningen die was leeggestroomd en van een paar *losse* cheques waarmee de hoofddirecteur van Werkspoor, ing H.M. Damme, vervolgens nog eens achter zijn rug te voorschijn was gekomen om het tekenen van de contracten te bespoedigen.[16]

De reizen van prins Bernhard waren zeer gedegen voorbereid. De prins bezocht geen enkel land zonder zich vooraf serieus op de hoogte te stellen van de economische toestand. Hij voorzag zich van de biografische bijzonderheden van zijn gastheren, wapende zich met in- en uitvoerstatistieken, schreef de politieke *facts and figures* op spiekbriefjes en leerde de inleidende beschouwingen, die Buitenlandse Zaken voor hem had geschreven over de staatkundige en economische ontwikkelingen, uit zijn hoofd, zodat hij altijd goed beslagen ten ijs kwam en voor geen van zijn reisgenoten in elementaire kennis onderdeed. Zijn grootste voordeel was zijn beheersing van het Spaans, waarop hij zich met zijn particulier secretaresse en enkele adjudanten energiek had toegelegd. Het Spaanse Instituut van zijn Utrechtse hoogleraar Spaans dr C.F.A. van Dam bedacht hij later uit dankbaarheid voor diens vruchtbare coaching met een deel van de tantièmes uit zijn commissariaten.[17]

Ondanks hun officiële karakter hadden zijn reizen een onduidelijke constitutionele signatuur. Ze hadden het zegel van de ministerraad, ze stonden van begin tot eind onder ministeriële verantwoordelijkheid, maar de ministerraad had de prins geen instructie meegegeven. Gezien zijn positie als lid van het koninklijk huis, zou een schriftelijke aanwijzing niet overbodig zijn geweest. In de Epiloog van dit boek zal deze opvatting principieel nader worden uitgewerkt, maar op dit punt kan worden volstaan met de constatering dat de praktijk toch zekere voorzieningen zou vereisen. We hoeven daarbij niet onmiddellijk te denken aan Johan de Witts aanwijzingen voor de jonge stadhouder, maar een precisering van de protocollaire status van het bezoek zou in elk geval onnodige verlegenheid hebben voorkomen. De gebeurtenissen in Argentinië zouden uitwijzen hoe noodzakelijk die was.[18]

Kort na de aankomst van de Nederlandse handelsmissie in Buenos Aires deed zich een diplomatiek incident voor, dat onmiddellijk de zorgeloosheid van de Nederlandse regering afstrafte. Het was een incident met een komische kant, maar ook een principiële. Doordat het een gevoileerde vorm had, baarde het geen opzien, maar het had een pointe die op het ministerie van Buitenlandse Zaken in Den Haag meteen de alarmschellen in werking stelde. Er was bij de Argentijnse gastheren verwarring ontstaan over de status van prins Bernhard: bracht hij een staatsbezoek, een semi-staatsbezoek of een officieel bezoek? De vraag suggereerde dat de Argentijnen met drie scenario's worstelden, waarvan het eerste meer saluutschoten voor de hoge buitenlandse gast voorschreef dan het tweede, en het tweede weer meer dan het derde. De Nederlandse gezant, B. Kleyn Molekamp, die de draagwijdte van de vraag in volle omvang doorzag, telegrafeerde direct naar Den Haag en vroeg om instructies.

De minister van Buitenlandse Zaken Stikker antwoordde nog dezelfde dag:

Ik vestig de aandacht op mogelijke verwarring, die *kan* ontstaan omtrent het karakter van het bezoek, doordat prins Bernhard zich in een onderhoud met Valenzuela liet ontvallen, dat Z.K.H. *namens* de Koningin reisde, zodat het een semi-staatsbezoek gold. De volgende dag heeft Daubanton Valenzuela tactvol op de foutieve door prins Bernhard geponeerde stelling gewezen. Z.K.H. werd daarvan in kennis gesteld. Z.K.H. doet een officiële reis, zulks op verzoek van de Regering, doch heeft geen andere status dan die van Prins der Nederlanden. Er kan geen sprake zijn van een staatsbezoek of een semi-staatsbezoek.[19]

w.g. Stikker

De rectificatie die de aan de delegatie toegevoegde buitengewoon gezant en gevolmachtigd minister Ch.J.H. Daubanton aan de prins moest overbrengen, werd niet op schrift gesteld. Het gebeurde mondeling en de prins kon het een dag later al weer vergeten zijn. Waarschijnlijk was dat ook het geval, want op latere reizen zou hij nog vaak buiten de regering om zijn bezoeken aan het buitenland eigenhandig opwaarderen. Sommige gastheren raakten daarvan weleens in verlegenheid, andere daarentegen, die meenden dat prins Bernhard een staatshoofd was, niet. Zijn eigen visie daaromtrent was even simpel als laconiek: 'In bepaalde landen stellen ze er nu eenmaal prijs op de rode loper uit te rollen en de erewacht in het geweer te roepen.' In de eigen familiekring heeft prins Claus lang geleden ('toen ik pas in de familie was') zijn schoonvader weleens op de onwettigheid van die eerbewijzen gewezen en hem voorgehouden dat deze er vroeg of laat problemen mee zou krijgen als hij zich overal negentien saluutschoten zou laten welgevallen op een reis voor het World Wild Life Fund – om dan ten antwoord te krijgen dat hij 'de gewoonten in die landen niet kende'[20].

Wanneer de regering in de jaren vijftig een en ander in de

STEEKPENNINGEN VOOR PERÓN 123

vorm van een eenvoudige protocollaire classificatie op papier had gezet, was er een begin gemaakt met pedagogische dossiervorming, waarvan latere kabinetten profijt hadden kunnen trekken. Maar minister Stikker liet het erbij. Hij zocht geen gelegenheid om de prins nog eens apart te nemen en kwam er ook later niet meer op de terug.

De vormfout die zich in Buenos Aires openbaarde, was misschien het directe gevolg van een ambtelijke slordigheid (in de papieren was de status van de reis niet vermeld), maar veeleer van beduchtheid van de regering om de prins te mishagen. Die timiditeit kwam voort uit een complex van factoren: de prins, die na de oorlog als een held met een mythische reputatie uit Londen was teruggekeerd en door de illegaliteit over het paard was getild, voelde zich nog steeds onaantastbaar. De ministers aanvaardden dit als een natuurwet. Daarvan getuigen de reverente toon van hun correspondentie en de manier waarop de prins door een delegatie van ministers op Schiphol uitgeleide werd gedaan en werd verwelkomd: met de hoed in de hand. Zelfs als er een goede reden voor was, durfden ze de prins niet voor het hoofd te stoten. Typerend was het gesteggel over het ambtelijk niveau van een vertegenwoordiger van Economische Zaken die in 1951 met de prins naar Argentinië zou meereizen. Het ministerie kon slechts de tweede man van de Buitenlandse Economische Betrekkingen vrijmaken, maar de prins eiste de eerste man. En de prins kreeg de eerste man. Van den Brink gaf toe, Stikker schikte zich en Drees keek de andere kant uit. Geen minister waagde het prins Bernhard een voet dwars te zetten.

De prins kreeg ook de hoogste VIP-bejegening die het kabinet kende: na zijn eerste reis in 1950 naar de West, Brazilië, Mexico en Venezuela werd hij *in de ministerraad* ontvangen. Dat was een eerbetoon dat aan buitenstaanders bijna nooit was toegestaan, voor het laatst tijdens de eerste wereldoorlog, toen een delegatie van bankiers in verband met een wijziging in het monetaire beleid in de ministerraad werd ontvangen. Uit de gezantschapsarchieven blijkt dat daarover nog discussie was geweest: eerst wilde men de prins met enkele *vakministers* over zijn reis laten praten, maar bij nader inzien vond men het meer geraden hem in de ministerraad uit te nodigen. Het laatste was van een hogere staatsrechtelijke orde dan het eerste. Het verschil was niet bijster groot, maar het zei iets over de mate van ontzag waarmee Drees cum suis de prins benaderde. 'De Regering zal het ten zeerste waarderen indien Z.K.H. in de vergadering van de ministerraad van 20 maart mondeling verslag over Hoogstdeszelfs reiservaringen zal willen uitbrengen.'[21]

De bijdrage van prins Bernhard aan het binnenhalen van de Argentijnse buit was groot maar niet van doorslaggevende betekenis. Beslissend was de 'provisie' waarmee Nederland over de brug moest komen om zaken in Latijns-Amerika te kunnen doen. De prins slaagde erin de ondertekeningsprocedure in Buenos Aires, die Perón eindeloos liet aanslepen ('een lijdensweg', klaagde de Nederlandse gezant in zijn telegrammen aan Den Haag), te versnellen doordat hij de Argentijnse dictator wist te bespelen. De Peróns gingen voor de Nederlandse industrie overstag toen prins Bernhard de 'beeldschone' Evita Perón het lint met het afgedwongen Grootkruis in de orde van Oranje-Nassau omhing. Maar de discussie over de bezwaren van dr Drees tegen een *hoge* onderscheiding waren beslist door de inzichten van de Nederlandse gezant Kleyn Molekamp. Nederland legde verkeerde maatstaven aan, argumenteerde hij: 'We leven hier nu eenmaal in werkelijkheid niet in een republiek zoals de tekst van de constitutie schijnt aan te geven, doch in een *sultanaat*, waarin bovendien de *Sultana* minstens zoveel invloed en macht heeft als de Sultan.' Zou Nederland volharden in het aanbod van wat de *eerste dame* noemde een 'kinderachtige medaille', dan zou de Sultana weleens boos op Nederland kunnen worden, met alle kwade gevolgen vandien. In het belang van de Nederlandse handel met Argentinië zou het kabinet er daarom verstandig aan doen mevrouw de verlangde hoge onderscheiding te verlenen.[22]

Na zijn reis naar Argentinië bleef prins Bernhard in correspondentie over de economische follow-ups van zijn bezoek. Hij had de Nederlandse consul in Buenos Aires, H.H. van Waveren, gevraagd hem van de lopende ontwikkelingen op de hoogte te houden, en deze schreef hem in oktober 1951:

Overeenkomstig Uw verzoek U op de hoogte te houden van de ontwikkeling van locale verhoudingen welke nog in zeker verband staan met Uw bezoek hier te lande, acht ik het mijn plicht U met een enkel woord te doen weten, dat de positie en reputatie van Juan Duarte, broer van de eerste dame, steeds bedenkelijker worden. De manier waarop deze zijn machtspositie gebruikend, zijn eigen belangen en die van zijn familie dient, gaat alle beschrijving te boven. De moeite, welke U hebt willen nemen om b.v. Uw vriend Gerritsen met een introductie aan J.D. daadwerkelijk ter zijde te staan, kan ik slechts waarderen, doch ik meen aan de andere kant, dat U contact met een persoon van dit kaliber beter kunt vermijden, opdat U zich niet moreel verplicht zoude voelen dit heer bij een mogelijk Europees bezoek zekere wederdiensten te bewijzen [...].[23]

In het voorjaar van 1953 schreef Van Waveren, met wie de prins een levendige briefwisseling voerde, nog eens over het belangwekkende thema Duarte. Hij gaf de prins eerst de raad zijn eventuele reis naar Brazilië niet met een kort bezoek aan 'Jan Zondag' te verlengen, om zijn beschrijving van de politieke toestand aldus te beginnen:

De interne, politiek-economische verhoudingen zijn hier de laatste maanden namelijk zeer 'strained'; met gevolg verhitte hoofden en geïrriteerde gevoelens. Het is daarom verstandiger de kat eerst uit de boom te kijken [...].

U zult uit de pers vernomen hebben van het aftreden van Juan Duarte als privé-secretaris drie dagen geleden en zijn overlijden op gisteren. Hij maakte een einde aan zijn leven. Deze ontwikkeling is ongetwijfeld een grote schok voor de president en zijn omgeving.

Dat het de hoogste tijd werd, dat Duarte, die zich in zijn hoge functie tevens tot grootste zakenman in dit land had ontwikkeld, uit zijn positie werd ontheven lijdt geen twijfel. De verwijdering van hem en zijn clan uit de machtspositie is een stap in de goede richting, aangenomen dat Jan Zondag zijn aangekondigde strijd tegen de inflatie en de corruptie serieus door wil zetten [...].[24]

XII. Atlantici contra neutralisten

De constitutionele crisis over de gezondbidder Greet Hofmans, 'de raspoetin achter koningin Juliana', veroorzaakte in 1956 een staatkundige opschudding, zoals Nederland nog niet eerder had beleefd. De internationale pers, die zich van de zaak had meester gemaakt terwijl vrijwel de gehele Nederlandse journalistiek in alle talen zweeg, dwong de regering tot een verwijdering van de 'raspoetin' van het hof, een ingreep die in feite een einde maakte aan de grondwettelijke vrijheid van de koning zijn hofhouding 'naar eigen goedvinden' in te richten.

Buiten het institutionele strijdtoneel werd op Soestdijk ook een persoonlijke loopgravenoorlog gevoerd. Koningin Juliana brouilleerde zich met de minister van Buitenlandse Zaken mr J.W. Beyen, met wie ze sinds vele jaren bevriend was geweest. Beyen koos in het conflict de partij van prins Bernhard maar raakte vooral uit de gratie doordat hij de verdenking op zich had geladen de *'deep throat'* achter de publikaties over de affaire-Hofmans in een aantal buitenlandse kranten te zijn geweest. Prins Bernhard eiste in de vorm van een ultimatum de verwijdering van de gezondbidder van het hof ('zij eruit of ik eruit'). En de minister-president, dr W. Drees, die voordien alle rookvorming over de tweespalt aan het hof met de schuimblusser had gesmoord en buiten de ministerraad had gehouden, stond plotseling machteloos tegenover een uitslaande brand die de lucht boven paleis Soestdijk roodverfde.

Er verscheen een commissie van wijze mannen op het toneel, die in vreemde tongen sprak en de publieke opinie met hocuspocus tegemoet trad. Het opdoemen van een commissie van wijze mannen, aldus de journalist H.J.A. Hofland in zijn boek *Tegels lichten*, 'is een van de meest onheilspellende tekenen in de Nederlandse samenleving, het staat bijna gelijk aan het verschijnen van de patholoog-anatoom'[1].

Na de publikatie in het Hamburgse weekblad *Der Spiegel*, die de bom deed barsten[2], zag het regeringsdomein eruit alsof het door een aardbeving was bezocht. De explosie veroorzaakte verontwaardigde officiële ontkenningen, die grote paniek verraadden, premier Drees verloor zijn gebruikelijke onverstoorbaarheid en de Tweede Kamer was met stomheid geslagen. Op het moment dat het publiek met een verhelderend parlementair debat het meest gediend was, keek de volksvertegenwoordiging in verlegenheid zwijgend toe. Zelfs parlementaire grootheden als Oud, Burger en Romme kwamen niet verder dan het uitbrengen van een nietszeggend, gemeenschappelijk dankwoord op het cryptische slotcommuniqué van de drie wijze mannen, waarvan men geen woord wijzer werd.[3]

Voor de Tweede Kamer bestond de kwestie-Soestdijk eigenlijk niet. Een groep vrouwelijke leden van de Eerste en Tweede Kamer brak zich, enkele maanden vóór de uitbarsting in oktober 1956, wel het hoofd over eventuele informele stappen, maar die leidden tot niets. Het was een initiatief van het Eerste-Kamerlid Martina Tjeenk Willink (PvdA), die zich liet afvaardigen naar paleis Soestdijk maar onverrichter zake terugkeerde. Ze had geprobeerd de verontrusting van de kamerleden over te brengen en het lid op de neus gekregen. Koningin Juliana toonde zich niet gevoelig voor haar pleidooi om de banden met Hofmans te verbreken, maar had er geen bezwaar tegen dat Tjeenk Willink persoonlijk met Hofmans ging praten, hetgeen diezelfde dag nog gebeurde. De dames voerden een zeer langdurig gesprek, maar de uitkomst daarvan bekwam de initiatiefneemster slecht. Het leverde Tjeenk Willink alleen 'barstende koppijn' op.[4]

Wat het parlement betreft, bleef de kwestie-Soestdijk tot een theekrans beperkt. De Nijmeegse staatsrechtdeskundige prof. mr Frans Duynstee schreef de verstomming van de Kamers toe aan het schrikbeeld van een koningscrisis dat mede de kabinetsformatie van 1956 verlamde. In zijn standaardwerk over de naoorlogse kabinetsformaties (tot 1965) liet hij de kwestie vrijwel onbesproken, maar legde wel een verband met de terugkeer als minister-president van de door velen al afgeschreven Drees. Duynstee meende dat de kabinetsformatie van 1956, de meest chaotische die er tot dan toe was geweest, in het voordeel van de lijsttrekker van de Partij van de Arbeid was beslist, omdat 'vader Drees' naar het oordeel van alle kamerfracties op dat ogenblik de enige was, die Greet Hofmans onschadelijk kon maken zonder koningin Juliana voor de monarchie te verliezen.[5]

De kwestie-Soestdijk werd pas in 1972 voor het eerst met ordelijke samenhang uit de doeken gedaan door H.J.A. Hofland, die gebruik makend van nog niet eerder aangeboorde ministeriële bronnen, in *Tegels lichten* een natuurgetrouw portret schetste van het Haagse regentendom uit de jaren vijftig, dat met de kwestie-Soestdijk geen raad wist en door zijn dwaze struisvogelpolitiek internationaal een ridicuul figuur sloeg.

Hofland belichtte in zijn reconstructie van de geschiedenis van 1956 – het jaar waarin de televisie in Nederland debuteerde – ook het collectieve falen van de Nederlandse pers.[6] Er was geen krant in Nederland – op het communistische dagblad *De Waarheid* en het weekblad *De Haagse Post* na – die niet al jaren wist welke spanningen er aan het Nederlandse hof waren zonder erover te berichten. Die spanningen waren niet, zoals dr W. Drees het op 25 oktober 1956 in de Tweede Kamer voorstelde, van particuliere aard, maar beheersten ook de constitutionele relaties van de koningin en de ministers. Het waren in de eerste plaats politieke spanningen die het hof verdeelden en die ten minste vier jaar binnenskamers een schaduw over de 'eenheid van de kroon' wierpen. Die spanningen waren structureel en ze waren gaandeweg in partijtermen ingekleed. Voorstanders van grote woorden ontwierpen grote affiches die een strijd tussen wereldbeelden suggereerde, maar voor zover het ging om de antithese pacifisme-militarisme had deze betrekking op niet meer dan een tegenstelling tussen de ene paleisvleugel en de andere. In de Soester vleugel (de koningin, Greet Hofmans en de drie aan het hof werkzame Van Heeckerens) huisde een 'pacifistische' geest en in de Baarnse vleugel (prins Bernhard) huisde een 'Atlantische' geest. Uit waarschuwingen die de regering regelmatig van prins Bernhard kreeg, drong het geleidelijk tot Den Haag door dat paleis Soestdijk in elk geval in twee partijen verdeeld was: de Julianapartij en de Bernhardpartij.

De kwestie-Soestdijk vond haar oorsprong in 1948 in het Apeldoornse paleis Het Oude Loo, waar onder bescherming van prinses Wilhelmina (die het paleis ter beschikking had gesteld) regelmatig 'de hogere kringen der zoekenden' bijeenkwamen. Ze vormden een particulier, religieus gezelschap, zoals die gezelschappen ook wel bestonden in Aerdenhout, Bussum, Bentveld en Wassenaar, maar van kerk of sekte of godsdienstig genootschap in formeel-wettelijke zin was geen sprake. De kring op Soestdijk was louter gevormd rondom de figuur van Greet Hofmans, een in 1894 geboren, Amsterdamse commissionair in pacifistische denkbeelden, die met een Hogere Macht in verbinding stond. Naar eigen zeggen (in het enige interview dat ze ooit gaf, met de hoofdredacteur van *Elsevier's Weekblad* H.A. Lunshof) had ze in 1946 'een verbijsterende en verschrikkelijke opdracht' gekregen.[7] 'Het mij opgedragen werk bestaat uit het opdragen van mensen aan God, die ziek zijn of in grote nood verkeren [...]. De mensen die door mij zijn opgedragen verwerven inzicht in het totale menszijn en daardoor ook het inzicht in eigen lot. Daar komt het op neer.'[8] Ze zag zichzelf als een speciale verbinding tussen lijdende mensen en God.

Volgens Hofland ging ze voor in een godsdienst van eigen ontwerp, waarin 'veel sprake was van niet nader omschreven begrippen als verruiming, uitstraling, totaal levensinzicht, aangolving, totale mens enzovoort'. De eerste indruk die Lunshof van haar kreeg, was 'die van een zeer beschaafde vrouw, de tweede die van een vrouw die geleidelijk aan eerst de toehoorders en dan de kamer met een soort fluïdum vervult'. Lunshof, die het fluïdum dat hij had waargenomen niet nader verduidelijkte, was naar haar antecedenten op zoek gegaan en had van een vroegere werkgever gehoord dat zij in haar administratieve functie al haar uitstraling had doen gelden, maar ook was opgevallen door een talent voor het zaaien van 'tweedracht en onrust'[9]. Nauwkeuriger aanwijzingen omtrent haar persoon en haar ideële programma bestaan er niet. Of ze in 1948 door de particulier secretaris van de koningin W.J. baron van Heeckeren van Molencaten enkel om haar 'genezende gaven' op het paleis werd geïntroduceerd in verband met de gezichtszwakte van de in dat jaar geboren prinses Marijke

Christina, óf ook om haar kosmische politieke inzichten, is niet duidelijk; wel staat vast dat ze na korte tijd het middelpunt van de huiskamerbijeenkomsten op Het Oude Loo was en dat koningin Juliana en prinses Wilhelmina, met een deel van de hofhouding regelmatig aanwezig waren op de bijeenkomsten waarin zij voorging. Het staat eveneens vast dat Hofmans haar occulte gaven zelf zo serieus nam dat ze haar geestkracht ook in dienst stelde van de springpaarden van het koninklijk huis. Van prins Bernhard is de anekdote afkomstig ('toen er ook nog weleens om haar optreden gelachen werd') dat Hofmans hem eens adviseerde een paard dat door ziekte uit vorm was geraakt speciale bewegingen te laten maken om het dier weer in goeden doen te brengen. Haar 'trainingsschema' zou het paard geheel uit zijn ritme hebben gebracht als haar advies zou zijn opgevolgd. Hoewel ze niets van paarden wist en evenmin bekend was met de ziektegeschiedenis van het paard, geloofde ze heilig in de werking van haar 'therapie'.[10]

Er zijn geen bewijzen dat Hofmans als *faith healer*, de hoedanigheid waarin ze internationaal bekend werd, veel werk heeft verzet. Des te meer aanwijzingen zijn er dat ze vooral met haar, op *godsopenbaringen* steunende politieke inzichten naar voren trad en daarmee volgens prins Bernhard ontoelaatbare invloed aan het hof verwierf. In het geruchtmakende artikel in *Der Spiegel* kwam een aan haar toegeschreven uitspraak voor, volgens welke ze zich in de volgende woorden tot koningin Juliana had gericht: 'God heeft mij geopenbaard, dat U de grootste koningin zult worden die Holland ooit heeft bezeten. U moet U volledig aan Christus geven. Neemt U in een geloof zonder twijfel en zonder vragen de bevelen in ontvangst, die Hij U zal geven. Dan wordt U het instrument Gods en zult U Zijn wil tot Heil van Uw land en van de mensheid vervullen.'[11] Volgens het Westduitse weekblad was Hofmans 'in staatszaken zeer goed onderlegd'. Die inlichting was gebaseerd op gesprekken met ministers en hoffunctionarissen, die van haar rol in het paleis en van haar betrekkingen met de koningin uit eigen waarneming op de hoogte waren. In het *Spiegel*-artikel werd de nadruk ook meer gelegd op haar politieke invloed dan op haar religieuze denkbeelden.

Die nuancering correspondeert ook met de voorstelling die

toenmalige insiders er ruim vijfendertig jaar na dato van geven:
Drees, die Hofmans' aanwezigheid aan het hof ook na de
publikaties daarover in de buitenlandse pers als een particuliere
aangelegenheid van de koningin was blijven beschouwen, was
tot andere inzichten gekomen toen hij met eigen oren haar
politieke vertogen had gehoord. Dat was gebeurd in twee
gesprekken die hij op verzoek van de koningin met de hogere
middelares had gevoerd. De nieuwsgierigheid van Drees was
daarmee voorgoed bevredigd. Hij had aan een voortzetting
van de kennismaking geen behoefte meer, omdat Hofmans
haar vredespolitiek programma afdraaide, op een breuk met
de militaire wereldmachten aandrong en bovendien niet aarzelde hem een andere buitenlandse politiek voor te schrijven.
Daar kwam nog bij dat de ministers van Buitenlandse Zaken
en Defensie intussen hinderlijke belangstelling bij hun buitenlandse ambtgenoten voor de kwestie-Soestdijk begonnen te
bespeuren. In Navo-kringen bleven de publikaties over de
'pacifistische cel' aan het Nederlandse hof niet onbesproken en
ook de directeur van de Amerikaanse inlichtingendienst, Allen
Dulles, die sinds zijn Londense oorlogsjaren bevriend was met
prins Bernhard, legde een actieve belangstelling aan de dag.
Volgens het artikel in *Der Spiegel* schreef Dulles weliswaar niet
veel gewicht aan de politieke denkbeelden van de Hofmans-
factie toe, maar haar streven naar machtsuitbreiding kon 'een
element van onzekerheid' in de Nederlandse politiek vormen,
'dat voor alle drie Benelux-landen en daarmede voor een deel
van het geallieerde bondgenootschap zwaar wegende gevolgen
zou kunnen hebben'[12]. Het CIA-rapport waarvan *Der Spiegel*
inzage had gekregen, getuigde van een vertekende belangstelling van de Amerikaanse inlichtingendienst voor de toestand
aan het Nederlandse hof. Doordat de Amerikanen niet vertrouwd waren met de Nederlandse constitutionele verhoudingen en geen onderscheid maakten tussen politiek verantwoordelijke ministers en een politiek onschendbare koningin,
maakten ze zich schuldig aan schromelijke overschatting van
de politieke rol van het Nederlandse staatshoofd. Dit alles
veroorzaakte het kabinet-Drees intussen lang niet zoveel
hoofdbrekens als de benarde positie van de minister van Buitenlandse Zaken, mr D.U. Stikker, die zowel met zijn ambte-

lijke integriteit als zijn persoonlijke loyaliteit tegenover de koningin en de prins in de knoop dreigde te raken.

In 1952, ruim vier jaar voordat de kwestie-Soestdijk wereldkundig werd gemaakt, werden de eerste tekenen daarvan zichtbaar. In april van dat jaar brachten de koningin en de prins een officieel bezoek aan de Verenigde Staten. De koningin zou er een aantal redevoeringen houden die zij zelf had geschreven. Het ontwerp van haar toespraak tot het Amerikaanse Congres in Washington veroorzaakte al meteen een controverse tussen de koningin en Stikker, met de ministeriële verantwoordelijkheid als inzet. Stikker weigerde de verantwoordelijkheid voor de hem voorgelegde toespraak, op grond van een aantal gedachten over de wereldordening, die hij 'te filosofisch' vond. Die gedachten waren op zichzelf niet strijdig met het regeringsbeleid, maar ze stonden naar zijn zin te veel in de reuk van Het Oude Loo. Stikker zag er in ieder geval de hand van Hofmans in. Zekerheid daaromtrent had hij overigens niet, want koningin Juliana kwam in hun overleg over de tekst met een hardnekkigheid voor haar inzichten op, die meer op eigen inzichten dan op een invloed van een raspoetin wezen.

De passages waartegen Stikker zich verzette, betroffen in het bijzonder de volgende volzinnen over de 'opdracht van de ene helft van de mensheid om verantwoordelijkheid te dragen voor de andere helft', uit de toespraak van 3 april 1952, waarin de koningin het Congres der Verenigde Staten bedankte voor de Marshallhulp die het door de oorlog berooide Nederland van Amerika had gekregen:

Bij deze gelegenheid opnieuw en in deze zaal in het bijzonder, wil ik uitdrukking geven aan de dank van Nederland voor dit bewijs van gulle vriendschap, door uw regering en uw volk, door de stem van het Congres en door de stemmen van talloze particulieren aangeboden. De oproep tot een overzeese vriendschap werd toen wel zeer luid.

Dit is niet het zich verschuldigd voelen van de begiftigde, noch dat van de schuldenaar jegens de schuldeiser. Het is niet het gevoel van de kleine tegenover de grote, noch dat van hem, voor wie plannen worden gemaakt, maar het

gevoel van vriendschap en verwantschap van de vrijen voor
de vrijen, van hen die verantwoordelijkheid kunnen dragen,
voor hen die dit ook kunnen, en van wederzijds respect voor
elkander en voor allen, voortgesproten uit die algemene en
zeer diepgewortelde zin voor de samenhang, de broeder-
schap en de co-existentie van de gehele mensheid.

Eén menselijk geslacht, onder de leiding en de liefde van
één God.

Onze menselijke wetgevingen zoeken van verre de god-
delijke leiding te volgen. Veelal falen zij, maar zij streven
door. Wij leven in de dageraad van een tijd, waarin wij
zullen moeten trachten dit te doen als één mensheid.

Het menselijk geslacht zou één geslacht moeten zijn. Een
gespleten mensdom is als een gespleten persoonlijkheid. Het
is geneigd van kwaad tot erger te gaan, tenzij het zijn eenheid
van doelstelling terugvindt, komt tot een gecoördineerd
denken, en gezondheid en geluk verwerft. Het gezonde deel
van de geest der mensheid moet zich steeds bewust zijn, dat
het verantwoordelijk is voor het andere deel. De gezonde
helft is degene, die bestemd is de andere helft te redden.[13]

De toespraak van koningin Juliana tot het Amerikaanse Congres werd in de Amerikaanse pers evenals in het grootste deel
van de Nederlandse positief ontvangen. Alleen *Het Parool*,
sedert enkele maanden onder de nieuwe hoofdredacteur dr P.J.
Koets, leverde kritiek op dezelfde passages waarvoor minister
Stikker geen verantwoordelijkheid had willen dragen (maar
het wel deed omdat de koningin niet bereid was geweest toe
te geven).

In een hoofdartikel hekelde het gezaghebbende Amsterdamse
dagblad (dat informele banden met dr Drees en het 'denkende
deel' van de Partij van de Arbeid onderhield) de mystieke
toon in de toespraak van de koningin. *Het Parool* ontkende de
mogelijkheid van een particuliere koninklijke toespraak en
sprak van 'een staatsstuk waarvoor de ministers de volledige
verantwoordelijkheid dragen'. Het vroeg zich vervolgens af
wat de regering beoogde met het aanroepen van begrippen,
'die herinneringen oproepen aan redevoeringen en geschriften
van Nehroe en Krisjnamurti en van denkbeelden, die men bij

pacifisten, mensen van "de derde weg" en bij sommige mystici pleegt aan te treffen'. Ongetwijfeld zeer respectabele figuren en denkbeelden, aldus de krant, 'maar sinds wanneer vormen zij mede de grondslag voor het politieke credo van de huidige Nederlandse regering?' *Het Parool* had daarentegen tevergeefs gezocht naar 'een vastberaden uiteenzetting van het standpunt, dat Nederland als lid van het Nato-bondgenootschap behoort in te nemen en waarover de Nederlandse regering bij andere gelegenheden zo vaak zulke juiste en zo volkomen aanvaardbare dingen heeft gezegd'. In een ironische slotzin over het filosofische gehalte van de toespraak maakte de krant een toespeling op de schim van Het Oude Loo op de achtergrond: 'Soms vond men [...] min of meer wijsgerige passages, waarvan een nuchter mens moeilijk de zin kan vatten, zodat men de vraag bij zichzelf voelt opkomen of onze ministerraad wellicht eerst enige dagen in gemeenschappelijke contemplatie verzonken is geweest, alvorens men tot vaststelling van de tekst(en) kon overgaan.'[14]

Minister Stikker, die de eerste schermutselingen over de 'wijsgerige passages' waarop *Het Parool* doelde met de koningin had gevoerd, was de minst benijdenswaardige bewindsman uit het tweede kabinet-Drees. Hij kreeg eerst te maken met de onverzettelijkheid van de koningin, die weigerde haar teksten aan te passen aan de wensen van het kabinet, en hij werd vervolgens, zeer tegen zijn zin, betrokken in een particulier meningsverschil dat tussen de koningin en de prins over de redevoeringen was gerezen. De minister van Buitenlandse Zaken dreigde bekneld te raken tussen de koninklijke echtelieden doordat Prins Bernhard zijn bemiddeling inriep om de koningin tot de orde te roepen. De prins, die zijn vrouw niet had kunnen overtuigen en kennelijk zijn laatste kruit verschoten had, verlangde dat de minister van Buitenlandse Zaken de huiselijke onenigheid met een ministerieel veto zou beslechten. Om zijn verzoek kracht bij te zetten verbond de prins er nog een machtswoord aan: als de teksten niet zouden worden veranderd, zou hij de reis naar de Verenigde Staten niet meemaken.

In een met de hand geschreven brief van 28 februari 1952 aan Stikker voorspelde de prins dat bepaalde passages uit de

redevoeringen – die verder 'heel veel goeds bevatten' – in de
Verenigde Staten 'bijna zeker kritiek' zouden uitlokken en,
nog erger, 'belachelijk' zouden kunnen worden gemaakt. Ze
zouden 'kortom, veel ellende' veroorzaken, die naar de mening
van de prins, geheel onnodig was. Als die passages niet zouden
worden geschrapt, weigerde hij mee te gaan, omdat hij 'niet
in deze maelstroom van hoogdravende onzin mede betrokken'
wenste te worden. Uit het uitroepteken achter de zin kon de
minister afleiden dat het de prins ernst was.

Prins Bernhard stond voor een dilemma dat hij zonder de
hulp van de minister niet de baas had kunnen worden: als hij
meeging dan wilde hij 'ook alles onderschrijven wat mijn
vrouw zegt', als zij echter vasthield aan wat hij onaanvaardbaar
vond, dan kon hij niet meegaan. Hij wilde Stikker 'zeer beslist
nu al mededelen' dat hij bij handhaving van de omstreden
passages thuis zou blijven, omdat hij, 'indien de gevolgen erger
worden', zoals hij schreef, 'onbesproken' wilde blijven. De
prins hoopte dat zijn vrouw zou bijdraaien – 'zij heeft gezegd
zelf wel iets te willen veranderen' – maar zo niet, dan zou het
rode potlood van de minister nog uitkomst kunnen brengen.
'Ik hoop dat U dan bepaalde passages schrapt, hetgeen, dat
weet ik, ze zal aanvaarden.' De regering, zo voegde de prins
daaraan toe, 'zal het[geen uitgesproken wordt] natuurlijk moeten goedkeuren.' Voilà, zo besloot de prins, 'dit moest er even
van mijn hart, al is het hoogst vervelend'[15].

De reactie van minister Stikker was kenmerkend voor zijn
constitutionele toegeeflijkheid. Het spreekt vanzelf dat hij geen
partij kon kiezen in een huiselijk geschil tussen de koningin en
de prins, maar hij kon het ook niet waar hij het had móeten
doen. In plaats van zijn constitutionele territoir te verdedigen,
gooide hij de handdoek in de ring en liet hij het overleg
over de wijziging van de redevoeringen over aan een van
zijn ambtenaren, de secretaris-generaal van het ministerie van
Buitenlandse Zaken, dr H.N. Boon. In menselijk opzicht was
het wel begrijpelijk wat Stikker deed, maar uit constitutioneel
oogpunt was het onverdedigbaar. Zijn constitutionele bewust-
zijn legde het af tegen zijn gezonde verstand. Stikker was tot
de conclusie gekomen dat de koningin niet van haar stuk te
brengen was en hield het toen als redelijk mens voor gezien.

Maar met die redelijkheid gaf hij terrein prijs dat betere verdediging had verdiend.

Boon pakte het voortvarender aan dan men van een ambtenaar zou verwachten, al dient meteen gezegd dat de secretaris-generaal van BZ niet het prototype van de mandarijn-zonder-gezicht was. Hij was geen ambtenaar die zich onzichtbaar wilde maken, maar een schrandere, dominante en nogal eigenzinnige persoonlijkheid, die gemakkelijker instructies uitdeelde dan ontving. Boon zag niet tegen zijn delicate opdracht op. Aangezien Stikker met de fluwelen handschoen niets had bereikt, wapende hij zich met de strijdbijl en confronteerde de koningin zonder omwegen met zijn niet al te subtiel onder woorden gebrachte mening dat de koninklijke toespraken op enkele punten *wartaal* bevatten. Boon had de eigenaardigheid dat hij gewoon Nederlands sprak, wat soms het nadeel had dat hij niet kon worden misverstaan. 'Het staat voor mij vast,' schreef hij na de rede in het Amerikaanse Congres over de toespraken die de koningin nog moest houden, 'dat in de meeste redevoeringen de wijze van voordracht en het timbre van de stem een harmonie weten te brengen tussen de gedachten en uitdrukkingen, die wanneer men ze nader analyseert of zelfs maar leest, veelal onlogisch of onsamenhangend blijken te zijn.' De niets verbloemende directheid waarin Boon zich uitdrukte, was ingegeven door de ervaring dat de koningin, zoals hij een week later aan Stikker schreef, 'elke niet-rechtstreekse tegenspraak van wat zij mededeelt, opvat als een bewijs van volledige instemming'[16].

Boon zei wat Stikker vond maar niet had durven zeggen. En hij voegde daar opnieuw een persoonlijk oordeel aan toe. De minister mocht na veel slijpen en schaven zijn toestemming aan de toespraak tot het Congres hebben gegeven (nadat de koningin inderdaad een aantal zinnen had geschrapt), dat wilde niet zeggen dat Buitenlandse Zaken er nu gelukkig mee was. 'Niettemin bezwaart mij de gedachte,' aldus Boon, 'dat het bereiken van een zekere mate van overeenstemming over de meer politieke passages in de redevoeringen, misschien tot de opvatting zou kunnen leiden, dat de redevoeringen als geheel beantwoorden aan hetgeen de omstandigheden vereisen.'

Dr Boon was, zoals gezegd, niet een mandarijn die alleen met de stem van zijn minister kon spreken. In zijn onverschrokken proza schreef hij de koningin: 'De eerlijkheid gebiedt ter vermijding van misverstand om als mijn persoonlijke overtuiging uit te spreken, dat de redevoeringen naar vorm en inhoud voor het allergrootste gedeelte minder geschikt zijn voor het publiek, waarvoor zij zijn bestemd. Evenals de Ministers, die U hierover hebben gesproken, geloof ik dat de redevoeringen meer Uw eigen persoonlijke opvattingen vertolken dan de gevoelens, welke leven bij de Nederlandse Regering of de overgrote meerderheid van het Nederlandse volk. De vraag of het Amerikaanse volk en zijn regering U willen zien als symbool van het Nederlandse volk, dat door U spreekt, of dat zij Uw eigen persoonlijke roeping willen leren kennen, blijve hier onbeantwoord.'

Uit de slotzin van zijn advies bleek dat de koningin de secretaris-generaal – die sommige besprekingen tussen minister Stikker en de koningin had bijgewoond – zelf had uitgedaagd zijn eigen mening over de redevoeringen te laten horen. 'Aangezien het bovenstaande uitgaat boven de opdracht, die mij door Minister Stikker werd verstrekt, heb ik dit niet in de gesprekken te berde willen brengen. Naar aanleiding van Uw vraag of ik geen eigen opvatting over deze zaken had, wilde ik evenwel niet nalaten zeer in het kort mijn inzicht aan U voor te leggen.'[17]

Kort voordat minister Stikker, onder het pretext van een flinke griep, het dossier aan zijn secretaris-generaal had overgedragen, had de koningin ook de minister geprobeerd uit zijn tent te lokken. In een brief van 12 maart 1952 schreef ze uitdagend:

Ik mag werkelijk niet aannemen, dat U zelf veel hebt bijgedragen tot deze veranderde speeches. Noch de mens, noch de staatsman Stikker kan iets produceren, naar ik steeds heb vertrouwd, wat zo volkomen gespeend is – als geheel – van iedere verdere visie, dan de enge kring, die de kleinzieligheid zich tot horizon kiest.

Werkelijk, ik ben bereid, over te nemen, om te gooien, wanneer U mij aantoont, dat ik iets gevaarlijks zeg of iets dat tegen de regeringspolitiek indruist. U ziet het, de

vruchtbare en belangrijke opmerkingen heb ik onmiddellijk
verwerkt.

De mij toegestuurde ontwerpen echter herinneren me
aan de methode, die van een, naar ik meen, verouderde
psychiatrische therapie afkomstig is, n.l. de geestelijk onvol-
waardige aangenaam te stemmen, door volkomen zinloze
zinnen tegen hem uit te spreken, maar die een zekere stemming bij hem oproepen. Ik geloof niet, dat wij de Amerikaanse auditoria met geestelijk onvolwaardigen mogen ge-
lijkstellen.

Ook zijn deze ontwerpen m.i. lang niet ongevaarlijk, daar
zij zich steeds weer begeven in alle wespennesten der huidige
of recente politiek – waar ik nu juist zo gaarne buiten wilde
blijven. Zodoende bieden zij talloze aangrijpingspunten om
Nederland (of mij persoonlijk) in de verkiezingsstrijd te
mengen. Wanneer men zich alleen aan algemeen erkende
beginselen houdt, vermijdt men dit risico geheel.

Luistert U intussen toch niet naar stem en mentaliteit van
het 'kleine ambtenaartje dat nog niet zijn eigen neus durft te
snuiten uit angst voor' – ja wat?[18]

Hoe moeizaam het overleg tussen de koningin en het 'kleine
ambtenaartje' Boon over de door Drees en Stikker gewenste
aanpassingen van de toespraken verliep, bleek vooral uit een
memorandum van Boon van 23 maart aan Stikker. Daarin
werden de standpunten nog eens samengevat, met vermelding
van een aantal muurvaste meningsverschillen. De koningin,
rapporteerde Boon, was bereid geweest in haar toespraken tot
het Congres en de Veiligheidsraad enkele door de regering
voorgestelde uitdrukkingen over te nemen en had verder nog
een enkele concessie gedaan, maar de door de minister goed-
gekeurde tekst had ze naast zich neergelegd. Boon had de
koningin in een telefoongesprek meegedeeld dat de minister,
die met haar meereisde, de zondag wilde besteden 'om alle
redevoeringen nog eens rustig door te lezen', maar daar had
zij het nut niet van ingezien. De secretaris-generaal had te
horen gekregen: 'Nu verander ik niets meer. De Minister heeft
zich Dinsdag met de rede voor het Congres verenigd; over de
meeste andere had hij geen speciale opmerkingen, de rede

voor de Veiligheidsraad is nu afgehandeld; derhalve heeft de Regering nu niets meer met de zaak te maken.'

Boons tegenwerping dat hij de minister 'niettegenstaande de aangebrachte veranderingen zou adviseren dat de VR-rede niet in de thans gereed gekomen vorm zou worden uitgesproken, doch dat de Minister uiteraard mijn advies kon aanvaarden of verwerpen', vergrootte alleen maar de irritatie van de koningin, die obstinaat verklaarde dat de heren het ermee konden doen. De koningin reageerde hierop door te zeggen, dat zij de rede toch zou houden en zich daarin door niemand zou laten hinderen. Men moest het nu maar eens goed weten

dat ik dit ZO zeggen MOET. Over politieke opmerkingen valt te praten. Daarop heb ik veranderingen aangebracht. Wat er over is gebleven zijn algemeen philosophische beschouwingen, waarmee de regering niet te maken heeft en die ik toch zal houden. Ik ben nooit zover gegaan als ditmaal om alle redevoeringen van tevoren ter inzage te geven aan de Minister. Als hij niet wil, dat ik ze houd: nu goed, dan zal ik improviseren, en dan weet hij helemaal niet, wat ik ga zeggen. Bovendien, niettegenstaande het gesprek van Zaterdag voor een week met Drees en Stikker, heeft de Ministerraad toch mijn rede voor het Congres goedgekeurd, terwijl de andere redevoeringen de gehele week door besproken zijn. Er is nu geen tijd meer; het moet eenmaal klaar komen & zoals het nu is, blijft het. De Heer Stikker mag alles nog eens doorlezen en zijn opmerkingen maken, zoveel hij wil, maar ik verander er toch niet meer aan, of hij dat nu prettig vindt of niet. Ik maak de reis naar Amerika om dit te kunnen zeggen en daarin laat ik mij niet tegen houden. De mensen zijn allemaal veel te bang voor deze dingen: ik weet heus wel wat ik zeg. Ik voel dat het goed zal gaan, als ik maar mijn eigen woorden mag gebruiken en mijn eigen gedachten kan volgen. Ik heb geen zin om allerlei klaargemaakte politieke speeches uit te spreken, ik wil algemene gedachten brengen, die de mensen iets kunnen zeggen en die op een hoger plan liggen. Daartegen kan de regering onmogelijk bezwaar hebben.[19]

Aan de gebeurtenissen van 1952 is niet veel nieuws meer te ontdekken, maar nog altijd is de vraag niet beantwoord waarom de nimmer uit zijn doen gerakende minister-president dr Drees zijn ingrijpen in de organisatie van de hofhouding tot 1956 heeft uitgesteld – toen de kwestie-Soestdijk door omstandigheden die buiten zijn macht lagen, voor de regering al lang niet meer te beheersen was? De kwestie-Soestdijk was een tumor die zich gedurende een reeks van jaren had uitgezaaid en zo ver vertakt was, dat de monarchie eraan dreigde te bezwijken. De vraag is waarom dr Drees consideratie bleef tonen met een toestand die hij even bedenkelijk als gevaarlijk vond. Ingewijden die toen tot zijn omgeving behoorden, menen dat hij dat deed omdat hij de kwestie als een zuiver menselijk drama beschouwde. Ondanks zijn staatkundige sympathieën met de standpunten van prins Bernhard, die uiteindelijk de doorslag gaven en de balans in het voordeel van de laatste deden doorslaan, verloor dr Drees op grond van zijn persoonlijke sympathieën nooit zijn geduld met de koningin, op wie hij zeer gesteld was – wat omgekeerd ook voor de koningin gold. Hij was, aldus die bronnen, tot het uiterste begaan met de koningin, die naar zijn mening gedurende enige tijd emotioneel in de war was. Volgens die lezing zou Drees die verstoring dus als een probleem van de overgang hebben beschouwd, dat slechts van relatief korte duur zou zijn en ten slotte weer over zou gaan. Van een toestand van geestelijke onbekwaamheid, die volgens medische attesten moet zijn ingetreden vooraleer de grondwettelijke voorzieningen voor een buitenstaatverklaring van de koning(in) worden ingeroepen, is echter nooit sprake geweest, wat waarnemers daarover ook hebben beweerd.[20]

Dat dr Drees, wiens beleid eerst en vooral op bescherming van de monarchie gericht was, zich aan staatkundige misrekeningen schuldig heeft gemaakt, is in het licht van de politieke ontwikkelingen sinds 1956 moeilijk betwistbaar. Bij eerder krachtig ingrijpen – in 1952 en niet pas vier jaar later – zou er helemaal geen kwestie-Hofmans zijn geweest. Door de spanningen aan het hof te laten doorzieken, vormde zich in vier jaar een gezwel dat fatale gevolgen had kunnen hebben. Men kan zich overigens de vraag stellen of de politieke effecten van de kwestie-Soestdijk voor de monarchie niet al fataal genoeg zijn geweest: in 1956 is immers de afkalving begonnen van het sacrale karakter dat de monarchie voordien nog voor grote delen van de bevolking had. De crisis van 1956 vormt een historische waterscheiding tussen twee stroomgebieden waarin de monarchie sindsdien democratischer is geworden en de democratie minder monarchaal. Met dat jaar is ook de aftelling begonnen: de inleiding op de secularisatie van het koningschap, een onomkeerbaar proces dat geleidelijk en geruisloos naar het einde neigt. In zoverre heeft dr Drees ook in dit opzicht een belangrijke bijdrage geleverd aan de democratisering van de Nederlandse politiek, belangrijker dan hijzelf had gewild.

Per saldo leken de koninklijke toespraken die vóór het begin van het staatsbezoek aan de Verenigde Staten zoveel tweespalt in de regering hadden veroorzaakt, niet zoveel schade te hebben gedaan als Den Haag wel had gevreesd. Stikker, die met de koningin had gevochten, was aan het einde van de tournee – nadat hij alle overwegend gunstige reacties in de Amerikaanse pers had gelezen – over het geheel genomen niet negatief gestemd. Hij vatte zijn eindoordeel over de inspanningen van de voorgaande weken samen in een brief aan zijn secretaris-generaal, dr H.N. Boon, die hij uit Los Angeles ontspannen schreef dat de hele reis voor Nederland grote goodwill had opgeleverd:

Amice,
De tocht van het koninklijke circus loopt vandaag hier in Amerika practisch af en wanneer ik hierop terugkijk dan staat het voor mij wel vast dat het in het geheel genomen een groot succes is geweest. Natuurlijk zijn wij allen tamelijk vermoeid, met één uitzondering en dat is de Koningin zelf. De omgeving heeft weinig kunnen doen; de Koningin volg-de bijna steeds haar eigen mening en je zult misschien ook wel van Starkenborgh gehoord hebben dat de functie van hoveling ons geen van allen bijzonder gemakkelijk of bij-zonder prettig is gevallen. Alle redevoeringen zijn nu achter de rug en moeilijkheden zijn er, behalve dan intern, niet door ontstaan. In tegendeel, verschillende redevoeringen

worden herhaaldelijk nog gequoteerd. Naar mijn smaak zijn er drie geweest die bepaald slecht waren: de American Foundation, Detroit en San Francisco. Doch ook bij deze redevoeringen (bij het aanhoren waarvan ik dikwijls het gevoel had dat iedereen pijnlijk getroffen moest worden door de onbegrijpelijke vaagheden) is weer gebleken dat de mistiek, die om het Koningschap zweeft en de charme van de voordracht oppervlakkigheden tot diepe wijsheden maken en de onbevangen toehoorder dikwijls een lach van gelukzaligheid op het gezicht toveren. Toch is er in de laatste dagen enige critiek merkbaar geweest. Mijzelf zijn op persconferenties vragen gesteld over de betekenis van deze redevoeringen en gisteren ondervond de Koningin zelf deze lichte critiek toen op de persconferentie in Los Angeles haar gevraagd werd wat nu de mensheid zou kunnen doen om de gedachten, die zij in Amerika bij herhaling had geuit, te verwezenlijken. Het antwoord van Hare Majesteit hierop was: 'I have no idea whatsoever,' hetgeen na afloop tot een vrij scherpe woordenwisseling met de Prins leidde, die terecht stelde dat het toch wel vreemd is een gastvrij volk allerlei taken voor te houden, doch het antwoord schuldig te blijven, wanneer dan gevraagd wordt hoe deze hoge taak zou kunnen worden uitgevoerd. Ik geloof dat met deze enkele opmerkingen het resultaat van de reis, welke voor Nederland grote goodwill heeft opgeleverd, het beste is geschetst. Ik geloof niet dat er enige kans is, voordat ik met de boot terugkeer, nog over enkele zakelijke onderwerpen te schrijven en ik zal daarom trachten op enkele punten van je brief van 16 April nog te antwoorden.[21]

XIII. De vrienden in State en Pentagon

Nederlandse en internationale ondernemingen, commissarissen, directeuren, bestuurders van multinationals, managers, bankiers, fondsenwervers, duizend-en-een stichtingsbesturen en charitatieve instellingen, belangenbehartigers van allerlei soort en gewicht, en gouddelvers, maar ook ministers en staatssecretarissen, ze zochten in de periode 1946-1976 om het hardst prins Bernhards vriendschap. Met echte vriendschap had het meestal niets te maken, maar ik gebruik het woord hier in een speciale context, overeenkomstig het gedenatureerde, door inflatie versleten spraakgebruik in financiële en industriële kringen: wie kon zeggen met de prins bevriend te zijn, had een op geld waardeerbaar voorrecht, dat veelal begerenswaardiger en aantrekkelijker was dan een diplomatiek paspoort.

Bedrijven en instellingen hadden er grote bedragen voor over om zich van prins Bernhards vriendschap te verzekeren ter wille van de opening van hun nieuwe fabriek of bedrijfsuitbreiding, tot voordeel van de kas van het Prins Bernhardfonds of van die van World Wild Life.

Ook in de sfeer van de onbetaalde gunsten werd in die periode veel naar de vriendschap van de prins gedongen. Mr Jozef Luns sloeg gedurende zijn lange ambtsperiode als minister van Buitenlandse Zaken geen uitnodiging voor het deelnemen aan de conferenties van de Bilderberggroep, waarvan de prins voorzitter was, af. En als de uitnodiging eens wat langer dan gebruikelijk uitbleef, dan vroeg hij prins Bernhard erom, onder de motivering dat hij deze informele bijeenkomsten van leidinggevende figuren uit vele landen voor geen goud zou willen missen.

In deze kringen werd de behoefte aan vriendschap met de

prins niet zozeer ingegeven door traditionele oranjetrouw of gevoelens van bijzondere aanhankelijkheid als wel door het inzicht dat een relatie met prins Bernhard prestige toevoegde aan de onderneming, en tegelijkertijd ook de reputatie van individuen diende. Het was goed voor de naam of goed voor de kas om met de prins gezien te worden, en meestal voor allebei. Door in die universele behoefte aan 'vriendschap' te voorzien, heeft prins Bernhard in veertig jaar tijds tienduizenden vrienden gemaakt, variërend van scheepsbouwers en complete KLM-directies tot schrijvers van boeken, die uit welbegrepen eigenbelang het eerste exemplaar van hun boek aan de prins wilden aanbieden. Een auteur die met de prins op één foto in de krant komt, weet dat de verkoop van zijn boek daardoor wordt begunstigd. Oud-premier dr Jelle Zijlstra had op 5 februari 1992 prins Bernhard op een bijeenkomst ter gelegenheid van de presentatie van zijn memoires uitgenodigd, maar niet om hem het eerste exemplaar te overhandigen, want dat kreeg premier Ruud Lubbers. Op de foto die verscheidene kranten de volgende dag afdrukten, stond echter niet Lubbers, maar prins Bernhard, wiens publiciteitswaarde dus nog niet bleek te zijn gedaald. De prins was erheen gegaan omdat hij goede betrekkingen met de auteur onderhield die vooral dateerden uit Zijlstra's jaren op Economische Zaken. Die betrekkingen waren wederzijds positief. De oud-minister had zijn uitnodiging van 21 januari in een brief als volgt gemotiveerd: 'Ik doe dat ook daarom zo volgaarne omdat ik mij blijf herinneren de bijzonder goede contacten die wij vooral tijdens mijn ministerschap van Economische Zaken hebben onderhouden in een periode waarin U zoveel voor de Nederlandse economie hebt gedaan.'[1] Die brief wekte de verwachting dat de auteur de bedoelde economische prestaties van de prins het volle pond zou geven of ten minste zou omschrijven. Het was het eerste waar de prins in de index naar zocht (kleine ijdelheid waaraan iedere besprokene toegeeft), maar van de waardering die de auteur in zijn brief zo nadrukkelijk had gewaagd, was in het boek niets terug te vinden – niet de geringste aanduiding.

De Koninklijke Luchtvaart Maatschappij n.v. besefte het eerst de voordelen van een associatie met het internationale relatie-

netwerk van prins Bernhard. Zij plukte in de jaren vijftig
daarvan royaal de vruchten. Dr A. Plesman, de president-
directeur en oprichter van de KLM, liet geen gelegenheid voorbijgaan de prins, die sedert 19 januari 1949 commissaris van
de luchtvaartonderneming was, te bedanken voor elk goed
woord dat deze bij diens buitenlandse relaties voor de KLM had
gedaan. 'Naar ik verneem is de toestemming voor de derde
dienst op Buenos Aires dank zij Uw tussenkomst verleend. Ik
ben Uwe Koninklijke Hoogheid voor deze bemiddeling zeer
erkentelijk,'[2] schreef hij de prins in 1951.

Als Plesman dergelijke dankbetuigingen schreef, kon de
ontvanger er zeker van zijn dat er een verzoek om een nieuwe
gunst op zou volgen. Dan nam Plesmans lofschrift de toon
van een onbewimpelde bedelbrief aan. Kenmerkend voor die
onverbloemde toon is het vervolg van Plesmans brief van 12
april 1951 aan zijn koninklijke commissaris: 'Ik spreek de hoop
uit binnenkort van Uwe Koninklijke Hoogheid te mogen vernemen of in Uruguay met het oog op de luchtfotografie nog
contacten zijn gelegd en ik zou het zeer op prijs stellen verder
in de gelegenheid te zijn andere indrukken, mogelijk in verband
met de ontwikkeling van de KLM, met U te bespreken. Ik hoop
dat U na Uw terugkomst enige dagen voor Uzelf zult hebben,
in de gedachte, dat het na gedane arbeid zoet rusten is.'[3] Een
week later werd de prins nogmaals herinnerd aan de kennelijk
moeizaam verlopende besprekingen met de Uruguayaanse autoriteiten, nu in een door Plesman geschreven memorandum,
waarin de eerder vermelde 'luchtfotografie' nader werd verduidelijkt: het ging om de verwerving van de rechten voor een
luchtfotografiebedrijf dat de KLM daar wilde vestigen. De prins
deed bij zijn volgende bezoek aan Uruguay het gevraagde
goede woordje voor de KLM, dat de deur opende en de KLM-
directie over de drempel hielp. In het archief van prins Bernhard bevinden zich tientallen dankbetuigingen van de KLM,
waaruit valt op te maken dat het koninklijk commissariaat
goud waard was voor de luchtvaartmaatschappij: de prins
werkte op elke nieuwe reis naar Zuid-Amerika, waar de KLM
hier en daar nog geen been aan de grond had en sterke tegen-
wind van buitenlandse concurrenten ondervond, getrouw een
boodschappenlijstje af, dat dr Plesman hem met zijn dwingende

geestdrift vooraf ter hand gesteld had.[4]

De belangrijkste resultaten die prins Bernhard voor de KLM boekte lagen op het terrein van de landingsrechten. Begin 1951 keerde hij met de toezegging voor een vergunning voor de derde frequentie uit Argentinië terug, wat zoiets was als de Wereldcup. Uit de eerder vermelde dankbrieven blijkt hoeveel de KLM zich aan de prins verschuldigd voelde: hij had in de eerste plaats de onderhandelingen over het dode punt geholpen, in de tweede plaats had hij voor de KLM-directie de deur bij de Argentijnse regering geopend en in de derde plaats had zijn goodwill net iets meer gewicht in de schaal gelegd dan die van de meedingende Franse nationale luchtvaartmaatschappij.

Meestal waren het de aanbevelingsbrieven van de prins aan *bevriende* staatshoofden en ministers die de onderhandelaars van de KLM in een voordelige positie brachten. Een jaar later paste de prins die speciale schoenlepeltechniek in Mexico toe: op 2 april 1952 verkreeg de KLM de lang verbeide vergunning voor de Noordelijke route Amsterdam-Montreal-Monterrey-Mexico Stad. Een aanbevelingsbrief van prins Bernhard voor de Mexicaanse president Miguel Alemán had ten slotte de audiëntie opgeleverd waarop de KLM-delegatie meer dan een jaar lang in berusting had moeten wachten, terwijl zij intussen haar knopen telde. De gezant Van Houten telegrafeerde opgelucht naar Den Haag nadat de Nederlandse delegatie eindelijk een voet tussen de deur had kunnen zetten: 'De kleine Nederlandse delegatie onder leiding van mr Slotemaker heeft in minder dan twee weken tijds een succes geboekt, waarnaar reeds jarenlang tevergeefs is gestreefd. Het gunstige klimaat hiertoe was geschapen door de telegramwisseling van Z.K.H. de Prins der Nederlanden met de President.'[5]

In hetzelfde jaar herhaalde de prins dat kunststukje in Colombia, waar de KLM in de markt was om een lijn te openen tussen Bogotá en Curaçao maar als gevolg van politieke onrust in het land aan het lijntje werd gehouden. In dit geval schreef de prins de waarnemend president van Colombia Urdaneta, bij uitzondering, in zijn hoedanigheid van lid van de raad van commissarissen van de KLM. Tegelijkertijd zette hij een tweede ijzer in het vuur door een memorandum over de kwestie te sturen aan de Colombiaanse ambassadeur te Parijs, met wie prins Bernhard sedert jaren bevriend was.

Een daarop volgend gesprek van prins Bernhard met Urdaneta bracht de onderhandelingen, die maandenlang niet hadden willen vlotten, weer op gang, maar bij de machtswisseling in de zomer van 1953 was de KLM weer terug bij af. Urdaneta moest het veld ruimen voor generaal Rojas Pinilla, die na een staatsgreep tot zijn opvolger werd benoemd, en de KLM stond weer buiten de deur. Maar prins Bernhard, die zich hier tot zijn voordeel op zijn politieke ignorantie kon beroepen, keek niet op een staatsgreep meer of minder en schreef *unverfroren* dezelfde brief die hij aan Urdaneta had gestuurd aan Pinilla en maakte van de gelegenheid gebruik om de aandacht te vestigen op de mogelijkheid om enkele Fokker-vliegtuigen te kopen.

Het resultaat was dat KLM-directeur mr L.H. Slotemaker in het voorjaar van 1953 de vergunning veilig kon stellen. Slotemaker, die de prins eerder gevraagd had in zijn schaduw te mogen meereizen[6], schreef hem in zijn gebruikelijke dankwoord dat hij zonder diens inmenging niet bij de Colombiaanse president zijn opwachting had kunnen maken en de hoop op een gunstige reactie al had opgegeven.[7]

Leende de prins zich onvermoeibaar voor de rol van Plesmans *own errand boy*, hij was ook altijd bereid op verzoek van de KLM aanbevelingsbrieven aan buitenlandse regeringen te schrijven, schriftelijke duwtjes te geven en vooral zijn gesigneerde foto's vooruit te sturen. Een foto met een handtekening van de prins kon volgens Plesman wonderen doen, en om die reden maakte de president-directeur van de KLM dan ook schaamteloos gebruik van het koninklijke vignet. De prins keek niet op een introductiebrief meer of minder, zolang hij het maar voor 'het goede doel' deed. De KLM kon dat wapen bij onderhandelingen over landingsrechten naar believen in de strijd brengen, ook voor de 'nazorg', nadat de onderhandelingen eenmaal tot een goed einde waren gebracht. De volgende zin uit een brief uit 1949 over onderhandelingen in Canada geeft een representatieve indruk van de talrijke keren dat de KLM over haar kostbare geheime wapen kon beschikken: 'Ik geloof,' schreef mr L.H. Slotemaker aan de prins, 'dat het zeer goed zou zijn, indien Uwe Koninklijke Hoogheid een brief zoudt richten aan Mr.

Heany, de onderminister van Buitenlandse Zaken, in welke brief Uwe Koninklijke Hoogheid wellicht Uw vreugde zoudt kunnen uitspreken over de omstandigheid, dat thans de toestemming is verleend. Het ware wellicht ook gewenst, indien Uwe Koninklijke Hoogheid daaraan de wens zoudt verbinden, dat met behulp van deze nieuwe snelle verbinding de banden tussen Nederland en Canada nog versterkt worden.'[8]

Tien jaar later verontschuldigde de directie van de KLM zich *pour besoin de la cause* voor het zoveelste beroep dat zij weer op de goede diensten van prins Bernhard wilde doen. Op 22 december 1959 schreef Slotemaker: 'Ik moge de vrijheid nemen Uw hulp in te roepen voor de navolgende aangelegenheid. De KLM heeft het voornemen om met ingang van 30 mei 1960 met de DC-8 op Mexico te gaan vliegen, met een frequentie van tweemaal per week. Dit is een logische verlenging van de Montreal-dienst, en zowel Houston als Mexico dienen naar de mening van de KLM op de kortst mogelijke termijn met een KLM DC-8 bevlogen te worden, gezien ook de concurrentie met turbo-jets via New York.' Van de vertegenwoordiger in Mexico had de KLM bericht gekregen dat de minister van Verkeer Buchanan er niet veel voor zou voelen reeds in 1960 een vergunning aan de KLM toe te staan, omdat hij buitenlandse jets pas zou willen toelaten wanneer Mexico zelf over dergelijke vliegtuigen zou beschikken, wat volgens de verwachting niet vóór 1961 zou gebeuren.

Slotemaker vervolgde: 'Nu had ik Uwe Koninklijke Hoogheid willen vragen om tijdens Uw bezoek aan Mexico – indien zich daartoe althans een geschikt ogenblik voordoet – aan de President mee te delen dat de KLM voornemens is de DC-8 op Mexico in te zetten. Het zal wel gewenst zijn daaraan toe te voegen dat wij tot nu toe niet in staat zijn geweest de vereiste vergunning te verkrijgen. Dit zal vermoedelijk dan voor de President aanleiding zijn zich in verbinding te stellen met Minister Buchanan, en zo zou dan deze zaak misschien kunnen worden opgelost, omdat men U niet graag iets zal willen weigeren.

Aangezien het hier om een voor de KLM toch zeer belangrijke zaak gaat, hoop ik dat ik niet te onbescheiden ben geweest U dit verzoek voor te leggen.'[9]

Telkens wanneer de nationale luchtvaarttrots door buitenlandse concurrenten in de wielen dreigde te worden gereden, werd de koninklijke schrijfmachine gemobiliseerd. De KLM raakte in 1961 verwikkeld in een strijd met Panam om de gunst van de nieuwe nationale Iraanse luchtvaartmaatschappij, ontstaan uit een fusie van Parsair en Iranair, die steun zocht van een gevestigde buitenlandse luchtvaartonderneming. Panam bood de Iraanse regering aan vijf Fokker Friendships te leveren op zeer aantrekkelijke voorwaarden, maar dat aanbod leek niet te kunnen opwegen tegen de voorkeur die in Iraanse luchtvaartkringen voor een samenwerking met de KLM bestond, omdat Nederland goedkopere arbeidskrachten had dan de Verenigde Staten en ook het voordeel had van een gunstiger ligging met het oog op het onderhoud van vliegtuigen en de training van personeel.

De KLM had een groot belang bij samenwerking met de Iraanse luchtvaart (Iran had een aan- en afvoerwaarde in het KLM-netwerk van jaarlijks veertien miljoen gulden aan passage en zes miljoen aan vracht), zodat ze zich niet kon veroorloven de ontwikkelingen met de armen over elkaar aan te zien. Dit betekende dat de KLM grote hinder ondervond van een advies van de sjah, dat hierop neerkwam dat de Nederlandse luchtvaartmaatschappij geen initiatief moest nemen zolang de fusie tussen Parsair en Iranair nog niet voltooid was. Een begeleidende boodschap maakte het voor de KLM nog moeilijker in de tussentijd haar voelhorens uit te steken: 'Onthoud u van bellen, wij bellen u.' De kans was groot dat de Amerikaanse concurrent zich daaraan niet zou houden en er met de buit vandoor zou gaan, en de directie van de KLM was onder dat wachten knap zenuwachtig geworden.

De president-directeur van de KLM, drs E.H. van der Beugel, verzocht de prins de KLM te hulp te komen en te pogen zijn vriend de sjah voor het belang van Nederland in te nemen. 'Wanneer Uwe Koninklijke Hoogheid een brief zoudt willen richten aan Zijne Keizerlijke Majesteit de Shah, zo ware het o.i. reeds van groot belang, indien van de Shah een indicatie kon worden verkregen welke de recente ontwikkelingen op luchtvaartpolitiek gebied zijn. In dit verband is het vooral belangrijk te vernemen of het advies hetwelk de Shah in no-

vember j.l. zo goed was te geven en waaraan wij ons tot nu
toe strikt hebben gehouden' – het advies zogezegd 'om niet te
bellen' – 'alsnog geldt.'

Ook Van der Beugel legde, in de traditie die zijn voorgangers
hadden gevormd, de prins een ready-made concept voor, dat
deze slechts hoefde te garneren met enige persoonlijke woorden
en te voorzien van zijn handtekening. Na een inleidende gelukwens met de nieuwe Iraanse luchtvaartmaatschappij, bood de
prins de sjah de diensten van de KLM aan, die 'van de grootste
betekenis voor een succesvolle start zouden kunnen zijn'
('*whatever services might be required*'). De prins schreef: 'Van de
KLM-directie heb ik onlangs opnieuw de aanwijzing gekregen
dat zij te allen tijde in staat en bereid is alle hulp te verlenen
en, indien gewenst, ook daadwerkelijk bij te dragen aan de
opbouw van het Iraanse luchtvervoer.'[10]

Iranair, onder welke naam de nieuwe Iraanse maatschappij
werd voortgezet, ging ten slotte toch met de Amerikanen in
zee, een beslissing die de KLM in de gegeven omstandigheden
niet al te zeer kon betreuren, omdat zij op dat moment zelf in
een bestuurlijke crisis verkeerde, waardoor zij in een groot-
scheepse reorganisatie werd gestort en de vloot sterk moest
inkrimpen.

De koninklijk commissaris van de KLM was niet alleen handels-
reiziger in buitengewone dienst, hij speelde in de jaren vijftig
ook binnenshuis een actieve rol als commissaris. Hij hield zich
niet afzijdig van de interne bestuursproblemen die de KLM in
deze jaren teisterden, bemoeide zich met de reorganisatie aan
de top en liet zich voor en tijdens vergaderingen van de raad
van commissarissen, maar ook tussentijds, nauwgezet door de
president-commissaris dr ir F.Q. den Hollander van diens
diagnose van de toestand van het bedrijf op de hoogte houden.
De koninklijk commissaris schuwde niet de oud-luchtmacht-
generaal I.A. Aler *not the right man in the right place* te noemen
en toonde ook geen medelijden met diens opvolger, zijn vriend
Van der Beugel, die twee jaar later al mislukte doordat hij de
tweespalt onder de directeuren van het bedrijf niet de baas kon
worden en de 'slagersinstelling' miste om de incompetente
directeuren de laan uit te sturen.

Prins Bernhard drong er bij zijn medecommissarissen tevergeefs op aan koppen te snellen en geen tijd te verliezen de bezem
door de Augiasstal te halen, omdat hij proefondervindelijk had
vastgesteld dat verschillende directeuren niet voor hun taak
waren berekend. Of hij in de bestuurskamer van de KLM invloed heeft gehad op de saneringsoperatie is, bij gebrek aan
documenten, niet duidelijk. Uit talrijke brieven van Den Hollander en van andere commissarissen blijkt echter wel dat hij
niet alleen als commissaris actief meedacht maar ook dat hij
door zijn mede-commissarissen serieus werd genomen.

In de raad van commissarissen was hij een van de weinigen
die inzicht hadden in de technische kwaliteit van vliegtuigen
en de directie was wel zo verstandig met zijn oordelen daarover
rekening te houden. Bij de beslissing over de aanschaf van de
DC-9 in het begin van de jaren zestig leidde dat tot een ernstig
meningsverschil tussen de KLM-directie en prins Bernhard. De
prins was tegen de aanschaf van het toestel, omdat hij het niet
verantwoord vond een vliegtuig in dienst te nemen dat nog
niet in de praktijk zijn kwaliteiten had bewezen en praktisch
van de tekentafel was gekocht. De KLM-directie meende uit
overwegingen van concurrentie de aankoop niet te kunnen
uitstellen, maar wilde geen beslissing nemen zonder een eens-
gezinde raad van commissarissen. De directie spoedde zich
collectief naar paleis Soestdijk om te proberen de prins te
bewegen zijn veto te laten vallen, maar hoe dat afliep is niet
meer duidelijk. Ook van dit krijgstoneel konden de wapenfei-
ten, bij gebrek aan officiële bescheiden, niet worden achterhaald.[11]

Het KLM-dossier van prins Bernhard bevat ten slotte nog
een merkwaardig document, waaruit blijkt dat de prins tien
jaar na de oorlog nog steeds een verzetscomplex had, dat wil
zeggen, een uit zijn BS-tijd daterende obsessie met 'goed' en
'fout', die hij tot in de raad van commissarissen van de KLM
tot gelding bracht. Blijkens een ongedateerde kopie van de
notulen uit 1955 onderstreepte hij in een vergadering van
commissarissen in dat jaar de noodzaak de KLM op de belangrijke buitenlandse vestigingen te doen vertegenwoordigen door
functionarissen met een onberispelijk oorlogsverleden. 'Als
algemene opmerking veroorloof ik mij het volgende: mijns

inzichts is het van het hoogste belang dat de belangrijke buiten-landsche vestigingen der KLM en liefst natuurlijk alle nederzet-tingen, bezet worden door vertegenwoordigers, wier *war records unimpeachable* zijn.' Van een aantal, met name genoemde KLM-kantoorhouders in de Verenigde Staten was hem dit bekend, echter niet van een aantal anderen. 'De heeren moeten natuurlijk in de eerste plaats zuiver zakelijk uitnemend zijn, doch dit punt mag m.i. niet over het hoofd worden gezien.'[12] Van een discussie over dit onderwerp is in de archieven geen spoor te vinden. De prins bleek zich desgevraagd zijn opmer-kingen uit 1955 niet meer te herinneren. De vraag is hoe deze gevoeligheid uit die jaren te rijmen valt met de vriendschap die de prins koesterde voor de ministers dr J.E. de Quay (Nederlandse Unie) en ir C. Staf (Nederlandse Oost Compag-nie). In de jaren 1940-1945 waren deze vrienden van de prins respectievelijk voorzitter van de Nederlandse Unie en direc-teur-generaal van Landbouw. Geen van beiden had, volgens welke definitie ook, een vlekkeloos oorlogsverleden op grond van samenwerking in hun functie met de Duitse bezettingsau-toriteiten.

In zijn betrekkingen met de economie van Nederland had prins Bernhard, naast de KLM, al in het begin van de jaren vijftig een vaste agenda opgebouwd. Zijn belangstellingssfeer omvatte zowel het particuliere bedrijfsleven als de overheid, in het bijzonder de sectoren van de internationale handelsbevordering en de militaire produktie, en daarvan weer speciaal de vlieg-tuigindustrie. Hij was curator van het Economisch Instituut, beschermheer van Stoomvaart Maatschappij Nederland, 'bij-zonder commissaris' van de Nationale Herstelbank, 'koninklijk commissaris' van de Koninklijke Jaarbeurs en gewoon com-missaris van de Nederlandsche Handel-Maatschappij, de KLM, de Staatsmijnen/DSM, de Koninklijke Hoogovens, Fokker en de Steenkolen-Handelsvereniging.

Als zodanig was prins Bernhard het boegbeeld van de grote industrie, maar dat betekende niet dat hij geen belangstelling had of zich niet wilde inzetten voor kleinere economische belangen. 'Hij voelde zich nooit te hoog om zich ook voor kleine zaken, zelfs voor pionierende ondernemers die een duwtje konden gebruiken, in te spannen,' aldus de oud-minister van Economische Zaken dr J. Zijlstra.[13] De prins schreef in de loop der jaren duizenden aanbevelingsbrieven, min of meer rechtvaardig verdeeld over zijn militaire en zijn economische belangstellingssferen. In de eerste categorie trokken daar, zoals in het hoofdstuk over de Binnenlandse Strijdkrachten is geschetst, vooral de dienstplichtigen en de militaire vrijwilligers profijt van. In de tweede categorie deden vooral kleinere bedrijven en individuele ondernemers hun voordeel met die dienstvaardige eigenschap van de prins – die er vooral op neerkwam dat hij nooit nee kon zeggen.[14]

Zo schreef de prins aanbevelingsbrieven voor de Amsterdamse zakenman Ernst H. van Eeghen aan zijn Bilderberg-relatie David Rockefeller, vice-chairman van de Chase Manhattan Bank in New York om deze te interesseren voor eventuele medefinanciering van Van Eeghens suikerrietproject in Tanganyika.[15] Rockefeller gaf per kerende post een reactie met een positieve ondertoon. 'It is important to do everything we can to promote the economic expansion of the emerging African nations,' schreef de Amerikaanse bankier. De zich koopman noemende Van Eeghen – buitenbeen onder de Nederlandse ondernemers, met een avontuurlijke inslag en een idealistische inborst – slaagde er op zijn beurt in prins Bernhard te interesseren voor economische politiek van de socialistische president van Tanganyika Julius Nyerere. De prins had zelf al geld geïnvesteerd in een experimentele boerderij in Tanganyika en het project van Van Eeghen, dat door Nyerere was gekenschetst als 'de eerste multiraciale onderneming' in zijn land, lag dus binnen zijn belangstellingssfeer. Hoewel de prins geen sympathie had voor socialistische politiek, was hij levendig geïnteresseerd in Nyereres socialistische experimenten en in de wandelgangen van de eerstvolgende Bilderberg-conferentie – bij uitstek de plaats om informele zaken te doen – gaf hij tegenover de potentiële investeerders onder zijn Amerikaanse vrienden enthousiast op van de plannen van Van Eeghen. Zijn aanbevelingen resulteerden in een financiële opzet waaraan van Amerikaanse zijde werd deelgenomen door de International Finance Corporation te Washington en van Nederlandse zijde door de Netherlands Overseas Finance Company en door Van

Eeghens Vereenigde Klattensche Cultuur-Maatschappij.[16]

Prins Bernhard beperkte zijn voorspraak voor Afrikaanse ontwikkelingsprojecten niet enkel tot Tanganyika (het land waar zijn aanstaande schoonzoon Claus von Amsberg was opgegroeid). Zag hij wat in experimenten in Tsjaad, dan mobiliseerde hij zijn Amerikaanse vrienden voor Tsjaad. Dat gold mutatis mutandis voor meer Afrikaanse landen die hij op zijn safari's had leren kennen, maar in het bijzonder voor Soedan. Uit het pleidooi dat hij in het voorjaar van 1960 in een brief aan Eugene R. Black, de president van de International Bank for Reconstruction and Development (de latere president van de Wereldbank) voor de aanleg van een stuwdam in Soedan hield, blijkt dat de prins door twee gedachten tegelijk werd geleid, een sociaal-humanitaire en een politieke – wat in zijn geval niet identiek was. Hij vond dat Afrikaanse landen door het rijke Westen financieel gesteund moesten worden bij projecten die zijzelf hadden bedacht, maar ook dat het Westen over de brug moest komen voordat de Sovjetunie dat zou doen. De prins eindigde zijn brief aan Black met de volgende overweging: 'Ik wilde u alleen laten weten dat ik bang ben dat de regering van Soedan zich tot de "grote" Sovjetunie richt als ze door het Westen mocht worden teleurgesteld.'[17]

Op zijn manier, dat wil zeggen, spontaan, occasioneel en onprogrammatisch, was prins Bernhard in ontwikkelingssamenwerking geïnteresseerd, maar intussen liet hij geen gelegenheid voorbijgaan om onderweg nog een vliegtuig of twee voor Fokker of, als het zo uitkwam, voor de regering te verkopen. Begin 1955 bracht hij bij een bezoek aan het keizerlijk paleis in Addis Abeba de verkoop van Nederlandse vliegtuigen aan de Ethiopische luchtmacht ter sprake. De prins was door de minister van Defensie, ir C. Staf, gemachtigd de door de Ethiopische luchtmacht gehuurde toestellen van het type Firefly tegen een aantrekkelijke prijs aan te bieden: de Nederlandse regering wilde ze van de hand doen voor de kosten van de revisie die de toestellen net hadden ondergaan (een kleine tegenvaller voor de keizer was dat de kosten van de revisie hoger waren uitgevallen dan ze waren geraamd, waarvoor prins Bernhard zich behoedzaam verontschuldigde). Bij zijn terugkomst echter bleek de luchtmacht als gevolg van een vertraagde uitvoering van de investeringsprogramma's van Defensie de toestellen nog niet te kunnen missen, zodat de Nederlandse regering op haar aanbod en prins Bernhard op zijn toezeggingen aan de keizer moesten terugkomen. De regering realiseerde zich het gevaar van een affront, maar de prins bracht de pijnlijke boodschap zo pijnloos en elegant over dat de keizer zich geroepen voelde de Nederlandse regering uit haar moeilijke parket te redden. De tegemoetkomendheid die hij betoonde, wekte de indruk alsof Nederland hulp van Ethiopië had gekregen. Het betekende dat alle partijen gelukkig waren: de Nederlandse regering had haar gezicht gered, de keizer had zich een weldoener getoond en de prins had beide partijen te vriend gehouden. 'Aangezien de Nederlandse regering zelf grote behoefte heeft aan de vliegtuigen en mijn eigen luchtmacht zijn eigen oefenschema's onlangs heeft veranderd, heb ik de eer Uw regering mijn grote waardering te betuigen en haar te verzoeken de toestellen weer zelf in beheer te nemen,' schreef Haile Selassie aan prins Bernhard. In zijn brief sprak de keizer de hoop uit dat de expertise van prins Bernhard, die sinds jaren onbetaald extern adviseur van de keizer voor de opbouw van de Ethiopische luchtmacht was geweest, voor zijn jonge krijgsmacht niet verloren zou gaan.[18]

Het wijdvertakte netwerk van buitenlandse relaties dat prins Bernhard al reizend over een groot deel van de wereld had gespannen, strekte zich uit van staatshoofden in Afrika en het Golfgebied tot ministers en generaals op het State Department en het Navo-hoofdkwartier, van Duitse bondskanseliers tot bestuurders van Royal Dutch en Amerikaanse kranteneigenaars. In de jaren vijftig en zestig was er in heel de internationale zakenwereld niemand wiens ladder hoger reikte dan die van de prins: hij vertegenwoordigde zonder cosmetica of hulp van voorzeggers een marktwaarde die vele malen groter was dan de best bestafte public-relationsapparaten van de grote concerns. Het bedrijfsleven was niet karig in zijn loftuitingen voor de goodwill-reizen van de prins. Na zijn reis naar Zuid-Afrika in 1955 werd hij door het Centraal Orgaan voor de Economische Betrekkingen met het Buitenland uitbundig in de bloemen gezet. Het hoofdbestuur van deze instelling schreef hem: 'Wij willen U bedanken voor al hetgeen U ook op deze reis wederom voor het Nederlandse bedrijfsleven hebt gedaan. Wij leggen er de nadruk op, van hoe grote betekenis deze goodwillmissions door ons allen worden geacht. Bovendien heeft Uwe Koninklijke Hoogheid het bedrijfsleven deze keer in de gelegenheid gesteld vóór het vertrek van Uw missie bepaalde wensen kenbaar te maken, terwijl de Maandag j.l. gehouden bespreking gelegenheid bood, na de reis van Uw visie kennis te nemen.'[19]

Er waren geen bedrijven die zo goed van de marktwaarde van prins Bernhard doordrongen waren als de Nederlandse bedrijven met internationale belangen. Zij verdrongen zich na de succesvolle reizen die de prins in het begin van de jaren vijftig naar Zuid-Amerika had gemaakt, dan ook allemaal voor paleis Soestdijk om zich met hem te associëren, in het besef dat miljoenen vergende reclamecampagnes in het buitenland niet konden uitrichten wat een handelsbevorderaar van zijn kaliber in zijn eentje kon. Het relatiepatroon vormde zich hier coalitiegewijs: de ondernemingen die erin slaagden zich van de goodwill van de prins te verzekeren, vaardigden hun beste mensen af – de 'top dogs' die zelf al tot de internationale elite behoorden – om in de relatiekring van de prins opgenomen te worden. Het mes sneed aldus aan twee kanten: de grote ondernemingen verschaften zich een passe-partout tot het paleis, met een bijbehorende 'hot line', en de prins voorzag zich van een geschakeerde industriële know-how die aan zijn bemiddeling in de internationale kringen waarin hij verkeerde substantie toevoegde. Het spreekt welhaast vanzelf dat het de prins evenmin moeite kostte vooraanstaande ondernemers en economen van naam bereid te vinden toe te treden tot zijn Economisch Club, een braintrust die sinds het begin van de jaren vijftig maandelijks op paleis Soestdijk bijeenkwam om hem persoonlijk van advies te dienen. Tot de vooraanstaande economen behoorde prof. dr H.J. Witteveen, de latere minister van Financiën, die alle jaren dat de club heeft bestaan, de vergaderingen bijwoonde; tot de vooraanstaande ondernemers behoorden onder anderen Philips-directeur ir Th.P. Tromp en zijn collega van de AKU ir A.J. Engel.[20]

Elke Nederlandse ondernemer die voor paleis Soestdijk in de

rij stond, kende het voordeel van de som van zijn persoonlijke kwaliteiten en het koninklijke zegel. Het kroontje, zoals het in marketingtermen werd genoemd, versloeg de internationale concurrentie niet altijd en overal, maar het maakte in heel wat gevallen een beslissend verschil. Zoals de Nederlandse ondernemingen, die in 1974 door de sjah van Perzië uit Iran waren gezet, ondervonden: de sjah was alleen bereid over herstel van betrekkingen met Nederland te praten als hij de voorwaarden daarvoor met prins Bernhard kon bespreken. De sjah demonstreerde in die affaire een virtuoze machtspolitiek. Hij liet alle multinationals die hij eerder met uitzetting getroffen had, door het stof kruipen om een gelegenheidscoalitie te vormen met bevriende koningshuizen die zijn internationale standing konden verhogen. Ook in die relatie werden nog eens de onbetaalbare 'assets' van de Nederlandse prins-gemaal bevestigd.

De regering erkende de kwaliteiten die prins Bernhard in het belang van het Nederlandse bedrijfsleven tentoonspreidde volmondig. Na een van zijn vele succesvolle bezoeken aan Liberia (van onsuccesvolle bezoeken gewagen de archieven niet) werd de prins door de minister van Buitenlandse Zaken mr Jozef Luns in 1958 schriftelijk in de volgende bewoordingen geprezen:

> Mag ik U nog zeer gelukwensen met het grote persoonlijke succes, dat U heeft weten te boeken tijdens het Staatsbezoek? Van allerlei zijden hoor ik slechts enthousiaste echo's […]. Met betrekking tot het aan Uwe Koninklijke Hoogheid door President Tubman overhandigde memorandum, kan ik reeds mededelen, dat ik een dezer dagen de Zaakgelastigde van Liberia het instemmend antwoord van de Regering zal geven. Het is onze bedoeling spoedig de gevraagde Missie naar Liberia te doen reizen. […] Misschien wilt U mij toestaan na Uw terugkomst het gehele probleem [van de handelsbevordering] eens diepgaand met Uwe Koninklijke Hoogheid te bespreken.[21]

De waardering die de regering regelmatig mondeling voor de handelsmissies van de prins toonde (hij kreeg vrijwel na elke reis dinerinvitaties waar de éloges niet van de lucht waren), zou in de loop der jaren niet verflauwen. In 1973 schreef minister-president mr B.W. Biesheuvel de prins na diens bezoek aan Australië en Nieuw-Zeeland:

Uit de nu in Nederland ter beschikking gekomen rapportage van Harer Majesteits Ambassadeurs te Canberra en Wellington is ten overvloede nog eens bevestigd, dat Uw bezoek aan Australië en Nieuw-Zeeland zeer geslaagd en succesvol is geweest. Daartoe heeft in belangrijke mate bijgedragen de hartelijke en oprechte sfeer die Uw persoonlijke contacten met regering en autoriteiten heeft gekenmerkt, waardoor het Nederlandse belang in hoge mate is gediend.

Deze contacten hebben de treffende politieke gelijkgezindheid van genoemde landen en van Nederland tot uitdrukking gebracht evenals, ondanks de grote afstand die ons scheidt, de banden die ons verenigen.

In dit opzicht heeft Uw bezoek grote betekenis voor de bilaterale betrekkingen met Australië en Nieuw-Zeeland gehad. [...]

Mede in verband met de aandacht, die de Nederlandse belangen in de economische sfeer van U hebben gekregen, in het bijzonder in Australië, acht ik het een bijzondere eer mij tolk te mogen maken van de grote erkentelijkheid van de regering voor de persoonlijke inzet van Uwe Koninklijke Hoogheid, waardoor dit bezoek tot een zo geslaagde en succesvolle manifestatie in de relaties van Nederland met de beide landen is geworden.[22]

Het is een van die ironische spelingen van de historie dat die waardering haar culminatiepunt zou vinden in de dankbewijzen die prins Bernhard, kort voordat hij door de regering tot het neerleggen van zijn belangrijkste publieke functies werd gedwongen, na zijn bijzondere goodwill-missie in 1975 naar Teheran ontving van drs R.F.M. Lubbers, minister van Economische Zaken in het kabinet-Den Uyl. Want ook voor dat kabinet, dat hem naar de politieke guillotine bracht, vervulde

de prins, zoals we in het volgende hoofdstuk zullen zien, met
succes een belangrijke goodwill-missie.

In al die jaren waarin hem officieel eerbetoon en lofprijzingen
ten deel waren gevallen, was het probleem dat het succes
van prins Bernhard voor de effectuering van de ministeriële
verantwoordelijkheid vormde almaar groter geworden, zonder
dat de regering de koe ooit bij de horens had durven vatten.
Het eigenlijke probleem was niet zozeer dat de prins door zijn
extraterritoriale ongrijpbaarheid de ministeriële verantwoordelijkheid in feite ontstegen was. Het probleem was veel eerder
dat regering, parlement en pers de gevaren van die vrijheid
niet onderkenden. De prins had zich in de loop der jaren grote
verdiensten voor de Nederlandse economie verworven, dat
erkende iedereen, maar met die verdiensten waren problemen
voor de parlementaire controle verbonden die de regering
niet meer beheerste, zoals in die gevallen waarin de prins
buitenlandse regeringen in verlegenheid had gebracht door de
status van zijn bezoeken in afwijking van de protocollaire regels
te opwaarderen.

De vrijheid die de 'internationale' prins Bernhard genoot (ter
onderscheiding van de 'nationale', die min of meer onder
de ministeriële verantwoordelijkheid was gebracht) was de
regering intussen zo boven het hoofd gegroeid dat zij niet meer
kon bijhouden wat hij deed, noch zicht had op wat hij uitvoerde
of waar hij zich bevond, met wie hij omging, met wie hij
afspraken maakte en namens wie hij dat deed. Dit impliceerde
dat de ministeriële verantwoordelijkheid, voor zover het zijn
buitengaatse werkzaamheden betrof, gedurende de periode
1946-1976 in een lange snurkende winterslaap verkeerde,
waaruit de regering in 1976 wreed gewekt moest worden. De
regering deed niets, het parlement vroeg niets en de pers schreef
niets.

Die permanente veronachtzaming van de controle (door
regering en parlement) had op de dag des oordeels (Lockheed)
evenzeer erkend moeten worden, evenals het feit dat alle kabinetten, met inbegrip van het kabinet-Den Uyl, de prins
wanneer het hun paste, dertig jaar lang voor hun karretje
hadden gespannen. Niet om het aandeel van prins Bernhard in

de Lockheed-affaire enigermate te bagatelliseren, wel om op
het gat in het vangnet van de ministeriële verantwoordelijkheid
te wijzen en om de onschuld van regering en parlement naar
verhouding te verminderen.

Het door regering en parlement ondershands gevoerde verweer dat prins Bernhard zich in een baan om de aarde bewoog
waar ministeriële noch parlementaire controle vat op had, is
niet steekhoudend genoeg om het politieke bestel van schuld
vrij te pleiten. In de eerste plaats hebben vele ministers zich in
de loop der jaren maar al te graag laten uitnodigen voor prins
Bernhards belangrijkste extraterritoriale forum, de Bilderberg-
conferenties, die hij als zijn kind beschouwde. In de tweede
plaats wist iedere politicus (en zeker niet alleen degenen die
zich elk jaar ambtshalve met de controle op de begroting
van het Huis der Koningin bezighielden) wie tot de vaste
internationale vriendenkring van prins Bernhard behoorden en
wiens adviseur hij was: naast de Bilderberg-kring (waarin sinds
de dagen van president Eisenhower alle Amerikaanse politici
van naam verschenen en vooraanstaande Europeanen als Gio-
vanni Agnelli en Giulio Andreotti, Willy Brandt, Helmut
Schmidt, Egon Bahr, Walter Scheel, Theo Sommer, Valéry
Giscard d'Estaing, Lord Hume, Reginald Maudling, Hugh
Gaitskell en Denis Healy[23] de vaste cliëntèle vormden) telde
de prins vele vrienden onder Amerikaanse ministers en onder-
ministers van Defensie en Buitenlandse Zaken (onder wie in
het bijzonder Henry Kissinger[24]) en opmerkelijk veel relaties
onder Amerikaanse journalisten en uitgevers, zoals de Sulzber-
gers van de *New York Times*[25] en Henry Luce van het *Time/
Life*-imperium.

In de derde plaats maakte prins Bernhard er in de jaren van
de koude oorlog geen geheim van dat hij een politiek oordeel
had. Hij was een anticommunist van het eerste uur, die net zo
min bereid was zijn politieke overtuigingen te onderdrukken
als zijn reislust. En hij ventileerde zijn anticommunisme als
God in Frankrijk. Maar niemand zei er wat van en het politieke
establishment nam er geen aanstoot·aan. De ministers van
Defensie verschilden trouwens niet met hem van mening. Het
is de vraag of ze ook zo laconiek hadden gereageerd als ze
hadden geweten welke anticommunistische improvisaties,

Prins Bernhard komt aan op Schiphol, 19 november 1936, achter hem het KLM-toestel 'de Kwak'. Links naast hem dr Albert Plesman, directeur van de KLM (ANP-foto).

Met de familie Churchill en de prinsessen Beatrix, Irene en Margriet in de tuin van Paleis Soestdijk op 11 mei 1946 (Foto Anefo-RVD).

DE LUCHTPOST

No. 4.
29 JULI
1941

VERSPREID DOOR UWE VRIENDEN VAN DE R.A.F.

R.A.F. 150 meter boven Rotterdam OPZIENBARENDE FOTOS

OP 16 Juli, zoo laag vlogen de Engelsche bommenwerpers boven het, door de Duitschers geteisterde Rotterdam, om hun aanval te richten op de Duitsche scheepvaart in Rotterdam's havens. Op die wijze waren de R.A.F.-piloten er zeker van, slechts, treffers te maken op hun doelen, zonder gevaar op te leveren voor de burgerbevolking en havenarbeiders, ook al vergrootten zij daardoor hun eigen risico.

Bij dezen aanval werden, zooals U elders in "De Luchtpost" kunt lezen, door een groote formatie bommenwerpers, vliegend op zeer geringe hoogte, treffers gemaakt op 22 schepen.

Op de bovenste foto ziet men in de verte de bommen exploderen op schepen in de haven, waarvan sommige reeds branden. Rechts ziet men het roer van het vliegtuig, dat juist boven het door de "Luftwaffe" vernielde stadscentrum vliegt.

Op de onderste foto ziet men de Rotterdammers omhoog staren naar de overdenderende vliegtuigen, die op weg zijn naar hun doelen.

De jongens van de R.A.F. zijn den Rotterdammers dankbaar voor hun enthusiaste ontvangst. En langs dezen weg willen "de vliegers, die geen genade kennen" een groet terugzenden voor de vriendelijk wuivende en juichende bewoners van de Maasstad.

RUSLAND : Duitsche leugens tegen Russischen moed

"Het geheim van de Duitsche propaganda is niet ingewikkeld, zij vertelt slechts de waarheid. Van tijd tot tijd kan er eens een vergissing insluipen, vergissen is menschelijk. Maar er komen geen vergissingen voor in de Weermachtberichten van het Duitsche Oppercommando".

—Uit een uitzending in het Engelsch uit Duitschland. 14 Juli 1941.

HET is steeds moeilijk, een helder beeld te geven van den toestand zooals er nu bestaat op het geweldige Russische front, waar veldslag volgt op veldslag. Maar toch kan men thans reeds een aantal conclusies trekken. Zoo is bijvoorbeeld de waarheid van de Duitsche leger berichten over de terrein-operaties, nog nimmer geringer geweest dan thans. Hier volgen eenige voorbeelden:

26 Juni: „Het Sowjet-leger is reed in de eerste dagen verslagen" (Dienst aus Deutschland)

30 Juni: „De Duitsche opmarsch zal verder feitelijk zonder tegenstand kunnen geschieden" (Italiaansche uitzending)

13 Juli: „De Sowjet-campagne is hierdoor beslist. De Duitsche overwinning in het Oosten is thans verzekerd" (Duitsche uitzending voor Zuid-Afrika)

14 Juli: „Het Duitsche Opperbevel is de laatste drie dagen in staat geweest, twee overwinningen aan te kondigen, die feitelijk de eindbeslissing in den strijd tegen de Sowjets brengen." (Duitsche uitzending voor Duitschland)

15 Juli: „Het is een onloochenbaar feit, dat het Russische leger heeft opgehouden als eenheid te bestaan" (Italiaansche uitzending in het Portugeesch)

20 Juli: „De Stalin-linie is op alle beslissende punten doorbroken. De gevechtscapaciteit van het Russische leger is vernietigd (Duitsche uitzending voor Duitschland)

Op die manier kan men doorgaan. Bijvoorbeeld op 13 Juli kondigden de Duitschers ook nog aan, dat de weg naar Moskou open lag. Doch op 23 Juli waren

vervolg op blz. 4.

Een pamflet uitgegooid door de R.A.F. Het beschrijft een luchtaanval op de haven van Rotterdam op 16 juli 1941. Prins Bernhard kreeg uit de eerste hand verslag van de activiteiten van de R.A.F. boven het continent. Zie pagina 77 van de tekst (Collectie Gem. Archiefdienst Rotterdam).

Prins Bernhard ontvangt van koningin Wilhelmina de Ridderslag als Commandeur van de hem verleende Militaire Willems-Orde. Vliegveld Soesterberg, 1945 (ANP-foto).

Prins Bernhard brengt in maart 1950 verslag uit aan de Ministerraad over zijn reis naar Zuid- en Midden-Amerika. Naast de prins v.l.n.r. W.F. Schokking, mr Th.R.J. Wijers en dr P. Lieftinck; tegenover de prins minister-president dr Willem Drees (ANP-foto).

De prins op de eretribune bij de Landdag Steun Wettig Gezag te Dordrecht, september 1950. Naast hem dr Willem Drees. (Foto Anefo-RVD).

Prins Bernhard op bezoek in Argentinië. Hier samen met Evita Perón in een ziekenhuis in Buenos Aires, augustus 1951 (Foto ACME Newspapers-RVD).

Prins Bernhard aan boord van een KLM-vliegtuig op Idlewild Airport New York, vlak voor de terugreis naar Nederland op 18 maart 1950 (Foto ACME Newspapers-ANP).

Met president Eisenhower, koningin Juliana en ir C. Staf op het bordes van Paleis Soestdijk in 1952 (Foto Associated Press-RVD).

Koningin Juliana en prins Bernhard ontvangen sjah Reza Pahlawi tijdens een staatsbezoek, 1959 (ANP-foto-RVD).

Prins Bernhard in gesprek met Robert E. Gross, president van Lockheed Aircraft Corporation tijdens 'His Royal Highness' Inspection tour of Lockheed's Burbank Facilities' zoals United Press in de jaren zestig meldde (ANP-foto).

De buitenlandse kranten kwamen met grote koppen naar aanleiding van prins Bernhard en de Lockheed-affaire (ANP-foto).

THE TIMES

was 'open to onourable, report says

Mr Keating the producer of 2,000 p

om from all defence

THE GUARDIAN

Printed in London and Manchester   Friday August 27 1976   10p

Britain 'guilty of torture'   Dutch Prince resigns all state offices

ily Mail

usband is stripped of his over Lockheed scandal

Villagers flee fuel dump fire danger

NHARD, NCE OF HONOUR

DAILY EXPRESS

Did Juliana's deal save prince from prison?

THE SHAMING OF BERNHARD

The Daily Telegraph

Lockheed pay-offs

DISGRACE ERNHARD

s military jobs ed caution'

CLASH ON 5p-A-VOTE SUBSIDY

IRA 'co-op' chief

Freitag, 27. August 1976 - 25 Pf

Krach um Krise bei Gladbach

Strauß wird Superminister

REVAL. Von Natur aus würzig.

Nur knapp am Gefängnis vorbei

Prinz Bernhard in Schande gestürzt — Königin weinte

Prins Claus genietend van Jumping Amsterdam in de Heineken Box, 10 november 1984 (Nationaal Foto Persbureau).

Prins Claus opent de Derde Internationale Conferentie voor de bescherming van de Noordzee, 7 maart 1990 (Nationaal Foto Persbureau).

vaak in de vorm van losse flodders, de prins in een p.s. aan zijn correspondentie toevoegde. Zo bepleitte hij in een brief van 24 mei 1952 aan de Amerikaanse onderminister van Defensie William C. Foster de Italiaanse industrie niet uit angst voor communistische propaganda onevenredig te bevoordelen bij de toewijzing van extra defensie-orders.

'Als wij een deel van de Fokker-fabrieken of van Philips, of van de Ford-fabrieken in Amsterdam moeten sluiten,' schreef de prins (in feite schreef hij: 'If we have to lay down work in the Fokker factory,' wat niet hetzelfde betekent), 'krijgen wij met hetzelfde probleem te maken.' Dat probleem (van de communistische propaganda, die haar voordeel doet met elke bedrijfssluiting) bezorgde 'onze zeer loyale vakbonden', aldus de prins, 'veel kopzorgen'. Ook dat behoorde tot de 'zeer gewaardeerde' lobby-activiteiten van prins Bernhard: waar de gelegenheid zich voordeed, schroomde hij niet de communistische vakorganisatie als boeman te gebruiken om de diensten van de Nederlandse industrie bij de Amerikaanse regering beleefd aan te bevelen. De Amerikaanse regering had op dit punt weinig aanmoediging van derden nodig. Foster antwoordde: 'Wij erkennen het feit dat Italië niet het enige land is waar de werkloosheid een bijdrage levert aan de verbreiding van het communisme, maar dat ook uw land, zo goed als andere Navo-landen, van dat verschijnsel last hebben.'[26]

Prins Bernhard behoorde overigens niet tot de grootste haviken die een communist nooit een hand zouden geven. Aan zijn 'oorlogsvriend' Allen W. Dulles, de directeur van de CIA in Washington, legde hij een denkbeeld voor dat in de ogen van de onverzoenlijke haviken pure ketterij was, maar vooral een demonstratie van zwakte: de prins sondeerde hem over de gedachte de Sovjetunie het lidmaatschap van de Navo aan te bieden, om daarmee de Russische angst voor westerse agressie weg te nemen, de kans op een Duits-Russische alliantie te verkleinen en de communisten in de belangensfeer van het Westen te brengen. Dit zou er naar zijn mening toe bijdragen de ogen van de Sovjetunie te openen: ze zou zien dat ze meer te vrezen had van het Oosten (China) dan van het Westen. Aan het slot van zijn brief liet de prins nog even de oude boeman opdraven: 'Tussen haakjes, mag ik je nog eens als mijn vaste overtuiging voorhouden dat West-Duitsland niet ongevoelig is voor een Russisch herenigingsaanbod in ruil voor neutraliteit en in zo'n geval binnen twee jaar in het Russische kamp zit, waarna we niet lang meer op een "Putsch" van de communisten hoeven te wachten.'[27]

Het pikante aspect aan die politieke uitspraken van de prins was minder het onderwerp (er waren nog wel belangrijker thema's, die ook niet veilig waren voor de prins) dan de vrijheid die hem gegeven werd om er onbelemmerd over te schrijven en te spreken, ook al gebeurde dat laatste niet in het openbaar maar in de beschutting van het State Department en het Navo-hoofdkwartier. De vrijheid die de prins had (genomen), was vele malen groter dan die van zijn vrouw. Terwijl koningin Juliana zich moest onthouden van elke publieke uitspraak die als strijdig met het regeringsbeleid kon worden uitgelegd, kon de prins alle groten der aarde van zijn inzichten deelgenoot maken. Op zijn brieven bestond generlei ministeriële censuur, om de eenvoudige reden dat Den Haag niet wist dat de prins ze schreef.

XIV. Trouble-shooter in Teheran

Op 3 februari 1977 voerde ik mijn eerste gesprek met prins Bernhard voor dit boek. De gespreksstof was afgebakend door de bandbreedte van de ministeriële verantwoordelijkheid, een weerbarstig staatsrechtelijk beginsel dat de prins nooit belangstelling had ingeboezemd en dat hem in de praktijk vaak ook te machtig was geweest.

Het eerste gesprek (in aanwezigheid van de secretaris van de prins, E. Vernède, de volgende gesprekken zonder derden) begon wat stram:

'Den Uyl mag mijn vrouw, geloof ik, heel erg. Zij zijn zeer op elkaar gesteld. Mij mocht hij in het begin niet. Wij kenden elkaar niet, ik had hem nog nooit ontmoet.'

De prins had ruim een half jaar tevoren zijn deconfiture met de Lockheed-zaak beleefd, en hij was, nog enigszins aangeslagen, zo te zien net begonnen de effecten van de schok te inventariseren. Ik bespeurde ambivalente reacties in zijn oordeel over de strafmaatregelen die de regering tegen hem had genomen: enerzijds kon hij de beslissing van het kabinet-Den Uyl om hem uit een aantal dierbare functies te ontzetten (waaronder ontslag uit de krijgsmacht) wel begrijpen, anderzijds boudeerde hij over de miskenning van diensten die hij juist aan het kabinet-Den Uyl had bewezen en die naar zijn mening rechtvaardigheidshalve op de verlies-en-winstrekening hadden behoren te worden bijgeschreven.

In de brief van de regering aan de Tweede Kamer waarin zijn vonnis was geveld, noch in het rapport van de Commissie van Drie, dat de regering tot grondslag had gediend, was melding gemaakt van de 'zeer belangrijke resultaten' die zijn persoonlijke missie naar Teheran van een jaar eerder voor de regering en het Nederlandse bedrijfsleven had opgeleverd. Dat

waren niet zijn kwalificaties geweest, maar die van de Nederlandse ambassadeur in Teheran, die hem dat in een dankbrief
had geschreven. En de minister van Economische Zaken had
in zijn bedankbrief geschreven dat het een 'geslaagde' missie
was geweest. In ons gesprek plaatste de prins enigszins verbit-
terd een voetnoot bij zijn eigen geschiedenis: stank voor dank.

Prins Bernhard had de Commissie van Drie niet verteld hoe
vaak het kabinet-Den Uyl van zijn intermediair gebruik had
gemaakt. Hij had dat in het geheel niet tot zijn verdediging
aangevoerd. De commissie bleek niet op de hoogte te zijn van
zijn reis naar Teheran, maar ook niet van zijn bemiddeling
voor minister Lubbers bij de Saudische koning Feisal. Ook die
had de prins op verzoek van het kabinet gedaan. Op de terugreis van een safari in Afrika was hij bij koning Feisal langs
gegaan om te vragen of deze de Nederlandse minister van
Economische Zaken wilde ontvangen. Die poging om de deuren van het koninklijk paleis in Riaad voor het Nederlandse
kabinet te openen, slaagde: Lubbers kon komen. Feisal werd
op 25 maart 1975 vermoord en Lubbers werd ontvangen door
diens troonopvolger, prins Khaled.

Prins Bernhard trad over zijn reis naar Teheran in april 1975
(dus ruim een jaar voordat het kabinet hem de wacht aanzegde)
niet in bijzonderheden. Ik noteerde: gesprek met de sjah, 1975;
resultaat: sjah bereid Nederlandse delegatie te ontvangen en
opdracht te verlenen aan De Schelde in Vlissingen tot bouw
van marinefregatten. De prins kon de toedracht niet documenteren, bij gebrek aan dossiers. In zijn dagelijks werk laat de
prins zich zo min mogelijk door papier hinderen, maar voor
dit geval zou hij de papieren laten opzoeken.

De papieren bleken onvindbaar en ik moest het met mijn
schaarse gegevens doen. In de knipselarchieven was niets te
vinden over een reis van de prins, en op de data van zijn vertrek
en terugkomst waren geen communiqués uitgegeven. Er was
geen ruchtbaarheid aan gegeven, want het was een geheime
missie geweest. De prins had eerder verteld dat hij bij zijn
vorige ontmoeting met de sjah, tijdens de oliecrisis van 1974,
als olieman de belangen van Nederland had behartigd en de
verzekering had gekregen dat Nederland in geval van nood
(als het zijn reservevoorraden zou moeten aanspreken) op aan-

voer van Iraanse olie kon rekenen, maar in 1975 ging het niet meer om de olievoorziening, want de ergste nood was toen alweer geleden (Het 'oliegesprek' met de sjah in 1974 was de eerste keer dat de prins door het kabinet-Den Uyl als het diplomatieke 'geheime wapen' werd ingezet, zijn bezoek aan Riaad de tweede keer, zijn reis naar Teheran in april 1975 de derde keer.)

Met mijn onvolledige 'dossier' ging ik naar het ministerie van Economische Zaken om de ontbrekende stukken van de legpuzzel te zoeken. Ook daar kwam ik niet verder. Men wist van niets. Dezelfde reactie bij de vaste kamercommissie voor Economische Zaken en bij de Rijksvoorlichtingsdienst. Op 24 mei 1977 besprak ik de zaak met de minister van Economische Zaken, drs R.F.M. Lubbers, onder wiens verantwoordelijkheid de prins, volgens diens zeggen, naar Teheran was gereisd. We ontmoetten elkaar in een restaurant in de buurt van het Binnenhof en ik vroeg hem waarom het kabinet de hulp die het van prins Bernhard had gekregen in het kamerdebat over de Lockheed-zaak niet had meegewogen – en ook niet had erkend. De minister (die op dat moment demissionair was en tijd genoeg had om over mijn vraag na te denken) herinnerde het zich niet. Hij schudde overtuigend zijn hoofd. Er ging geen lampje bij hem branden. Ik wierp hem tegen dat het uitgesloten was dat de prins op eigen initiatief in Teheran voor de regering kolen uit het vuur had gehaald. Prins Bernhard had met de sjah gegolfd, maar hij kon er niet voor zijn olifanten zijn geweest. De prins had in zijn gesprek met mij geen bijzonderheden meegedeeld over zijn handelspolitieke vredesmissie, maar hij had zich concreet uitgelaten over zijn beademing van de Iraanse order voor De Schelde, waarvan hij tevoren de minister van Economische Zaken, naar hij verzekerde, melding had gedaan.[1] Het zei de minister niets, maar het kon zijn dat de prins een en ander 'op een lager niveau', bijvoorbeeld met het directoraat-generaal van de Buitenlandse Economische Betrekkingen (BEB) had besproken en dat het 'ambtelijk was afgedaan'. Hij beloofde het te laten uitzoeken.

Twee weken later kwam het antwoord: ook zijn ambtenaren wisten van niets. Het kon 'geen reis in opdracht van de regering zijn geweest' en de ministeriële verantwoordelijkheid was er niet actief in gemengd geweest. Bij gebrek aan houvast, liet ik de zaak rusten. Ik was vastgelopen.

In de zomer van 1992 – vijftien jaar later – trof ik een briefje in het archief van de prins aan dat een sleutel van het Teheran-dossier kon zijn. Het fortuin – of mijn serendipiteit – ontblootte een loshangend draadje van een briefwisseling die vijftien jaar eerder voor mij gesloten was gebleven. Het was een korte mededeling in een briefje van prins Bernhard van 12 juni 1975 aan drs R.F.M. Lubbers, minister van Economische Zaken: 'Mijn hartelijke dank voor Uw brief van 9 juni over de resulta-ten van de missie naar Iran.' Het briefje bevatte geen nadere aanwijzingen over de missie, niet meer dan het compliment dat de minister, volgens de informatie die de prins daarover had gekregen, een belangrijk aandeel aan het succes van de missie had geleverd. 'Mij werd verzekerd dat U persoonlijk daartoe in belangrijke mate hebt bijgedragen.'[2]

Het briefje liet in het midden wiens missie werd bedoeld. Het kon zijn: een missie van de minister, een missie van de prins maar ook een missie die de prins had voorbereid. De prins had er kennelijk iets mee van doen gehad, want anders zou de minister hem niet hebben ingelicht. Het cruciale element in het briefje was de verwijzing naar de datum van de brief van de minister: 9 juni. Diens brief ontbrak in het archief van de prins, maar het kabinetsarchief van de minister zou daar stellig een kopie van hebben.

Ik diende bij de secretaris-generaal van Economische Zaken een verzoek in om inzage van de brief van 9 juni 1975, en kreeg binnen enkele weken toestemming het kabinetsarchief te raadplegen. De toestemming werd extensief geïnterpreteerd: ik mocht ook de daarmee samenhangende correspondentie inzien. In feite gold de toestemming inzage van het gehele dossier van de reis naar Teheran.

Op 9 juni 1975 had minister Lubbers aan de prins geschreven:

Gaarne moge ik U te Uwer kennisneming doen toekomen de briefwisseling tussen de voorzitters van de Nederlandse en Iraanse delegaties, waarbij een Gemengde Commissie voor economische en technische samenwerking tussen de beide landen wordt ingesteld, alsmede het protocol van de eerste bijeenkomst van deze Commissie.

De besprekingen zijn uiterst nuttig geweest, niet in het minst ook door de bijzondere prettige ontvangst die ik van de autoriteiten in Teheran heb ondervonden. Het is mij gebleken dat deze goede sfeer vooral heerste als gevolg van de voorbereidende contacten Uwerzijds in april j.l.

Ik ben mij ervan bewust dat de recente bespreking welke U met de Shah hebt gevoerd in belangrijke mate tot het welslagen van de economische missie heeft bijgedragen.

Ik stel er dan ook veel prijs op U hiervoor mijn bijzondere dank te betuigen.

Tenslotte wil ik U op uitdrukkelijk verzoek van de Shah gaarne zijn persoonlijke goede wensen aan U overbrengen.[3]

w.g.
R.F.M. Lubbers

Wat het geheugen loslaat, houdt de archiefbewaarder vast.[4] Het dossier bevatte niet alleen het hele draaiboek van de goodwill-missie, een tocht naar Canossa, die een zwaar opgetuigde Nederlandse handelsdelegatie in de zomer van 1975 in het voetspoor van prins Bernhard naar Teheran maakte om de beschadigde betrekkingen met Iran te herstellen. Het bevatte ook de briefwisseling tussen minister Lubbers en de prins over de wijze waarop de sjah het best benaderd (dat wil zeggen, voor Nederland ingenomen) kon worden. De delegatie, waarin vrijwel alle grote ondernemingen hun kopstukken hadden afgevaardigd, stond onder leiding van niemand minder dan de minister van Economische Zaken zelf. Lubbers had op 24 mei 1977 (toen ik hem vroeg wat de prins voor de regering in Teheran had gedaan) blijkbaar van geheugenverlies last gehad – hetzelfde euvel dat de Commissie van Drie bij de prins had geconstateerd.[5]

De souffleur achter de inleidende missie van de prins, bij wie het allemaal was begonnen, was de Nederlandse ambassadeur in Teheran, P.A.E. Renardel de Lavalette, die op 17 december 1974 uit zijn standplaats aan de minister van Buitenlandse Zaken en de directeur-generaal van de BEB schreef: 'De goede betrekkingen tussen de beide koningshuizen in het algemeen en de nauwe persoonlijke relaties tussen Z.K.H. en de Shah in het bijzonder, maken een interventie van Z.K.H. vrijwel een conditio sine qua non. Slechts dan kunnen wij immers verzekerd zijn van voldoende hoge aandacht, die onze missie nodig heeft wil het effect daarvan niet in de grote toevloed min of meer verloren gaan.'[6]

Zijn brief behelsde de klassieke waarheid dat een brief met een kroontje meer deuren opende dan een brief zonder. Het was een oude Nederlandse wijsheid, die al zo vaak mompelenderwijs was verwoord, maar hier nu eens met cynische voortvarendheid werd uitgesproken. Als de overheid en het bedrijfsleven voor gesloten deuren stonden, dan had Nederland altijd een sleutel meer dan de concurrentie.

Renardels aansporing om prins Bernhard tegen de concurrentie in te zetten, leidde binnen een maand tot een positieve beslissing. Op 14 januari 1975 kreeg hij een telegram uit Den Haag met de aankondiging dat de prins de missie van de economische delegatie naar Iran zou gaan voorbereiden: 'Het ligt in de bedoeling deze missie – die thans wordt voorbereid – te doen voorafgaan door een bezoek van Z.K.H. Prins Bernhard aan Teheran.'[7]

Iran had in 1974 de handelsbetrekkingen met Nederland verbroken naar aanleiding van de bezetting van de Iraanse ambassade in Wassenaar op 8 maart 1974. Hoewel de bezetting het werk was van in Nederland wonende Iraanse studenten, was de sjah in zijn wiek geschoten door de koele (begrijpende) reactie in Nederland. De Nederlandse autoriteiten maakten zich niet erg druk om het incident (het ging om studenten die protesteerden tegen de schending van de mensenrechten in Iran), maar de sjah vatte die laconieke houding op als een schending van het beginsel van diplomatieke immuniteit en eigenlijk als een belediging van zijn koninklijke waardigheid. Hij stelde een selectieve boycot van de buitenlandse handel in, gevolgd door economische en diplomatieke sancties.

Het Nederlandse bedrijfsleven, dat de gevolgen van de sancties onmiddellijk voelde, drong er bij de regering op aan alles in het werk te stellen om de goede betrekkingen zo spoedig mogelijk te herstellen. Na het werkbezoek dat de minister van Buitenlandse Zaken, mr M. van der Stoel, van 16 tot 19 juli 1974 aan Iran bracht, leek de lucht enigszins op te klaren, maar van volledige ontspanning was nog geenszins sprake. Van der Stoel keerde terug met het inzicht dat er zwaardere middelen zouden moeten worden gebruikt om de pijn te verzachten. Het was hem duidelijk geworden dat de buitenlandse bedrijven die eruit waren gesmeten, eerst voor de sjah door het stof zouden moeten gaan voordat ze opnieuw zouden worden toegelaten. De minister stelde voor een 'zware' economische missie naar Iran te organiseren, onder leiding van de minister van Economische Zaken.

De sjah zag dit alles ongetwijfeld met welgevallen aan, want de hele westerse wereld kroop voor zijn pauwetroon om zich weer van zijn genadige gunst te verzekeren. Teheran leek wel het Mekka van de wereldhandel: het werd overlopen door economische missies uit tal van Europese landen die allemaal op jacht waren naar oliedollars en elkaar verdrongen voor het paleis van de sjah. Wie op het gunstigste volgnummer beslag legde, had de beste kans op een voorkeursbehandeling. Nederland behoorde, volgens de eerste verkenning van Renardel, niet tot de grote kanshebbers. Bij de 'voorselectie' door het Iraanse ministerie van Buitenlandse Zaken werd de Nederlandse ambassadeur gewaar dat een economische missie uit Den Haag waarschijnlijk al in de voorronde zou sneuvelen. Hij had de stoutmoedigheid zonder omhaal van woorden voor te stellen de beproefde, aloude kunstgreep van de Nederlandse handelsbevordering toe te passen en prins Bernhard in de strijd te werpen.

Zijn s.o.s. aan Den Haag leidde een reeks van ongebruikelijk snelle beslissingen in. Van der Stoel nam het voorstel over en schreef op 23 juli 1974 aan zijn collega Lubbers van Economische Zaken dat een wegbereidersrol van de prins door de Nederlandse ambassadeur in Iran als een absolute voorwaarde voor het welslagen van de economische missie werd gezien.

Op Economische Zaken werd koortsachtig aan een strategisch plan gewerkt, dat binnen enkele weken de regimenten van de Buitenlandse Economische Betrekkingen (EZ) en van de werkgeversorganisaties VNO en NCW in slagorde bracht. Als coördinatoren van het bedrijfsleven hadden de beide voorzitters van de laatste organisaties, C. van Veen en J. de Wit, zichzelf aangewezen. Alle bedrijven die enig belang hadden bij de handel met Iran en zouden worden uitgenodigd naar opdrachten voor belangrijke Iraanse projecten mee te dingen, werden op de een of andere manier bij het overleg betrokken: Boskalis-Westminster, Zanen Verstoep, Van Hattum en Blankevoort, verenigd in de Iran Ports Construction Consortium, Adriaan Volker, Rijn-Schelde/Verolme, de Stevin Groep, VMF, Akzo, NKF, Fokker, DAF, Wessanen, IHC, Bredero, v.d. Giessen/de Noord, Bruynzeel, Nationale Nederlanden, DSM, Philips, Holland Signaal, Shell, Unilever, KLM, Nedlloyd, ABN, Paktank, Stork/Werkspoor en OGEM. In het gedrang verloren enige bedrijven hun gevoel voor decorum en permitteerden zich een toeëigening die hun op een terechtwijzing van hun koninklijke schutspatroon kwam te staan. Zijn secretaris Vernède tikte de werkgeversorganisaties op de vingers dat de prins er onoverkomelijk bezwaar tegen had als 'vertegenwoordiger' van het bedrijfsleven te worden geaccapareerd, zoals sommige bedrijven in reclamefolders hadden gedaan. De spelregels werden in het overleg met het ministerie nu als volgt nader omschreven: de prins zou zich in zijn gesprekken met de sjah beperken tot een toelichting op een memorandum waarin de specialiteiten van de Nederlandse bedrijven waren samengevat, maar de belanghebbende bedrijven moesten zelf voor de follow-up zorgen ofwel zich op eigen kracht invechten.[8] Renardel stipuleerde de uitgangspunten nog eens in een schriftelijke herinnering van 8 maart aan de betrokken organisaties: 'Z.K.H. kan tijdens het bezoek aan de Shah geenszins als "vertegenwoordiger" van Nederlandse bedrijven optreden. Noch de Prins noch de Shah kan worden lastig gevallen met uitgebreide individuele uiteenzettingen. Deze zouden bovendien contraproduktief werken.' Prins Bernhard liet zich dus niet blinddoeken en evenmin de handen binden door zijn opdringerige vrienden. Het beeld van de *wheeler-dealer*, dat uit de geschiedenis van de jaren zestig oprijst, klopt in dit geval zeker niet met de werkelijkheid: de voorzieningen die hij had getroffen om zijn vrijheid van handelen en zijn onafhankelijkheid van oordelen te beschermen, waren afdoende geweest.

Niettemin trok het kabinet-Den Uyl uit het rapport van de Commissie van Drie de conclusie dat de prins onvoldoende afstand tot het bedrijfsleven had bewaard en zich tot verleng-stuk van bepaalde bedrijven had verlaagd. Zo hield minister Lubbers het voor waar dat prins Bernhard, zoals hij mij in 1977 zei, 'voor gerichte bedrijfsbelangen' optrad, daarbij spre-kend over Fokker en Philips. In landen als Saudi-Arabië en Venezuela, die de minister bezocht nadat de prins er was geweest, had hij dat geconstateerd – zonder die inzichten even-wel te verifiëren. De minister was tot dit laatste op constitutio-nele gronden verplicht geweest: bij het gerede vermoeden dat de prins zich voor oneigenlijke belangenbehartiging had geleend, had hij deze krachtens zijn constitutionele verant-woordelijkheid tot de orde moeten roepen, en als hij dit zelf niet had aangedurfd, zijn bevindingen in de ministerraad aan de orde moeten stellen. Dat zou ook uit een oogpunt van 'feitenhygiëne' beter zijn geweest: de minister beschikte slechts over aanwijzingen van horen zeggen, ook al presenteerde hij die als eigen waarnemingen, terwijl de in 1975 in Teheran beproefde veiligheidsvoorzieningen, waarvan de brieven van Vernède en Renardel getuigen, tot de standaarduitrusting van de prins behoorden. Volgens een van Lubbers' voorgangers, dr J. Zijlstra, die van 1952 tot 1959 de portefeuille van Econo-mische Zaken beheerde, was het departement in zijn tijd altijd van elke (zaken)reis van prins Bernhard op de hoogte. Deze legde zijn reisplannen aan het ministerie (de minister) voor en het ministerie (de minister) vroeg de prins met bepaalde wensen van het departement respectievelijk het bedrijfsleven rekening te houden. Zo grepen de belangen in elkaar en wisten beide partijen wiens en welke belangen werden gediend. De agenda's die het secretariaat van de prins over de periode 1946-1976 desgevraagd kan overleggen, tonen aan dat deze procedure van het begin af is gevolgd: alle reizen van de prins werden via de ambtelijke kanalen aan het desbetreffende departement aange-meld en zowel vooraf als daarna besproken.

Uit de hiervóór geschetste gang van zaken blijkt andermaal dat kabinetten die onraad roken, de prins niet ter verantwoor-ding riepen – ook het kabinet-Den Uyl niet. Als de observatie door minister Lubbers van prins Bernhards missies voor Fokker en Philips steun had gevonden in de feiten, dan zou de prins, in strijd met de afspraken, van zijn route zijn afgeweken en had hij daarvoor een ministeriële correctie verdiend.

Des te frappanter is de gedetailleerde afspraak die minister Lubbers tijdens de voorbereiding van de reis naar Teheran met prins Bernhard maakte. De minister van Economische Zaken stelde een schriftelijke instructie op, die hij eerst mondeling besprak voordat hij deze op 20 maart 1975 aan het papier toevertrouwde:

Koninklijke Hoogheid,

Ik heb de eer U in aansluiting aan ons gesprek betreffende Uw voorgenomen bezoek aan Zijne Majesteit de Shah bijgaand te doen toekomen de gegevens over een aantal projecten en leveranties, waarin het Nederlandse bedrijfsleven bijzonder is geïnteresseerd.

De van het bedrijfsleven ontvangen gegevens heb ik voor U verzameld in bijgaand dossier. Daarbij werd ter wille van de overzichtelijkheid de materie ingedeeld in de volgende hoofdgroepen:

1. Industrie
2. Scheepsbouw
3. Weg- en waterbouw, waaronder baggerwerken
4. Transport
5. Raadgevend Ingenieursbureau
6. Landbouw en visserij
7. Bankwezen en verzekeringen.

Van dit dossier heb ik voor Uw persoonlijke informatie een resumé opgesteld.

Ik moge U ten behoeve van Uw gesprek met Zijne Majesteit de Shah een memorandum met overzicht in de Engelse taal doen toekomen dat U, zo U dat wenst, ter memorering aan Zijne Majesteit zoudt kunnen overhandigen.

Het zou op hoge prijs worden gesteld indien U op basis van deze gegevens in Uw gesprek met Zijne Majesteit de Shah zo concreet mogelijke aanwijzingen zoudt kunnen verkrijgen omtrent de projecten die kans van slagen hebben en derhalve rijp zijn voor verdere onderhandelingen door de

betrokken Nederlandse ondernemers met hun Iraanse relaties. Ik hoop dat U mij te zijner tijd over de reacties van
Zijne Majesteit de Shah zult willen inlichten.

Teneinde een zo goed mogelijk gecoördineerd optreden
in Teheran te verkrijgen, zou ik het op hoge prijs stellen
indien U de door U ontvangen gegevens terzake aan mij ter
beschikking zoudt willen stellen. Voor de voorbereiding van
mijn missie naar Teheran kunnen deze bijzonderheden van
veel belang zijn.[9]

w.g.
R.F.M. Lubbers

De zorgvuldige en uitgebreide voorbereidingen die de ministeries van Economische Zaken en Buitenlandse Zaken zich
hadden getroost, droegen nog meer vrucht dan de Nederlandse
ambassadeur ter plaatse had verwacht, gezien de internationale
concurrentie. Deze zond geestdriftige telegrammen naar het
Plein over de ontvangst die prins Bernhard op het paleis van
de sjah ten deel was gevallen en de sprookjesachtige sfeer
waarin gedineerd was. Maar wat het meest telde, was dat de
buitenlandse concurrentie verslagen was. De egards waarmee
de sjah de prins had behandeld, 'illustreerde de Iraanse welwillendheid, die aan het bezoek werd besteed, ondanks het grote
aantal bezoeken van allure, die de laatste tijd uit vele richtingen
aan Iran worden gebracht'. Ook de Britse koningin-moeder,
die eveneens oude banden met de familie van de sjah had, was
door haar regering ingezet om hetzelfde te doen wat prins
Bernhard gevraagd was te doen. Ook zij werd met grote
welwillendheid behandeld, maar de industriële vlootschouw
die de Britse regering had overgevaren, maakte minder indruk
dan die van de Nederlandse admiraal (het was een voordeel
dat prins Bernhard voor elke gelegenheid een passende titel
had).

Op 27 april rapporteerde de Nederlandse ambassadeur aan zijn
minister dat het bezoek van de prins algemeen als 'geslaagd'
werd beschouwd.

Z.K.H., die zich – zoals verwacht – terdege op de hoogte had gesteld, is erin geslaagd de aandacht van de Shah te vestigen op de komende missie (onder leiding van de minister van Economische Zaken) en de mogelijkheden die verdere samenwerking met Nederland biedt en tevens diens positieve attentie te verkrijgen voor de mededinging naar de uitvoering van een aantal belangrijke Iraanse projecten, waarvan de gunning binnenkort wordt verwacht. Het gaat hier om projecten die bij elkaar miljarden guldens belopen.[10]

Op 13 juni bracht minister Lubbers aan de ministerraad schriftelijk verslag uit van zijn missie naar Iran. In zijn opsomming van de besprekingen die de delegatie onder zijn leiding had gevoerd, vergat hij niet het voorbereidende werk van de prins, waaraan hij zijn ontvangst in Teheran dankte, te vermelden. 'Niet onvermeld wil ik laten dat voor het welslagen van de Missie het voorbereidend bezoek van Z.K.H. Prins Bernhard aan Iran in april j.l. van bijzonder belang is geweest.'[11] Op de voorpagina van de *Tehran Journal* van 31 mei 1975 was een foto gepubliceerd waarop de Nederlandse minister van Economische Zaken tijdens zijn audiëntie bij de sjah was afgebeeld – met wijde broekspijpen en lange voetballersbakkebaarden volgens de mode van de jaren zeventig.

Het succes van de missie was geen lang leven beschoren, doordat de sjah enkele jaren daarna van zijn troon viel en alle gunsten die hij aan het westerse bedrijfsleven had gegund, werden herroepen. Maar de reis was een toonbeeld van een even smetteloze als perfecte samenwerking tussen de overheid en het bedrijfsleven, waaraan de vlag van de prins een luister had toegevoegd als eens het vaandel van Michiel de Ruyter aan de vloot van de voc. De ironie wil dat aan deze laatste grote missie van prins Bernhard – uitgevoerd onder auspiciën van het kabinet-Den Uyl – de beste, grondigste en meest uitgebreide voorbereiding voorafging, die ooit voor de prins was georganiseerd.

XV. De vrienden in het kabinet

In een restaurant in het centrum van Amsterdam sneuvelde een jaar of wat geleden na enige flessen rode wijn met luid gerinkel het Geheim van Soestdijk. De politieke redacteur van de *Haagse Post* Jan Tromp tafelde er met de oud-minister van Defensie ir Henk Vredeling en legde de gebeurtenis kleurrijk vast in het kerstnummer van de *Haagse Post* van 21 december 1985. 'Een directe aanleiding voor een ontmoeting was er niet, behalve dat hij nog het een en ander te vertellen had.'[1] De wijn was koppiger dan hij had geleken, en dat had bij de voormalige minister ongemerkt een opwaartse druk op zijn mededeelzaamheid veroorzaakt. De wachter voor zijn mond was in slaap gevallen en voordat Vredeling het goed en wel besefte, was het Geheim van Soestdijk, dat sinds Thorbecke had gediend als het sluitzegel van de koninklijke onschendbaarheid, eraan gegaan.[2] Het gebeurde toen de geschiedenis van de 'civiele' parade voor de jubilerende koningin Juliana in 1973 ter sprake kwam:

> Toen kreeg ik tijdens een vergadering van de ministerraad een telefoontje van de koningin: moe aan de lijn, Juliana aan de telefoon. Of dat nou zo moest, het vorige kabinet had toch een militaire parade in het vooruitzicht gesteld en nu hadden wij er een civiele manifestatie van gemaakt. Waarop ik zei: nee, mevrouw, wij doen dat anders. Ja maar, dat kon toch niet, de mensen hechten er toch waarde aan, waarop ik weer: ja, mevrouw, het spijt me, maar dit is een ander kabinet. En weet je wat er toen gebeurde? Moe begon te huilen, ik had een huilende moe aan de andere kant van de lijn, jazeker.[3]

De staatsrechtgeleerden, die met ernstige gezichten kennis namen van deze gedramatiseerde herinnering in de *Haagse Post*,
wisten niet goed wat ze ervan moesten denken. De ene vond
dat een oud-minister zichzelf niet zomaar van zijn zwijgplicht
kon ontslaan, de ander vond het veel erger dat een dienaar van
de kroon zichzelf aan een indiscretie te buiten was gegaan.
Eens een dienaar van de kroon, altijd een dienaar van de kroon.
Een derde was er vooral over verbaasd dat het kroongeheim
in de voorgaande honderdvijftig jaar niet veel vaker geschon-
den was. En een vierde stelde de vraag of de zwijgplicht ook
voor ex-ministers gold, en zo ja, hoelang?

De vraag of het onthullen van hun betrekkingen met de
koningin of de oud-koningin een ontoelaatbare onbetamelijk-
heid was, was van een academische orde zolang zich dat nooit
had voorgedaan. Maar gesteld dat oud-ministers voortaan in
hun memoires, vroeger of later, hun constitutionele zwijgplicht uitgewerkt zouden achten en met de geschiedenis van
hun meningsverschillen met de koningin voor den dag zouden
komen? Was die zwijgplicht ergens vastgelegd? Nee. De
grondwet zwijgt erover evenals de gewone wet. Het Reglement van orde voor de Raad van Ministers spreekt van een
geheimhoudingsplicht voor zover het 'de agenda, hetgeen ter
vergadering besproken wordt of geschiedt, zomede de notulen'
betreft, maar laat zich over andere geheimhoudingssferen niet
uit. Over de gevolgen van ministeriële onthullingen zegt het
Reglement niets. Schending van geheimen, hetzij door nalatigheid hetzij opzettelijk, wordt niet met straf bedreigd. Van een
formele, eeuwigdurende zwijgplicht voor oud-ministers is in
het staatsrecht dus geen sprake; uit de constitutionele geschiedenis kan slechts een vaste gewoonte worden afgeleid. De
ministeriële zwijgplicht is dus geworteld in het constitutionele
gewoonterecht.

Dat neemt niet weg dat er wel een dwingende praktische
reden is voor de bescherming van het kroongeheim. De grondwettelijke waarborg voor de koninklijke onschendbaarheid
rust op twee vooronderstellingen: de koningin moet alles nalaten wat de ministers niet met hun verantwoordelijkheid kunnen dekken. Zij mag zich niet inconstitutioneel gedragen.
Maar de ministers moeten haar daartoe in staat stellen. Over

meningsverschillen die zij eventueel met haar hebben gehad, mogen ministers geen publieke mededelingen doen, opdat de koningin niet in de publieke discussie betrokken wordt. Maar blijft de onschendbaarheid ook onverminderd gelden voor de voormalige koningin?

Het zou in de rede liggen de werking van die doctrine in ieder geval uit te strekken tot oud-ministers: in termen van ambtstermijnen gaat de koningin immers wel tien keer zo lang mee als ministers. Zelfs als oud-ministers vetes van lang geleden onthullen, kunnen die betrekking hebben op de ambtsperiode van de nog in functie zijnde koningin. Een eenzijdige opheffing van de geheimhouding door een ex-minister, zoals in het geval-Vredeling, zou een reactie van de koningin kunnen uitlokken. Rechtvaardigheidshalve zou haar het recht op weerwoord ook moeten toekomen. Men zou in zo'n geval ook haar lezing van het gebeurde moeten kennen.

Vredelings motief om het geheim te verbreken, was minder ingegeven door geschiedschrijversdrang dan door antipathie: hij mocht prins Bernhard niet. En de prins – geen adviseur van het kabinet – had zich volgens Vredeling bemoeid met een kabinetsbeslissing waarover hem niets was gevraagd. Het gesprek tussen de minister en de koningin had betrekking op een defilé waarmee de viering van het 25-jarig ambtsjubileum van koningin Juliana in 1973 zou worden opgeluisterd. Het kabinet-Biesheuvel, dat de voorbereidingen daartoe had getroffen, had besloten er een militair defilé aan te verbinden, maar het kabinet-Den Uyl maakte daar onmiddellijk na zijn aantreden een civiel defilé van. Nadat Vredeling dat besluit telefonisch tegenover de koningin had toegelicht deed hij dat op haar verzoek nogmaals aan prins Bernhard. De toon van het gesprek was intussen veranderd van vriendelijk in geprikkeld. Vredeling wees prins Bernhards pleidooi om het oorspronkelijke plan (militair defilé) alsnog toe te staan kort aangebonden af. Hij was, zoals hij in de *Haagse Post* verklaarde, kwaad geworden ('Stuur nooit een huilende vrouw op mij af, want daar kan ik helemaal niet tegen. Alleen, tegen Bernhard kan ik wel kwaad worden, want dat is een vent').

Volgens zijn herinnering zou Vredeling in het telefoongesprek hebben gezegd: 'Ik luister wel naar u, u zegt dat het defilé een militair karakter moet hebben, ik zeg dat het een civiele manifestatie wordt, dat zijn dus twee meningen. Weet u wat het verschil is tussen die twee meningen? Het verschil is dat ik beslis. En niemand anders.'

Vredeling sprak een taal waarin een minister van Defensie zich nog nooit tot de inspecteur-generaal van de krijgsmacht had gericht. Prins Bernhard drong niet langer aan en zei: 'Als u het zo wilt, dan gebeurt het zo.'[4] Dat was even kort als correct. Misschien was het wel de eerste keer in zijn leven dat de prins zonder aarzeling toonde zijn constitutionele plaats te kennen, maar hij zei precies wat hij moest zeggen: de minister beslist, wat de minister wil, gebeurt. Vredeling interpreteerde die reactie als een blijk van Pruisische onderdanigheid. Het was volgens hem de gedweeheid van een 'typische mof'. De prins was op slag 'als een blad aan de boom omgedraaid' en 'zo mak als een lam' geworden.[5] Die beoordeling zat er meer dan een nuance naast. Vredeling zag de correcte reactie van de prins, die de leiding van de politiek verantwoordelijke bewindsman respecteerde over het hoofd, maar ergerde zich aan diens serviliteit. Maar wat de oud-minister van Defensie voor serviliteit van de prins aanzag, was eerder een uiting van diens onverwoestbare hoffelijkheid.

De reactie van de sociaal-democratische minister van Defensie was niet het toppunt van politesse, maar duidelijk was ze zeker. Ze was het tegendeel van de camaraderie die ruim dertig jaar lang vrijwel ononderbroken in de betrekkingen tussen de ministers van Defensie en de prins had bestaan. En ze hield de ondubbelzinnige boodschap in dat die betrekkingen niet langer op de oude voet zouden worden voortgezet. Einde tijdperk.[6] Het betekende dat de dagen van de kameraadschappelijke verhoudingen met ministersvrienden als H.J. de Koster en C. Staf voorbij waren. Dat gold niet alleen voor de minister van Defensie, maar voor het gehele kabinet.

Het kabinet-Den Uyl vormde als het ware een trendbreuk in de betrekkingen tussen de ministers en de inspecteur-generaal.[7] De eerste aanwijzing daarvoor was een beschikking waarin nieuwe criteria voor het gebruik van het regeringsvliegtuig en van andere luchtvaartuigen in beheer bij het Rijk werden vastgelegd. Die maatregel hield een beperking in van de privileges van het koninklijk huis, in het bijzonder van het tot dan toe praktisch onaantastbare voorrecht van prins Bernhard om naar believen over het regeringsvliegtuig te beschikken. Het kabinet nam die beslissing nadat de minister van Buitenlandse Zaken Van der Stoel en premier Den Uyl enkele keren achtereen achter het net hadden gevist, doordat prins Bernhard hen voor was geweest. In de nieuwe gebruiksregeling werd de prioriteit voortaan door het staatsbelang van elke reis bepaald.

De nieuwe regeling werd in het kabinet bestreden door de minister van Verkeer en Waterstaat Tj. Westerterp, die de bestaande voorrechten van het koninklijk huis wilde handhaven. Maar de ervaringen van Van der Stoel en Den Uyl, die te laat waren gekomen op een vergadering van de Europese Raad in Luxemburg (18 oktober 1973) doordat het regeringsvliegtuig met prins Bernhard al op weg was naar Pisa (dichtstbijzijnde vliegveld voor Porto Ercole) gaven ten slotte de doorslag. Minister Westerterp wilde de oude voorrangsregeling nog een kans geven, omdat zich in de voorgaande twee jaren geen ernstige klachten hadden voorgedaan (in de jaren daarvóór wel, maar die hadden de ministers uit deferentie tegenover prins Bernhard weggeslikt), doch die voorstelling correspondeerde niet met de ervaring van een aantal ministers. Den Uyl, die er de opening van de Europese topconferentie in Kopenhagen door misliep (14 december 1973), antwoordde Westerterp per brief: 'Zelf heb ik het in ieder geval slecht getroffen, want geen van de drie tot dusver voor mij via het ministerie van Buitenlandse Zaken ingediende aanvragen kon worden gehonoreerd.' Daarbij speelde ook een rol dat vooral de minister van Buitenlandse Zaken zich vaak ergerde aan de reislust van Pieter van Vollenhoven, de echtgenoot van prinses Margriet, die zich overal liet uitnodigen, en daarbij beslag legde op het regeringsvliegtuig. De schoonzoon van koningin Juliana en prins Bernhard riep die ergernis vooral op doordat hij als adviseur van de minister van Verkeer en Waterstaat dicht bij het vuur zat en gedekt werd door deze minister, die verantwoordelijk was voor het beheer van het regeringsvliegtuig en hem bovendien hoogst welgezind was. De minister van Buitenlandse Zaken had daarover echter geen zeggenschap en moest het 'meldpunt' overdragen aan de minister-president (verantwoordelijk voor het contact met het koninklijk huis). Den Uyl liet het probleem, met de hem kenmerkende onordelijkheid, in het begin liggen, tot de ergernis bij meer bewindslieden begon over te koken.

Artikel 1 van het besluit-Gebruiksregeling regeringsvliegtuig werd nu als volgt vastgesteld:

Het gebruik van het regeringsvliegtuig is beperkt tot vluchten ten behoeve van:
  a. Hare Majesteit de Koningin;
  b. Zijne Koninklijke Hoogheid de Prins der Nederlanden en Hare Koninklijke Hoogheid de Kroonprinses, indien de reis bij de regering is aangemeld en het betrokken staatsbelang is vastgesteld;
  c. leden van de regering, uitsluitend voor officiële of dienstreizen;
  d. leden van het Koninklijk Huis;
  e. door de minister van Verkeer en Waterstaat te bepalen doeleinden.[8]

Bij dezelfde gelegenheid werd de veiligheidsvoorrang die tot dan toe aan het koninklijk huis was verleend 'teruggedraaid', zo bleek uit een brief van minister-president Den Uyl: 'Dat de Koningin en de leden van het Koninklijk Huis bij reizen naar het buitenland uit veiligheidsoverwegingen zoveel als enigszins mogelijk is het gebruik van middelen van openbaar vervoer, inclusief de KLM, moeten vermijden is een stelling die ik tot op zekere hoogte kan onderschrijven. Dit neemt echter niet weg dat in geval van samenloop van aanvragen zwaarder gewicht moet worden toegekend aan het staatsbelang dat met de aanvragen is gediend. Het tijdstip van aanvrage acht ik het minst relevante criterium.'[9]

Uiteraard was de toewijzing van aanvragen in de jaren zeventig gecompliceerder geworden naarmate de ministers door toenemende internationale verplichtingen vaker het regeringsvliegtuig nodig hadden, zoals ook de internationale verplichtingen van prins Bernhard zich in dezelfde periode hadden uitgebreid. Daarom was een vredesregeling die een einde maakte aan de wedloop tussen de beide organen van de regering meer dan ooit geboden.[10]

Maar er was ook nog een verborgen factor in het spel. De relatie tussen een aantal ministers van het kabinet-Den Uyl en prins Bernhard werd gekenmerkt door een wederzijdse animositeit. Die geprikkeldheid mocht de buitenwereld niet opvallen, op de inwendige relaties had ze een onmiskenbaar negatief effect. De prins, die weinig op had met de ministeriële supervisie op zijn doen en laten, had de neiging sommige ministers van het kabinet-Den Uyl te beschouwen als hinderlijke bemoeials, hetgeen zijn toch al niet grote genegenheid voor het kabinet nog verder verminderde. De ministers stootten zich minder aan het anarchistische gedrag van de prins dan aan zijn minachting voor het politieke deel van de regering, die naar hun mening daarachter verborgen ging. Sommigen hadden de overtuiging dat hij lak had aan ministers (enkelen gebruikten daar sterkere uitdrukkingen voor) en dat hij in de periode 1973-1976 weer was vervallen tot zijn oude (Londense) ondeugd in elke minister een uilskuiken te zien. Vooral op die gronden vonden sommige ministers het geboden de prins met wat meer vasthoudendheid de voet dwars te zetten.

De relaties van prins Bernhard met de ministers die zijn pad hebben gekruist, zijn een nadere beschouwing waard, omdat daarin de verklaring is gelegen voor wat de Commissie van Drie in 1976 noemde zijn 'gevoel voor onaantastbaarheid'. Die onaantastbaarheid – equivalent van zijn eigen woorden dat hij in zijn Londense jaren 'over het paard' was getild – was het aangroeisel van de onbeperkte vrijheid die de ministers van Defensie de prins in de jaren vijftig en zestig toestonden. Slechts een enkele van de vele defensieministers aan wie prins Bernhard als militair ondergeschikt was, was een staatsrechtelijke puritein. Voor de meeste van die ministers was het bewaken van de zuivere constitutionele verhoudingen niet hun eerste zorg. En met veruit de meesten onderhield de prins, ondanks zijn geringe waardering voor het ministerschap in het algemeen, de beste persoonlijke betrekkingen. Met enkelen was hij zelfs bevriend. Niet onbelangrijk is dat meer dan de helft van de naoorlogse ministers van Defensie óf zelf militair was, dan wel tot de vriendenkring van de prins behoorde.

Tot het aantreden van minister Vredeling had prins Bernhard nooit met socialistische ministers van Defensie te maken gehad, maar alleen met confessionelen of liberalen. Sommigen hadden in de oorlog of na de bevrijding in zijn militaire staf gediend, anderen waren uit de naoorlogse krijgsmacht in het ministers-ambt benoemd en één minister had vóór zijn benoeming in de hofhouding van de koningin gediend. Die professionele stratificatie kan niet los worden gezien van de ruimte die de prins onder deze ministers kreeg en die zich onder hun politieke verantwoordelijkheid ontwikkelde tot de hiervoor genoemde staat van onaantastbaarheid.

Die ontwikkeling kan tot op zekere hoogte uit de volgende prosopografische schets van de ministers van Defensie (Oor-log) van 1941 tot het jaar 1973 worden afgeleid.

Jhr ir O.C.A. van Lidth de Jeude, minister van Oorlog van 1942 tot 1945 (minister van Waterstaat van 1935 tot 1937): van oorsprong civiel ingenieur, havenontwerper; gemoedelijke be-windsman, bij wie de prins geen kwaad kon doen; had de goedheid een scheldbrief van prins Bernhard waarin deze tekeer was gegaan tegen 'de besluiteloosheid' van zijn Londense de-partement, door de vingers te zien. Hij gaf de prins in plaats van een reprimande de vaderlijke vermaning dergelijke brieven in het vervolg naar zijn privé-adres te sturen, omdat die op het departement gauw als inconstitutioneel zouden worden bestempeld.

Nadat Van Lidth bij de formatie van het derde kabinet-Gerbrandy zonder opgaaf van reden buiten het kabinet was gelaten, schreef hij de prins in een afscheidsbrief: 'Bij mijn aftreden wil ik niet nalaten, U de verzekering te geven, dat ik de samenwerking met U als een aangename herinnering behoud. Hoewel niet steeds op alle punten algeheele overeenstemming bestond – dit kan nu eenmaal niet anders – werden de geschil-punten open en eerlijk besproken en werd, met wederzijdschen goeden wil gewoonlijk wel een oplossing gevonden.

Ik ben op dit gebied waarlijk niet verwend in dezen sfeer, waarin achterklap en onredelijke kritiek, waartegen men zich niet verdedigen kon, zóó schering en inslag waren.'[11]

J.Th. Furstner, minister van Marine van 1941 tot 1945: afkomstig uit de marine (vice-admiraal en na de mobilisatie in 1939 bevelhebber der zeestrijdkrachten); hoewel hij door vakgenoten als een capabele marineman werd beschouwd, maakte hij als bewindsman een matige indruk. Hij behoorde tot de categorie ministers die door koningin Wilhelmina tot de zwakken werd beschouwd; prins Bernhard liet zich in haar voetspoor regelmatig weinig vleiend over deze minister uit.

J.M. de Booy, minister van Marine, 1945: voordien directielid van de 'Koninklijke' in Londen. Uit zijn brieven aan prins Bernhard spreekt een even vriendschappelijke als informele relatie.

J. Meynen, minister van Oorlog van 1945 tot 1946: directeur van de AKU, oud-staffunctionaris van prins Bernhard in 1944 in het bevrijde zuiden, secretaris-generaal van het departement van Oorlog (1945); toonde zich als minister zeer tegemoetkomend tegenover de prins, voor wie hij in 1946 de functie van inspecteur-generaal van de landmacht creëerde. Hij had een grote bewondering voor de prins. Meynen schreef hem in een brief van 2 oktober 1946 in een mengeling van adoratie en deemoed: 'Telkens weer als ik over U in de dagbladen lees, word ik herinnerd aan de mooie dagen en maanden van 1944 en 1945, toen ik in Uw naaste omgeving geïnspireerd werd door de onvermoeibare energie van onzen Bevelhebber. Die mooie periode van hard werken en goede kameraadschap heeft aan mijn leven wel een zeer merkwaardige wending gegeven, althans tijdelijk en ik kan U nooit genoeg dankbaar zijn voor de wijze, waarop ik toentertijd onder Uw leiding heb mogen arbeiden.

Ook voor de hulp en steun, die ik gedurende mijn ambtsperiode Uwerzijds steeds mocht ontvangen, ondanks de fouten, die ik ongetwijfeld heb gemaakt, ben ik U dankbaar.'[12]

A.H.J.L. Fiévez, 1946-1948: beroepsmilitair (luitenant-kolonel van de Generale Staf, waarnemend chef van het Militair Kabinet van de minister van Oorlog), een van de weinige ministers met wie prins Bernhard geen goede verhouding had. De prins had geen fiducie in Fiévez' aanpak van de legerorganisatie, maar verbrak de relatie met de minister omdat deze de door de zuiveringscommissie voor ontslag voorgedragen kolonel B.R.P.F. Hasselman weer in dienst had genomen. De prins verscheen onder het ministerschap van Fiévez zelden op de vergaderingen van de Legerraad. Fiévez behoorde tot de lichting vooroorlogse officieren (het 'oude' leger) die lijdelijk verzet boden aan de op Engelse leest geschoeide modernisering van het leger, die de chef van de Generale Staf luitenant-generaal H.J. Kruls en prins Bernhard gezamenlijk propageerden. Om die reden had Fiévez van zijn kant weinig op met de prins, die hij beschouwde als de drijvende kracht achter de zuiveringen van het officierskorps, waarbij praktisch de gehele vooroorlogse Generale Staf het veld had moeten ruimen.

W.F. Schokking, minister van Oorlog van 1948 tot 1950: jurist, afgetreden nadat de Tweede Kamer het vertrouwen in hem had opgezegd; zeer oranjegezind minister, van wie prins Bernhard zich in 1992 nochtans niets van betekenis wist te herinneren. In de papieren van de prins werd niets aangetroffen waaruit enige relatie kon worden afgeleid.

H.L. s'Jacob, minister van Oorlog van 1950 tot 1951: jurist-ambtenaar. Als partijloos bewindsman (hij was de christelijk-historische beginselen toegedaan maar weigerde lid van de CHU te worden) had s'Jacob een zwakke politieke positie in het kabinet-Drees. Bijgevolg nam prins het ervan en bepaalde gedurende de korte ambtsperiode van deze invaller-minister geheel zijn eigen koers.

C. Staf, minister van Oorlog van 1951 tot 1959: landbouwingenieur, die bij de Nederlandsche Heidemaatschappij alle rangen doorliep tot en met die van president-directeur (1941); voorzitter van de door de illegaliteit fel gekritiseerde Commissie tot uitzending van landbouwers naar de Oekraïne (1941). Na de oorlog zijn geen bewijzen voor collaboratie tegen hem aangebracht. Staf werd tijdens zijn ministersperiode de vertrouwensman van het koninklijk huis. Hij stond op dermate goede voet met prins Bernhard dat hij de prins in alles en nog wat betrok en raadpleegde en de prins van zijn kant niets deed zonder de minister te raadplegen. De prins liep bij de minister in en uit en de minister liep op De Zwaluwenberg (het Hilversumse bureau van de inspecteur-generaal) de deur bij de prins plat.

Staf, die algemeen als een voor zijn taak berekende defensieminister werd beschouwd, behoorde gedurende zijn ministerschap tot de 'dikke jachtvrienden' van de prins. Minister en prins waren over en weer zeer op elkaar gesteld. Onder Stafs ministerschap – dat vrijwel het gehele decennium van de jaren vijftig bestreek – had prins Bernhard onmiskenbaar de overhand. Staf weigerde hem slechts één verzoek: in de laatste maanden van zijn ambtstermijn schrapte de minister, tegen de wens van de prins, de subsidie voor de ruitersport van de defensiebegroting, op grond van de overweging 'dat het paard nu eenmaal niet meer thuishoort in de Krijgsmacht en dat het dus niet verantwoord is, om – in het algemeen – voor de ruitersport diensttijd en rijksgelden beschikbaar te stellen. Het motorvoertuig heeft nu eenmaal het paard vervangen.'[13]

Staf leunde zelfs in het openbaar op de inzichten van prins Bernhard. De minister werd daarover door de liberale fractievoorzitter en staatsrechtgeleerde professor Oud in de Tweede Kamer tot de orde geroepen. Staf had zich op 20 december 1954 in de Kamer beroepen op een advies van prins Bernhard. In feite beschouwde deze minister de prins als de *elfde minister* van het kabinet. Staf keek de prins zo naar de ogen dat deze meende boven de wet te zijn gesteld. In die sfeer van tegemoetkomendheid en inschikkelijkheid kon gemakkelijk het hem later aangewreven 'gevoel voor onaantastbaarheid' opkomen.[14]

Uit deze periode dateren de intensieve contacten tussen prins Bernhard en de Amerikaanse vliegtuigindustrie. Staf stond de prins in deze sfeer een grote handelingsvrijheid toe, waaraan leidinggevende functionarissen van de Amerikaanse fabrieken – zoals later bleek tijdens de verhoren van de Amerikaanse senaatscommissies die het verkoopbeleid van Lockheed en Northrop onderzochten – de indruk ontleenden dat prins Bernhard een van de hoogste luchtvaartautoriteiten in Nederland was en grote beslissingsbevoegdheden had. Uit rapporten die zich in het archief van prins Bernhard bevinden, blijkt dat Staf hem de vrijheid had toegestaan de in Parijs zetelende Europese hoofdvertegenwoordiger van Northrop, Geoffrey Parsons (senior vice-president-Europe van Northrop) te adviseren. Het waren de jaren waarin de prins in zijn functie van inspecteur-generaal onvermoeibaar bij de Amerikaanse opperbevelhebber(s) van de Navo en de regering in Washington campagne voerde voor standaardisatie van de vliegtuigproduktie in het westerse bondgenootschap. Uit tal van verwijzingen in zijn correspondentie blijkt dat prins Bernhard geen brief aan belangrijke industriële relaties verzond die niet met medeweten van de minister was geschreven en diens volle instemming had.[15]

S.J. van den Bergh, minister van Defensie gedurende enkele maanden in 1959: voordien beroepsmilitair (kwartiermeestergeneraal van de Koninklijke Landmacht, lid van de Generale Staf), daarna lid van de Raad van Bestuur van Unilever; werd al voordat hij zijn eerste begroting in de Tweede Kamer kon verdedigen door zijn partij wegens een echtscheiding tot aftreden gedwongen. Hoewel hij midden in de begrotingsvoorbereiding ten val werd gebracht, verplichtte hij prins Bernhard voor altijd aan zich door in zijn korte ambtsperiode nog de begrotingspost Vergoeding representatiekosten voor de Inspecteur-Generaal van de Landmacht (het verkapte jaarsalaris dat in 1946 bij KB was vastgesteld) te verhogen van tienduizend gulden per jaar tot twintigduizend gulden per jaar.[16]

S.H. Visser, minister van Defensie van 1959 tot 1963: landbouwingenieur en werkgeverssecretaris, invaller voor S.J. van den Bergh; bewindsman met weinig initiatieven, die in zijn beleid aan de hand van het departement liep, maar door twee bekwame staatssecretarissen met een militaire achtergrond (P.J.S. de Jong en M.R.H. Calmeyer) werd bijgestaan. Werd jaren achtereen door zijn eigen liberale partijgenoten scherp gekritiseerd, maar overleefde alle aanslagen op zijn stoel tot het einde van de kabinetsperiode. De prins en de minister hadden weinig affiniteit met elkaar; bijgevolg spaarzaam contact. Onder het bewind van deze bewindsman was de prins praktisch vrijgesteld van ministeriële controle.

P.J.S. de Jong, staatssecretaris van Defensie van 1959 tot 1963, minister van Defensie van 1963 tot 1967, minister-president van 1967-1971; marineofficier (kapitein-ter-zee), commandant onderzeeër, ex-adjudant van koningin Juliana, vertrouwensman van het koninklijk huis. De minst toegeeflijke minister tegenover prins Bernhard, die hij in zijn hoedanigheid van minister-president verbood een invitatie aan te nemen voor een jachtpartij van de Spaanse dictator generaal Franco en tijdens het kolonelsbewind in Griekenland op uitnodiging van ex-koning Constantijn naar Athene te gaan. In het laatste geval sloeg prins Bernhard geen acht op het verbod van de minister-president.

De Jong had al lang voordat hij premier werd een oog voor goede constitutionele verhoudingen. In 1960 ontraadde hij als staatssecretaris van Defensie de prins beschermheer te worden van de Algemene Vereniging van Marine Officieren, omdat deze, namens de officieren, partij was in het georganiseerd overleg. 'Theoretisch is het mogelijk, dat de vereniging in een conflictsituatie komt met de minister van Defensie. Om deze reden zou het voor de zuivere verhoudingen misschien beter zijn, dat U geen beschermheer werd.'[17] Na deze brief zag de prins ervan af.

W. den Toom, staatssecretaris voor de Luchtmacht van 1963 tot 1965, minister van Defensie van 1967 tot 1971: beroepsmilitair (generaal Koninklijke Luchtmacht); begonnen als eerste luitenant op het militair kabinet van de minister van Oorlog, in de jaren vijftig lid van de staf van prins Bernhard op De Zwaluwenberg, vriend van de prins ('voor wie ik alles over heb'), op voet van voornamen. Den Toom vond de luchtvaart- en vliegtuigkennis van de prins zo belangrijk dat hij hem uit dien hoofde uitnodigde voor vergaderingen over technische besprekingen met de hoofden van dienst. Ook als er over de aankoop van vliegtuigen werd gepraat, werd de prins erbij gevraagd omdat 'hij over elk type vliegtuig altijd wel iets wist wat de anderen niet wisten'. De minister besprak verder 'alles' met prins Bernhard wat in zijn portefeuille van belang was.[18]

Den Toom benoemde prins Bernhard in 1968 tot inspecteur-generaal van de krijgsmacht (voordien: inspecteur-generaal van de afzonderlijke krijgsmachtdelen) en raakte onmiddellijk in een subtiel touwtrekken verwikkeld over de mate van zelfstandigheid van De Zwaluwenberg. De prins wilde naar analogie van de grondwetsbepaling over de inrichting van het koninklijk huis zijn staf 'naar eigen goedvinden' inrichten, maar vond deze keer de minister op zijn weg, op grond van de staatsrechtelijk juiste overweging dat een zodanige bepaling in de instructie van de inspecteur-generaal (artikel 6) de ministeriële verantwoordelijkheid te kort zou doen.[19]

Den Toom liep in 1976 uit de hoorzittingen van de Commissie van Drie (onderzoek Lockheed-affaire) en van de kamercommissie-De Vries (aankoopbeleid vliegtuigen) weg, uit verontwaardiging over de 'insinuerende vragen' die hem over de rol van prins Bernhard werden gesteld. In het eerste geval maakte hij op die manier zijn protesten kenbaar tegen de zijns inziens vooringenomen ondervraging door een secretaris van de commissie en ook tegen 'de gemakzucht van de commissie' om het stellen van vragen 'aan een ambtelijk secretaris over te laten'. In het tweede geval meende Den Toom dat de kamercommissie haar conclusies over de rol van de prins al had getrokken voordat hij haar vragen had beantwoord. Bij zijn tweede verschijning voor de Commissie van Drie was de secretaris tegen wiens manier van ondervragen hij had geprotesteerd, vervangen. 'Ik liep eruit weg omdat ik niet wilde meewerken aan een slachting van de prins door een kennelijk vooringenomen commissie.'[20] In het eindrapport van de Commissie van Drie is van het protest geen melding gemaakt.

H.J. de Koster, minister van Defensie van 1971 tot 1973: intimus van de prins; relatie uit de oorlog; actief in het Leidse studentenverzet; op voet van voornamen. Ondanks hechte vriendschap vond prins Bernhard De Koster geen goede minister van Defensie, onder meer door het gebrek aan besluitvaardigheid dat hij in het 'generaalsconflict' toonde. De minister had dat conflict naar de mening van de prins moeten beslechten, en niet voor zijn opvolger Vredeling moeten laten liggen.

Wat de premiers en andere bewindslieden betreft, moge hier worden volstaan met een gekwalificeerde vermelding van hun relatie tot prins Bernhard.

W. Drees, minister van Sociale Zaken van 1945 tot 1948, minister-president van 1948 tot 1958: vertrouwensman van de koninklijke familie, grote waardering en sympathie voor prins Bernhard; schreef gedurende zijn tienjarige premierschap prins Bernhard bij diens verjaardag elk jaar een persoonlijke felicitatiebrief.

L.J.M. Beel, minister van Binnenlandse Zaken van 1945 tot 1947 en van 1951 tot 1956, minister-president van 1946 tot 1948 en van 1958 tot 1959: vertrouwensman van de koninklijke familie.

J.E. de Quay, minister van Oorlog 1945, minister-president van 1959 tot 1963: idem.

V.G. Marijnen, minister van Landbouw van 1959 tot 1963, minister-president van 1963 tot 1965: geen bijzondere persoonlijke relatie.

J.M.L. Th. Cals: minister van Onderwijs van 1959 tot 1963, minister-president van 1965 tot 1966: idem.

J. Zijlstra: minister van Economische Zaken van 1952 tot 1956, minister van Financiën van 1958 tot 1963, minister-president van 1966 tot 1967: idem.

P.J.S. de Jong, minister-president van 1967 tot 1971: zie boven, onder ministers van Defensie.

B.W. Biesheuvel, minister van Landbouw en vice-premier van 1963 tot 1967, minister-president van 1971 tot 1972: goede persoonlijke betrekkingen sinds 1965.

J.M. den Uyl, minister van Economische Zaken van 1965 tot 1966, minister-president van 1973 tot 1977: geen persoonlijke relatie.

G.H.J.M. Peijnenburg, staatssecretaris van Defensie van 1965 tot 1967, gedurende 35 jaar plaatsvervangend secretaris-generaal en secretaris-generaal van het ministerie van Defensie, oud-lid van de staf van prins Bernhard in 1945: zeer bevriend.

E.H. van der Beugel, staatssecretaris van Buitenlandse Zaken van 1956 tot 1958: boezemvriend.

J.J.F. Borghouts, staatssecretaris van Defensie van 1962 tot 1966: vriend uit het verzet (oud-ondercommandant Binnenlandse Strijdkrachten, 'Peter Zuid').

P. Lieftinck, minister van Financiën van 1945 tot 1952: vriendschap daterend uit de tijd van het 'klasje van Juliana' op paleis Noordeinde, belangrijkste bevorderaar van prins Bernhards 'goodwill-ambassadeurschap'.

C.W.G.H. baron van Boetzelaer van Oosterhout, minister van Buitenlandse Zaken van 1946 tot 1948: bewonderaar van het Oranjehuis, die de prins ontraadde zich te lenen voor de functie van 'speciale gezant' voor het bedrijfsleven. Hij had daar zulke zwaarwegende constitutionele bezwaren tegen dat hij niet bereid was in de ministerraad een goed woord voor de prins te doen. In plaats daarvan gaf hij hem het advies zich vooral voor de marine te interesseren.

D.U. Stikker, minister van Buitenlandse Zaken van 1948 tot 1952: vriendschappelijke verhouding.

J.W. Beyen, minister van Buitenlandse Zaken van 1952 tot 1956: behoorde al tot de vooroorlogse vriendenkring op Soestdijk. Zag prins Bernhard ook gedurende de oorlog in Londen veelvuldig; was gewoon als minister 'Beste Bernhard'-briefjes te schrijven. Hun vriendschap culmineerde in 1956, tijdens de Hofmans-crisis toen Beyen, die in het geheel niet sympathiseerde met Bernhards Atlanticisme, de prins toch steunde. Volgens mr Luns, Beyens adjunct in het derde kabinet-Drees (minister zonder portefeuille), koos Beyen op snobistische gronden partij voor prins Bernhard. 'Hij vond het nu eenmaal heerlijk om betrekkingen met Soestdijk, en met name met de prins, te onderhouden,' aldus Luns tegen zijn biograaf Kikkert.[21] Luns zelf behoorde niet tot de vriendenkring van de prins.

Y. *Scholten*, minister van Justitie van 1963 tot 1965: vriend, juridisch adviseur tijdens het Lockheed-onderzoek in 1976.

H.J. *Witteveen*, minister van Financiën van 1963 tot 1965: vriend, lid van begin tot eind van prins Bernhards Economische Club, een gezelschap economische adviseurs met wie hij in jaren vijftig en zestig regelmatig economische vraagstukken op paleis Soestdijk besprak.

Ir H. *Vredeling* was de eerste minister van Defensie die niet voortkwam uit de 'vriendenkring' van prins Bernhard, maar hij vertegenwoordigde ook een politieke partij die prins Bernhard sinds het einde van de jaren zestig vrij algemeen vijandig gezind was geweest.

De 'vijandige' opmerkingen die Vredeling in 1985 in de *Haagse Post* maakte, strookten volgens prins Bernhard echter niet met de feitelijke betrekkingen gedurende Vredelings ambtsperiode (1973-1977). De prins meent zelf dat hij in die jaren 'een heel behoorlijke' omgang met de minister had. De betrekkingen tussen de minister en de inspecteur-generaal van de krijgsmacht waren zelfs veelbelovend begonnen met een particulier, informeel kennismakingsbezoek waar koningin Juliana en mevrouw Vredeling bij aanwezig waren geweest. Daarna waren de betrekkingen volgens de prins nog beter geworden. Prins Bernhard mocht Vredeling wel en vond hem 'een goede minister' (ofschoon deze geen sergeant van een kolonel kon onderscheiden), omdat hij van het begin af een grote besluitvaardigheid had getoond.[22] In die periode bewees de prins de minister een attentie, die een snaar bij de bonkige Vredeling raakte. Vredeling had zich laten ontvallen dat het hem aan zijn hart ging geen BS-speld te bezitten, het insigne van de Binnenlandse Strijdkrachten, waarin Vredeling in het laatste deel van de oorlog 'onder het bevel van de prins' had gestaan. Hij had van zijn recht op de speld afgezien en deze nooit aangevraagd, maar later had hij daar, hoewel hij dat moeilijk kon toegeven, wel eens spijt van gekregen. Binnen enkele weken had prins Bernhard een speld voor hem opgespoord. De prins, die als geen ander wist welke gevoelswaarde zo'n insigne had, had zijn uitgebreide 'netwerk' afgebeld en uiteindelijk een exemplaar op de kop getikt.

Veel belangrijker was de steun geweest die Vredeling van de prins had gekregen in het 'generaalsconflict' van 1973. In dat conflict, dat hij bij zijn aantreden op het departement aantrof, stond prins Bernhard volledig aan de kant van de minister. De dag nadat de kogel door de kerk was gegaan (maar nog voordat de buitenwereld de klap had gehoord), had de prins de minister geadviseerd de aanstichter en de meelopers – de termen waarin zijn advies was geformuleerd – eruit te gooien.[23] Een aantal officieren hanteerde het conflict als maatstaf voor de in hun kring bestaande aversie tegen het defensiebeleid van de Partij van de Arbeid, maar daar had het hoegenaamd niets mee te maken. Het sleepte al geruime tijd en ging over de lang uitgestelde materiële modernisering van de krijgsmacht.[24]

De perceptie die de prins van zijn relatie met de minister had, stond op minder gespannen voet met de feiten dan het interview in de *Haagse Post* van vele jaren later zou doen vermoeden, maar dat neemt niet weg dat de politieke omstandigheden waarin hij opereerde intussen veel ingrijpender waren veranderd dan hij besefte. De strafmaat in de Lockheed-zaak moet mede in het licht van die omstandigheden worden gezien. Bij geen enkel kabinet, van welke politieke signatuur ook, zou prins Bernhard ten principale er goed zijn afgekomen, maar het staat te bezien of de prinsgezinde kabinetten uit de jaren zestig, om maar te zwijgen van de 'vriendenkabinetten' uit de jaren vijftig, hem niet op het gevoeligste punt van zijn militaire waardigheid – het uniform, dat hij na zijn aftreden niet langer dragen mocht – zouden hebben ontzien.

Het zwaartepunt in het centrum-linkse kabinet-Den Uyl lag bij de progressieve bewindslieden die vooral daarin van hun voorgangers uit de confessioneel-liberale kabinetten verschilden dat ze geen traditionele binding met Oranje hadden. En het maakte ook een verschil dat de christen-democratische ministers geen van allen tot de traditionele vriendenkring van prins Bernhard behoorden. Het waren niet langer ministers die hem 'Beste Bernhard'-brieven schreven, maar overwegend bewindslieden die psychologisch noch sociaal deel hadden aan zijn militaire of oorlogsverleden.

XVI. Nagekomen berichten uit de geschiedenis

Als het openbare leven van prins Bernhard in één allestyperende schildering zou moeten worden uitgebeeld, zou de volgende scène uit zijn Rawhide-jaren daarvoor het meest in aanmerking komen. De prins, bevelhebber van de Binnenlandse Strijdkrachten, zit achter een door kogels doorzeefd schrijfbureau in zijn hoofdkwartier op het van zijn schoonmoeder ingepikte paleis 't Loo en tikt met twee vingers op een oude, van de Duitsers gevorderde Adler de volgende brief aan een militair die onder zijn commando staat:

> Ik hoef u niet te vertellen hoe slecht wij door Montgomery bevoorraad worden en hoe groot onze behoefte is aan goede voertuigen die niet aan het eind van de dag door hun assen zakken. Ik heb mij laten vertellen dat u als geen ander de weg over de grens weet en daarom in staat wordt geacht voor ons enig rijdend materiaal op de kop te tikken. Als u erin slaagt 20 auto's voor de Nederlandse Strijdkrachten in Duitsland te organiseren, zal u met een medaille beloond worden.[1]

Die scène is typerender dan het beeld van de prins achter de stuurknuppel van een Bréguet Atlantique, aan de lunch in La Coupole met een salesmanager van Lockheed of op inspectie bij een Navo-oefening op zee. Rawhide te velde, die zijn troepen wapent met koninklijke vrijbrieven voor strooptochten in het belang van 'de goede zaak'.

Als het misging bevocht Rawhide bij de hoogste geallieerde autoriteiten de invrijheidstelling van zijn 'jongens' die bij het terugstelen van de uit Nederland geroofde oorlogsbuit (koeien) tegen de lamp waren gelopen en in geallieerde (Duitse) politiecellen waren beland. Hij zei er niet bij dat hij die Nederlandse koeien het liefst eigenhandig uit Duitsland had teruggehaald. Voor prins Bernhard had de bevrijding niet lang genoeg kunnen duren als hij altijd Rawhide te velde had kunnen blijven.

Tijdens de watersnoodramp van 1953 reed prins Bernhard nog een keer in zijn Rawhide-vermomming uit: in de eerste weken na de overstroming verving hij zeven Zeeuwse burgemeesters die door de schok de kluts waren kwijtgeraakt door leden van zijn eigen staf. Een menslievende cowboy bekommert zich niet in de eerste plaats om rechtsregels en draait er evenmin zijn hand voor om de wet te verzetten als hij daarmee de mensheid kan helpen. De prins was vrijwel dagelijks op de Zeeuwse eilanden om de bevolking moed in te spreken en de hulpacties te coördineren in zijn dubbele functie van voorzitter van het Nationale Rampenfonds en van inspecteur-generaal van de landmacht. In die laatste hoedanigheid was hij vergezeld van stafofficieren die uitkomst boden in die gevallen waar de lokale autoriteiten hun hoofd kwijt waren.

'Die burgemeesters zaten de hele dag op hun gemeentehuis te jammeren zonder dat er iets uit hun handen kwam, en die hebben we toen moeten afzetten en naar huis moeten sturen.' Bijna veertig jaar later vertelt de prins het voorval nog geestdriftig na. 'Bel maar eens met de kolonel Van Lidth de Jeude, die was erbij.'[2]

De Rawhide die tijdens de opwindende oorlogsjaren zijn hart had opgehaald aan het geallieerde militaire bedrijf en bij bombardementsvluchten boven vijandig grondgebied onder een Engelse schuilnaam in het vliegtenue van de RAF achter de stuurknuppel had gezeten, was in zijn hart een goedmoedige, vredelievende cowboy, die conflicten liever met onderhandelen tot een oplossing wilde brengen dan met schieten.

In het conflict tussen Nederland en Indonesië over westelijk Nieuw-Guinea, dat de jaren vijftig van het begin tot het einde beheerste, behoorde hij uiteindelijk niet tot het kamp van de haviken, maar tot de duiven die een militaire confrontatie met Indonesië tegen elke prijs wilden voorkomen. Hij was een voorstander van het Amerikaanse plan-Bunker, dat uitging van een volksstemming onder de Papoea's ná de bestuursoverdracht aan Indonesië en het failliet bezegelde van de politiek van

Luns, die het conflict desnoods gewapenderhand had willen beslissen. In de zomer van 1962 omschreef de prins zijn positie in Washington desgevraagd als *diametraal tegenover* Luns. Het was geen toeval dat de vragensteller de president van de Verenigde Staten was. Kennedy had er belang bij te weten of Luns, die sedert jaren de Nieuw-Guineapolitiek bepaalde waarmee Nederland zich internationaal had gecompromitteerd, de gehele regering op zijn hand had of alleen de minister van Buitenlandse Zaken.

Er zijn geen officiële bescheiden waarin de gesprekken tussen prins Bernhard en John F. Kennedy zijn geregistreerd. Wel officieuze, waaruit kan worden opgemaakt dat prins Bernhards standpunt tegengesteld was aan dat van Luns, die hoopte dat het spaak zou lopen met de onderhandelingen, in de illusie dat hij daarna alsnog militaire triomfen zou kunnen behalen. Later heeft prins Bernhard dat standpunt uit 1962 als volgt samengevat: 'De kwestie-Nieuw-Guinea was mij geen bloedvergieten waard. Als het aan mij had gelegen zouden de Nederlandse militairen met de witte zakdoek aan hun bajonet zijn uitgezonden.'[3]

Voor Kennedy, die niet thuis was in de Nederlandse constitutionele verhoudingen en de prins aanzag voor een vooraanstaande Nederlandse regeringsfunctionaris, waren die uitspraken van groot gewicht. Zij versterkten zijn mening dat de Nederlandse regering verre van eensgezind was en uiteindelijk niet bereid zou zijn haar gehele krijgsmacht ter wille van het zelfbeschikkingsrecht van de Papoea's in de strijd te brengen.

Kennedy oriënteerde zich uiteraard niet alleen op prins Bernhard. Hij wist eveneens van de Nederlandse ambassadeur dr J. H(erman) van Roijen, die in Washington groot aanzien genoot, dat de overheersende mening in Den Haag een militaire confrontatie met Soekarno wilde vermijden, dus tegen de politiek van Luns was. Kennedy speelde die kaart ten slotte ook uit, in de zekerheid dat Luns in eigen huis in het zand zou bijten. Zodra het akkoord over Nieuw-Guinea in de Verenigde Naties werd getekend, stuurde hij een gelukwens aan de Nederlandse regering, waarin hij De Quay cum suis subtiele complimenten maakte voor hun vredesgezinde souplesse: hij prees alle hoofdpersonen, behalve Luns.

Koningin Juliana ontving op 20 augustus 1962 een afzonderlijke felicitatiebrief van de Amerikaanse president, waarin prins Bernhard als de antiheld figureerde. Luns kreeg die complimenten onder ogen, doordat de brief, volgens de regels, door tussenkomst van de Amerikaanse ambassade op zijn ministerie werd bezorgd. Hij las daarin dat prins Bernhards 'doordachte oordelen over de kwestie-Nieuw-Guinea' Kennedy van dienst waren geweest bij de uitwerking van het plan-Bunker. Luns had dat plan te vuur en te zwaard bestreden totdat hij door zijn collega's in het kabinet-De Quay gedwongen werd het te slikken. Voor Luns was Kennedy's loftuiting aan prins Bernhard geen balsem op zijn wonden.

De tekst van de brief aan koningin Juliana, die pas enkele maanden vóór de publikatie van dit boek door het ministerie van Buitenlandse Zaken is vrijgegeven, luidt – vertaald[4] – als volgt.

Geachte koningin Juliana,

Ik schrijf U om U mijn persoonlijke voldoening over te brengen naar aanleiding van de berichten dat de lange en moeilijke onderhandelingen over Westelijk Nieuw-Guinea eindelijk met succes zijn afgesloten.

Ik ben mij ten diepste bewust van de grote problemen die deze kwestie voor U en Uw volk heeft teweeggebracht en ik gevoel de behoefte mijn bewondering tegenover U tot uitdrukking te brengen voor het geduld en de volharding die het tot stand brengen van deze regeling mogelijk hebben gemaakt. Wij weten hoe groot de zorgen van Uw regering zijn geweest om een eervolle toekomst voor de Papoeabevolking veilig te stellen en ik wil U verzekeren dat diezelfde doelstelling de voortgaande zorg van de Verenigde Staten zal hebben.

Intussen ben ik ervan overtuigd dat Uw regering door zich te committeren aan een beleid van verzoening en aan een vredesregeling een vooruitziende blik en verbeeldingskracht heeft getoond. Ik ben de mening toegedaan dat er nu gronden zijn voor een herstel van wederzijdse vriendschappelijke betrekkingen tussen Uw land en Indonesië. Als er iets is waarmee onze regering U op enigerlei wijze kan helpen bij de ontwikkeling daarvan, dan kunt U op ons rekenen.

Met de hartelijke groeten aan U en aan prins Bernhard, wiens doordachte oordelen over deze moeilijke kwestie mij op een belangrijk moment tot steun zijn geweest,

teken ik,
hoogachtend,

John F. Kennedy

Naar aanleiding van de brief van de Amerikaanse president werden diplomatieke telegrammen gewisseld, waaruit blijkt dat het Witte Huis destijds niet voornemens was deze brief te publiceren, 'tenzij men van Nederlandse zijde bekendmaking wenste'. In Den Haag (lees: minister Luns) werd publikatie echter 'niet gewenst geacht'. De minister, die wist dat prins Bernhard in zijn contacten met de Amerikaanse president zich tegen een eventueel militair conflict met Indonesië had uitgesproken en die de prins bijgevolg als een van zijn belangrijkste tegenstanders beschouwde, had daar wel een officiële onwaarheid voor over. Blijkens een zich in het archief van het ministerie van Buitenlandse Zaken bevindend memorandum kreeg de Nederlandse ambassadeur in Washington ten antwoord dat in Den Haag was bepaald 'dat hier op eventuele vragen geantwoord zou worden dat *niets* bekend is van een brief van de Amerikaanse president aan H.M. de Koningin'⁵. Als de pers ernaar zou vragen, moesten woordvoerders van Buitenlandse Zaken en van de ambassade zich er dus uit liegen.

Luns mocht de diplomatieke oorlog om Nieuw-Guinea hebben verloren, de strijd om de populariteitsprijs kon hij altijd nog winnen. In *Elseviers Weekblad* betitelde hoofdredacteur H.A. Lunshof (die in zijn commentaren op de Hofmans-crisis in 1956 met Luns een coalitie tegen prins Bernhard vormde) het gesprek dat de prins in Washington had gevoerd – en dat in zijn ogen een onmiskenbare anti-Luns-tendens had gehad – als 'verraad'. Prins Bernhard ondervond daar veel last van en verweerde zich op 11 juni 1962 met een scherpe tegenaanval op Lunshof, die hij opnieuw voor de spreekbuis van Luns hield. Luns' populariteit leed er niet onder, integendeel, sinds zijn internationale echec steeg zijn populariteit in Nederland enorm.

Luns hield de prins voor een dergenen die Nieuw-Guinea op het Witte Huis en in het State Department hadden 'verkocht' en voor een der stokers achter de *cold shoulder*-behandeling die hem in Washington ten deel was gevallen. Het onderdrukken van Kennedy's lofbrief over de prins was de wraak waartoe zijn bijna twintigjarig ministerschap van Buitenlandse Zaken hem tenminste nog in staat stelde.

Was de brief overigens wel gepubliceerd – of uitgelekt – dan was Leiden ongetwijfeld in last geweest. Dan had de regering zich tegenover de Tweede Kamer moeten verantwoorden voor wat in een deel van de Kamer stellig als ongepaste kritiek van de prins op het beleid van de minister van Buitenlandse Zaken of ontoelaatbare inmenging in het regeringsbeleid zou zijn aangemerkt.

Het is geen vraag meer of de regering het Rawhide-complex niet in de kiem had moeten smoren. Als we de ministeriële verantwoordelijkheid voor de leden van het koninklijk huis herleiden tot de primaire toezichthoudende taak die de bewaking van de constitutionele integriteit van het koningschap vooronderstelt, is het evident dat de regering aan iemand met een vrijheidsdrang als prins Bernhard – die zijn avontuurlijk-anarchistische inslag gedurende de bijna acht maanden van de bevrijding uitbundig had gedemonstreerd – na de bevrijding onmiddellijk de teugels had moeten laten voelen.

Prins Bernhard hield van erewachten en saluutschoten. Waar de gelegenheid zich voordeed, liet hij het ceremoniële theater voor zich inrichten. 'De erewacht stond opgesteld, saluutschoten werden afgevuurd en een militaire kapel speelde volksliederen,' noteerde Alden Hatch luchtig, zonder te beseffen hoeveel diplomatieke *embarras* daarachter telkens verscholen ging.[6] Als de minister van Buitenlandse Zaken, mr D.U. Stikker, in het begin van de jaren vijftig zijn terrein beter had bewaakt, en zijn eigen instructies niet had laten zwemmen, had hij volgende kabinetten vele saluutschotenincidenten kunnen besparen.

De onaandoenlijke manier waarop hij het incident afdeed dat hem werd gemeld tijdens een van de eerste officiële Zuid-amerikaanse reizen van de prins in 1951, is symptomatisch voor de halfheid die de regering dertig jaar lang, blijkens de volgende zes incidenten, tegenover de 'improvisaties' van prins Bernhard heeft getoond.

1. Minister Stikker stipuleerde in een telegram aan de Neder-landse ambassadeur in Buenos Aires dat prins Bernhard geen staatsbezoek, ook geen semi-staatsbezoek, aan Argentinië aflegde maar een ongeclassificeerd bezoek, en geen aanspraak kon maken op de protocollaire attributen van een staatsbezoek. De prins had zijn gastheren in verlegenheid gebracht door zich in een gesprek te laten 'ontvallen' dat hij namens de koningin reisde en dat zijn reis het karakter van een semi-staatsbezoek had. Prins Bernhard tilde in het algemeen niet zwaar aan de juridische finesses van dergelijke arrangementen. Het ging hem alleen om de aardigheden van het ceremonieel theater. Maar voordat de gastheren hun museumkanonnen uit het vet hadden kunnen halen om hem op saluutschoten te onthalen, telegra-feerde de Nederlandse minister van Buitenlandse Zaken aan zijn ambassadeur: 'z.k.h. doet een officiële reis, zulks op ver-zoek van de regering, doch heeft geen andere status dan die van prins der nederlanden, er kan geen sprake zijn van een staatsbezoek of een semi-staatsbezoek.'[7]

De minister volstond met een telegram aan de ambassadeur. In plaats van zich persoonlijk met de prins te verstaan, liet hij de ambassadeur de kolen uit het vuur halen. Die laatste kweet zich in de trant van ambassadeurs van die onaangename taak, hetgeen op de prins uiteraard geen indruk maakte. De minister had dat zelf moeten opknappen en er, na hun beider terugkeer in Nederland, op moeten terugkomen om de prins te corrige-ren. Maar Stikker liet het daarbij en de kwestie werd niet schriftelijk vastgelegd. Als er iets was geweest wat volgende kabinetten tot leidraad had kunnen dienen, dan was het een schriftelijke bevestiging van de terechtwijzing in deze zaak geweest. Een gemotiveerde terechtwijzing had het begin van een constitutionele 'jurisprudentie' kunnen zijn.

2. Had minister Stikker aldus een begin gemaakt met dossier-vorming, dan zouden latere kabinetten daarmee hun voordeel hebben kunnen doen – in het bijzonder de ministers van Defensie, die in het algemeen meer van vliegtuigen en fregatten afwisten dan van constitutionele regels en conventies. Juist die bewindslieden zouden aan een precedentendossier met brieven en notities van hun voorgangers, in hun schermutselingen met de prins houvast hebben kunnen ontlenen.

Prins Bernhard had wel vaker raad van constitutionele aard gekregen, maar ook waarschuwingen en negatief advies van ministers. Dat was al begonnen met de tweede naoorlogse minister van Buitenlandse Zaken, mr C.W.G.H. baron van Boetzelaer van Oosterhout, die de prins in 1946 desgevraagd ontraadde zich in commerciële kringen te begeven. De prins riep Van Boetzelaers bemiddeling in om in de ministerraad steun te vinden voor een handelsambassadeurschap, maar de minister zag daar niets in en was niet bereid het verzoek in de ministerraad ter tafel te brengen. Hij gaf de prins, integendeel, het advies de wereld van handel en industrie zelfs te vermijden en spoorde hem aan zijn belangstelling vooral op de marine te richten. Misschien had Van Boetzelaer zich van de eeuwig-durende dank van het koninklijk huis verzekerd wanneer hij het verzoek wel in de ministerraad had gebracht en zijn ambt-genoten voor zijn standpunt had gewonnen. Maar hij bracht het onderwerp daar niet ter sprake en volstond met het schrij-ven van een kort afwijzend briefje aan de prins.[8] Van Boetzelaer bracht het verzoek van de prins ook niet ter kennis van de minister-president en stuurde deze evenmin een afschrift van zijn briefje aan prins Bernhard.

3. De regering bleef niet alleen in gebreke haar adviezen aan prins Bernhard – hetzij vermaningen, hetzij ontradingen – schriftelijk vast te leggen, zij onthield hem ook correspondentie die hem zelfs in de eerste plaats aanging. Ze verleende, zoals in het hoofdstuk over de Werkspoororder is vermeld, in 1952 haar medewerking aan het overmaken van steekpenningen aan de familie Perón zonder de prins te kennen in de illegale aspecten van zijn 'delicate' missie. Uit de officiële reconstructie van de ministeriële verantwoordelijkheid in die geruchtma-

kende zaak is komen vast te staan, dat de ministers van Financiën en van Economische Zaken, P. Lieftinck en J.R.M. van den Brink, de prins volledig in de voorbereiding van de door hem geleide economische missie betrokken, maar hem niet vertelden dat zij de directie van Werkspoor toestemming hadden gegeven smeergeld ten bedrage van dertig miljoen gulden het land uit te sluizen. Het regeringsbeleid steunde in dit geval op een dubbele dubieuze grondslag: de ministers verzwegen deze ad hoc versoepeling van het deviezenbleeid voor de Tweede Kamer en zij lieten de prins opzettelijk en bewust zwemmen in haaienwater dat in de geur van moreel bederf stond. Zowel de besluitvorming in de deviezencommissie als de onderhandse afspraken tussen de desbetreffende ministers bleven voor de prins verborgen.[9]

4. In 1959 deed zich binnen de werkingssfeer van de ministeriële verantwoordelijkheid een schermutseling voor over een van de commissariaten van prins Bernhard. Ook in dit geval werd het achter de schermen en zonder schriftelijke vastlegging afgedaan. De aanleiding was een dreigende interpellatie van de Partij van de Arbeid in de Tweede Kamer over het SHV-commissariaat van de prins.

Hoewel het bekleden van commissariaten bij particuliere ondernemingen door de prins al in de jaren dertig door zijn drie tutoren tot de verboden activiteiten was verklaard[10], was hij na de oorlog commissaris van verscheidene ondernemingen geworden. Over zijn commissariaat van de Steenkolen-Handelsvereeniging, waarin hij in 1958, met de instemming van de regering, werd benoemd, ontstond kort na zijn aanvaarding een politieke controverse. Nauwelijks een jaar na zijn benoeming legde hij die functie alweer neer. Onder het voorwendsel van 'drukke werkzaamheden' (zo deelde de Rijksvoorlichtingsdienst in een communiqué mee) gaf hij toe aan de druk van de regering, die de prins dringend had aangeraden terug te treden. Premier Beel had in eerste instantie dat advies gegeven nadat het Tweede-Kamerlid Van der Goes van Naters, tevens lid van het Europees Parlement, hem op 20 januari 1959 uit Straatsburg schriftelijk had gevraagd wat prins Bernhard in Duitsland met Krupp had besproken.[11] De prins had in de

Bondsrepubliek een door Krupp georganiseerde tentoonstelling van beeldende kunst bezocht, zonder overigens een woord te wisselen met Krupp-functionarissen dat in enig verband met zijn SHV-commissariaat stond. Maar Van der Goes had het vermoeden dat de prins als intermediair was opgetreden om de mogelijkheid van commerciële samenwerking tussen de beide ondernemingen te sonderen en dreigde de regering over de zaak te interpelleren als de prins zijn commissariaat niet zou neerleggen. Beel zag de hachelijke positie van de prins wel in en adviseerde hem dienovereenkomstig. Het wassen van dit varkentje was voorbehouden aan zijn opvolger De Quay, want de prins bleek een half jaar later nog steeds niet te hebben bedankt. Voordat Van der Goes zijn aangekondigde interpellatie kon aanvragen, spoedde De Quay zich met frisse tegenzin naar paleis Soestdijk om de prins aan het door zijn voorganger gegeven 'dringend' advies te herinneren. Een held was De Quay nooit geweest, en zeker niet in het aanzicht van de Majesteit en Zijne Koninklijke Hoogheid. De Quay was er de man niet naar de prins eens flink de waarheid te zeggen. *Bevend en sidderend besteeg hij de trappen van het paleis.* Hij slaagde erin prins Bernhard zijn commissariaat te doen neerleggen, maar het kostte hem in het algemeen de grootste moeite de prins te gebieden zodra de geur van hermelijn zijn keel dichtsnoerde.[12]

5. De regering stelde zich op het pragmatische standpunt dat zij prins Bernhard geen schriftelijke raad hoefde te geven zolang hij haar raad opvolgde. Maar zij zette ook niets op papier als hij haar raad niet opvolgde. In plaats van dat 'voor het dossier' vast te leggen, volstond zij met (vrijblijvende) gesprekken achter de schermen waarvan het volgende kabinet nooit op de hoogte werd gesteld. Elk kabinet moest daar opnieuw zelf achter zien te komen. Een schriftelijke reprimande kreeg de prins nooit, want dat 'deed men niet', aldus een oud-minister. 'Je besprak alles wat je op prins Bernhard aan te merken had met de koningin, en die besprak het dan weer met de prins, maar daarna hoorde je er nooit meer wat van.'

Minister-president P.J.S. de Jong was, zoals dat van koningin Victoria werd gezegd, 'not amused' toen prins Bernhard in 1967 zijn 'dringend' advies om niet in Athene bij de Griekse koning Constantijn op bezoek te gaan, niet bleek te hebben opgevolgd. Constantijn had prins Bernhard gevraagd naar Griekenland te komen om hem advies te geven over een kwestie die hij veiligheidshalve niet telefonisch kon bespreken. De prins had er wel oren naar de jonge koning, die hem als een *wijze oom* beschouwde, in zijn benarde positie tegenover het militaire bewind bij te staan. Constantijn wilde prins Bernhards mening horen over de kansen van een eventuele coup tegen de junta. Wat kon ertegen zijn de jonge koning van advies te dienen? Prins Bernhard wilde Constantijn wel in zijn eigen omgeving op het hart binden er niet aan te beginnen, omdat hij naar zijn mening nooit zeker kon zijn van de steun van het leger. Maar premier De Jong, die gewoontegetrouw over de reisplannen van de prins was ingelicht, maakte korte metten met het plan. Er kon niets van inkomen, de prins zou zich in een wespennest steken en hij kreeg de oekaze zich niet met de Griekse politiek in te laten. De prins verkeerde in geen enkele onzekerheid over de betekenis van de woorden van de minister-president. De Jong had de prins 'ten sterkste ontraden' naar Griekenland te vliegen, en de prins wist dat die formulering zo veel betekende als een veto. De prins berichtte de Griekse koning dat hij geen toestemming van zijn regering had gekregen en thuis moest blijven.

Maar de Griekse koning gaf het niet op. Hij deed een nieuw voorstel: hij begreep dat de prins het verbod had gekregen naar Griekenland te gaan, maar als ze elkaar nu eens buiten Griekenland zouden ontmoeten? De koning stelde een 'veilige' informele ontmoetingsplaats voor, waar ze elkaar buiten bereik van televisiecamera's zouden kunnen spreken: op een van de geallieerde marineschepen die in de komende weken een Navo-oefening in de Middellandse Zee zouden houden. Prins Bernhard informeerde minister-president De Jong geen tweede keer. Voor een bezoek aan een Navo-oefening, meende hij, hoefde hij geen toestemming vooraf te vragen en hij vloog naar de afgesproken plaats om de Griekse koning te gaan zeggen: 'Niet doen!'[13]

De clandestiene ontmoeting tussen de prins en de koning zou waarschijnlijk nooit zijn uitgekomen als premier De Jong tijdens zijn wekelijks onderhoud met de koningin niet uit beleefdheid had geïnformeerd naar het welzijn van de prins. Koningin Juliana gaf een korte beschrijving van de gezondheid van haar man en vertelde dat deze zich 'ergens op de Middellandse Zee' bevond om de Griekse koning Constantijn te spreken. De Jong 'explodeerde' (volgens de lezing van de prins). Na zijn terugkeer kreeg de prins er direct van langs. 'Ik heb u dat nog zó ontraden, en nu bent u toch gegaan! U begrijpt wel dat daar gróót ongenoegen van kan komen!'[14]

De prins herinnerde zich het gesprek vijfentwintig jaar later enigszins anders dan de voormalige minister-president. Volgens de eerste had de laatste gezegd dat er 'groot gedonder' van zou komen, hetgeen deze (eveneens vijfentwintig jaar later) overigens ten stelligste ontkende te hebben gezegd. 'Ik was niet gewoon mij in zulke krachtige termen uit te drukken,' aldus de voormalige premier.[15] De prins had geprobeerd de minister-president gerust te stellen: er was niemand die van zijn gesprek met de Griekse koning getuige was geweest, de pers was er niet achter gekomen en de parlementaire oppositie in Den Haag zou er dus geen lucht van kunnen krijgen. 'Het kon niet uitlekken, en het is tot de dag van vandaag ook nooit uitgelekt.[16]' Prins Bernhard beloofde beterschap, en het incident werd gesloten verklaard. De afspraak werd niet vastgelegd in een brief waarin de regering nog eens had kunnen vastleggen dat een veto geen vrijblijvende uitleg toeliet en dat bij een herhaling geen vernuftige ontduiking zou worden getolereerd.

6. De eerste keer dat prins Bernhard, naar eigen zeggen, proefondervindelijk onderricht in de constitutionele regels van de ministeriële verantwoordelijkheid kreeg, was in 1965 in een van de verste rijksdelen van het koninkrijk. De prins was op een officieel bezoek aan de Nederlandse Antillen en had zich op de kruiser 'De Zeven Provinciën', die bij Sint-Maarten voor anker lag, in zijn pilotenoverall gestoken om naar Saba te vliegen. De prins verheugde zich op de vliegtocht omdat de geringe afmetingen van het luchthaventje Juan Enrique Yrausquin bijzondere eisen aan zijn landingskunst zouden stellen. Bovendien had hij geen zin in een sloep naar de rots te worden geroeid, want Saba heeft geen haven waar grote schepen binnen

kunnen lopen. Er is alleen een sloepensteiger die de macht van de meeste zeelieden te boven gaat, omdat de sterke golfslag van de oceaan de steiger soms vele meters boven het water uittilt en het aanleggen een acrobatiek vereist die alleen koninklijke zeebenen beheersen. Prins Bernhard besloot zelf te vliegen, maar voordat hij kon instappen, werd hij tegengehouden door vice-premier Biesheuvel, die in zijn gezelschap meereisde. Biesheuvel wilde niet dat de prins naar Saba vloog, omdat hij de risico's te groot vond. Vóór zijn vertrek uit Nederland had de Rijksluchtvaartdienst hem nog voor de luchthaven van Saba gewaarschuwd. De landingsbaan op de punt van het eiland ligt tussen rotspunten die bij de geringste wind al gevaar veroorzaken en piloten die niet door en door vertrouwd zijn met de omstandigheden in moeilijkheden kunnen brengen.

De prins zei dat hij de verantwoordelijkheid nam.

De vice-premier zei dat hij verantwoordelijk was. 'Dat maakt nou net het verschil uit.' Prins Bernhard mocht niet vliegen.

De prins dacht dat Biesheuvel hem uit overbezorgdheid het vliegen had verboden.

'Maar ik ben toch verantwoordelijk voor de risico's die ik zelf wil lopen,' hield hij vol.

Het werd een discussie over 'eigen' en 'hogere' verantwoordelijkheden – totdat het tot de vice-premier doordrong dat de prins de constitutionele implicatie van de kwestie niet inzag. Hij legde het onderscheid uit tussen persoonlijke verantwoordelijkheid en de constitutionele verantwoordelijkheid van de regering en besloot zijn uitleg met de boodschap: 'En daarom mag u niet vliegen!'

De prins had het beginsel van de ministeriële verantwoordelijkheid nog nooit eerder zo duidelijk en eenvoudig horen uitleggen: de minister zou de politieke straf die de Kamer aan zijn inschikkelijkheid zou verbinden, zeker wanneer er iets onaangenaams zou gebeuren, niet overleven, en daarom moest hij streng zijn. Prins Bernhard gaf zijn verzet op. 'Als ik u ermee in moeilijkheden zou kunnen brengen, doe ik het niet,' zei hij.

En meer dan een kwart eeuw later: 'Dat was de eerste keer dat mij het begrip van de ministeriële verantwoordelijkheid werd uitgelegd.'[17] De prins had zijn eerste les geleerd, hij had een begin van inzicht in de werking van de constitutie gekregen, maar de vice-minister-president stuurde hem geen schriftelijke bevestiging na. Het bleef bij een genoeglijke conversatie. Daardoor was de boodschap bij terugkomst grotendeels al weer verwaaid.

Alles bijeengenomen bestond de gehele 'correctionele' correspondentie die de regering, dan wel individuele ministers in die dertig jaar (vóór 1976) met prins Bernhard voerde(n), uit welgeteld twee brieven: een van de minister van Oorlog J.M. de Booy van 27 maart 1945 en een van de minister van Defensie W. den Toom van 15 september 1969. De eerste hield een onversneden reprimande in ('Ik moge Uwe Koninklijke Hoogheid verzoeken, in den vervolge wel rekening te houden met mijn zienswijze dat het voor het met een goede geest bezielen van officieren en manschappen niet nodig of gewenst is om op kleinerende wijze te spreken over het personeel van de Koninklijke Landmacht dat in mei 1940 met geheel onvoldoende sterkte en bewapening het land moest verdedigen'); de tweede bevatte een aanwijzing aan de prins zijn staf van De Zwaluwenberg (het bureau van de inspecteur-generaal van de krijgsmacht) niet 'naar eigen goeddunken', maar in overleg met de minister in te richten.[18]

Over haar standpunt naar aanleiding van het rapport van de Commissie van Drie heeft de regering wel met de Tweede Kamer, maar niet met prins Bernhard gecorrespondeerd. De maatregelen die de regering in haar brief van 26 augustus 1976 aan de Tweede Kamer bekendmaakte, zijn mondeling met de prins besproken, maar nooit schriftelijk vastgelegd. Die mondelinge afdoening is ook de oorzaak van de nooit weggenomen onduidelijkheid over de status van het zogenaamde uniformverbod – volgens latere interpretaties van regeringszijde (post-kabinet-Den Uyl) een onbetwistbaar verbod, volgens prins Bernhard een betwistbaar verbod, omdat noch de status ervan was omschreven noch de werkingsduur. De 'maatregel' dan wel 'intentieverklaring' miste zelfs een formele basis: ze was nooit op papier gesteld.

De correspondentie na 1976 telt zegge en schrijve één brief

in de bovengenoemde categorie, namelijk van premier Lubbers van september 1992 aan prins Bernhard, waarin de prins, in verband met de gespannen toestand in Zuid-Afrika, werd ontraden een begin oktober 1992 gepland bezoek aan dat land te brengen. Zegt een minister-president: 'Ik ontraad u,' dan bedoelt hij: 'Ik verbied u.' Prins Bernhard vatte de brief ook in die zin op en annuleerde zijn reis. Intussen was het de eerste keer dat een afspraak tussen de minister-president en de prins aldus schriftelijk werd bevestigd. Na veertig jaar leek de regering lering te hebben getrokken uit de verkeerde gewoonte regelingen en afspraken niet in brieven vast te leggen.

XVII. *Een diepe bewondering voor kennis*

De particuliere secretarissen van koningin Beatrix en prins Claus hebben een hoge omloopsnelheid, omdat ze slechts enkele jaren in die functie gedetacheerd worden voordat ze terugkeren naar de buitenlandse dienst waaruit ze in de regel gerekruteerd zijn. Ze zijn veelal te kort secretaris om de geheimen van dat ambt geheel te kunnen doorgronden, want tegen de tijd dat ze enige ervaring hebben gekregen, worden ze alweer overgeplaatst naar de een of andere Nederlandse ambassade. Het benieuwde mij hoe zo iemand in de korte tijd die hem gegeven is, het aanlegt een instinct voor de gevarenzones te ontwikkelen dat hem in staat stelt zijn koninklijke principalen tegen 'verkeerde invloeden' te beschermen. Secretarissen moeten er mede op toezien dat de constitutionele integriteit van het paleis gehandhaafd blijft. Ik vroeg een secretaris die enige jaren voor prins Claus werkte, welke bronnen hij had geraadpleegd voordat hij de subtiele kunst van het ontraden onder de knie had gekregen.

Dat was eenvoudiger geweest dan hijzelf had gedacht, was het antwoord: de prins zelf was altijd de beste bron geweest. De secretarissen hoefden de prins nooit tegen zichzelf te beschermen, het was veeleer andersom. 'De prins moet zijn secretarissen voor ongelukken behoeden. Zijn secretarissen hoeven hem nooit te adviseren iets niet te doen of voor iets op te passen. Hij is de vraagbaak tot wie de secretarissen zich kunnen wenden, die op alles raad weet en in geval van twijfel suggereert: vraag die of die eens of leg dat eens aan die of die voor.'

Dat verhaal typeert de rol die prins Claus voor zijn secretarissen speelt, maar het is vooral typerend voor zijn constitutioneel besef, het goed ontwikkelde complex van ingeving en gevoel dat in elke situatie precies het juiste inzicht produceert in wat een echtgenoot van de koningin kan doen en wat niet.

In dat vormvaste constitutioneel besef zit de verklaring van zijn onbesproken gedrag, maar ook van zijn verkeerde imago. Nooit een woord te veel gezegd, laat staan een onvertogen woord, nooit de ministeriële verantwoordelijkheid overbelast, nooit de regering in verlegenheid gebracht noch een conflict met ministers gehad, nooit een stap gezet die het daglicht niet kon verdragen. De som van die braafheden is een oppassendheid die hem nimmer verlaten heeft. Dat betekent niet dat de prins een saaie persoonlijkheid is. Wie hem beoordeelt naar zijn publieke optreden, voor zover dat door de televisie wordt geregistreerd, ziet niet de echte prins Claus. De televisie en prins Claus zijn niet voor elkaar geschapen. Televisiecamera's beroven hem van zijn ongedwongenheid en conditioneren hem tot onnatuurlijk gedrag, dat in een vertekenende verhouding staat tot zijn ware voorkomen.

De ware prins Claus is een intelligente, goed geïnformeerde causeur, een levendige, belangstellende gesprekspartner en een debater die krachtige stellingen betrekt, zijn gehoor soms met 'sweeping statements' verrast en bij tijden hartstochtelijk zijn mening verdedigt. Mensen die de particuliere Claus kennen weten dat hij in gesprekken tussen vier muren onbedaarlijk uit zijn slof kan schieten en op z'n best is wanneer een *feu sacré* in hem gevaren is.

Redacteuren van NRC *Handelsblad*, die hem in het najaar van 1991 op een van hun dagelijkse redactievergaderingen verwelkomden, maakten kennis met de *nieuwsgierige* prins Claus, die een dag lang op bezoek bleef en tijdens de produktieuren tussen de redacteuren zat om 'krant te ruiken'. Hij verbaasde een in Berlijn opgegroeide redacteur van de krant met zijn kennis van de internationale pers totdat deze ontdekte dat zijn koninklijke gast van oudsher bevriend is met een redacteur van een van de beste Duitse kranten.

Amerikaanse studenten die in de zomer van 1991 bij de koninklijke familie logeerden, maakten tot hun verbazing kennis met een *politiek verontwaardigde* prins Claus, die hun desgevraagd zijn mening gaf over de zin van de Golfoorlog. De prins had ernstige bezwaren tegen het gebruik van het geallieerde militaire geweld in Irak, dat naar zijn mening niet evenredig was aan het doel waarvoor dat geweld was ingezet: het herstel van de 'democratie' in Koeweit. Hij ergerde zich ook aan het Amerikaanse nationalisme dat zich via het televisiekanaal van CNN over de wereld verspreidde en hij stootte zich vooral aan het gemak waarmee in zijn ogen intelligente Amerikanen zich plotseling met een brok in de keel aan heldenverering overgaven en de Amerikaanse generaal Norman Schwarzkopf bewierookten. Prins Claus behoorde tot de zwijgende politieke minderheid, die de oorlog ongerechtvaardigd vond en een bewijs van zijn stelling dat de Amerikanen de geschiedenis van het Midden-Oosten niet kenden. Sinds hij de buitenlandse dienst van de Bondsrepubliek had verlaten, had hij grote belangstelling behouden voor de politieke ontwikkelingen in het Midden-Oosten, waarvan hij volgens ambtenaren van Buitenlandse Zaken een 'geoefende waarnemer' was. Prins Claus heeft zijn kritiek op de geallieerde oorlogvoering in de Golf nooit naar buiten gebracht, en alleen binnen de muren van Huis ten Bosch en het ministerie van Ontwikkelingssamenwerking stoom afgeblazen. Schwarzkopf in diens triomfalistische uur – toen deze de lauweren van het Amerikaanse Congres in ontvangst nam – vond hij 'weerzinwekkend' en het nationalistische huldebetoon in Washington 'walgelijk'. De Amerikaanse studenten dachten eerst dat ze in het ootje werden genomen, tot ze doorkregen dat de ketterij van de prins op een vaste overtuiging steunde. Een van hen liet later weten wat hij had gevonden van het oordeel van de prins die van zijn hart geen moordkuil had gemaakt: ze waren 'totally shocked'. Dergelijke kritiek hadden ze in de Leidse studentengemeenschap verwacht, maar niet van de vader van een van hun vrienden, en nog wel een prins!

We raken hier aan een achilleshiel in het officiële bestaan van prins Claus, zijn prinselijke titel. Een van de innemendste anekdotes die de geschiedenis over de echtgenoot van de koningin heeft voortgebracht, betreft het uit 1965 daterende verhaal, dat Claus von Amsberg, op dat moment de bekendste verloofde van Nederland, de schrik van zijn leven kreeg toen hij van de vice-president van de Raad van State en vertrouwensman van de koninklijke familie, dr L.J.M. Beel hoorde, dat er aan zijn huwelijk met de Nederlandse kroonprinses een titel verbonden was. De vernederlandsing van zijn naam was een vanzelfsprekende concessie aan het anti-Duitse deel van de publieke opinie, dat offer bracht hij graag, maar de titel? Hij had gedacht dat hij zonder titel even goed met de kroonprinses zou kunnen trouwen, hij wilde liever gekend worden aan de naam waaronder hij tot dusver bekend was geweest. Moest dat wel echt? Ja, dat moest, had Beel verzekerd.

Bij wet werd zijn familienaam veranderd in Van Amsberg en zijn waardigheid omschreven als Claus, Prins der Nederlanden. Zijn schoonvader bond hem op het hart zich geen prins-gemaal te laten noemen en op dit punt het spraakgebruik (in de Nederlandse pers) niet te volgen. Hij kreeg er de gebruiksaanwijzing bij van koningin Wilhelmina, die prins Bernhard in 1946 bij brief op het onhistorische van de naam prins-gemaal had gewezen. Voor de nieuwe prins-gemaal was het geen kwestie van groot belang, maar toch belangrijk genoeg om – jaren later – er met zijn schoonvader van mening over te verschillen. Prins Bernhard verzette zich tegen de term, omdat die een afhankelijkheid impliceerde die hij niet wenste te erkennen. Hij accepteerde geen andere terminologie dan Prins der Nederlanden, en motiveerde dat zelfbewust: hij had zijn positie zelf moeten verdienen. Prins Claus, daarentegen, heeft nooit moeite gehad zijn symbiotische relatie te erkennen. Hij ziet zijn positie als een afgeleide van zijn vrouw, het staatshoofd. 'Zonder haar ben ik niets, dat realiseer ik mij doorlopend.'

In eigen land drukt die titel niet op hem, maar op de buitenlandse reizen die hij maakt in zijn hoedanigheid van adviseur van de minister van Ontwikkelingssamenwerking ervaart hij zijn titel menigmaal als een handicap. Om te beginnen heeft hij er vaak moeite mee zijn gastheren ervan te doordringen dat hij hun land bezoekt als deskundige op het gebied van de ontwikkelingssamenwerking, niet als de echtgenoot van het Nederlandse staatshoofd. Met het afnemen van militaire parades of het inspecteren van erewachten laat hij zich niet in en als hem op grond van een misverstand die rol al eens wordt opgedrongen, voelt hij zich in zijn eigen woorden zeer opgelaten. Er is op dit punt geen grotere tegenstelling denkbaar dan die tussen prins Claus en zijn schoonvader. De eerste vindt protocollair eerbetoon een beproeving en moet niets hebben van rode lopers die voor hem worden uitgerold, de laatste kon er nooit genoeg van krijgen. Waar deze ook kwam, en in welke capaciteit hij ook reisde, prins Bernhard stelde zich altijd op het standpunt dat hij in de eerste plaats het Nederlandse staatshoofd vertegenwoordigde. In de ogen van zijn schoonzoon was dat staatsrechtelijke ketterij, maar prins Claus kreeg van zijn schoonvader te horen dat ze dat daar (bedoeld was: de regeringen van de landen die hij bezocht) 'toch anders zagen'.

Dat was overigens een ervaringsfeit dat ook prins Claus van zijn reizen wel kende. Ambtenaren vertellen hoe prins Claus enkele jaren geleden in de Verenigde Arabische Emiraten onder dat eerder beschreven misverstand te lijden had. Het regeringsvliegtuig waarin een delegatie van Ontwikkelingssamenwerking, bestaande uit minister P. Bukman, prins Claus en een aantal ambtenaren, in 1989 naar Pakistan vloog, maakte een tussenstop op Sharjah International Airport en werd onmiddellijk belegerd door prins Feisal en zijn gevolg, die de echtgenoot van de Nederlandse koningin eer wilden bewijzen. In plaats van zich een uur of wat te kunnen ontspannen, terwijl het regeringsvliegtuig werd bijgetankt, moest prins Claus zich in de woestijnhitte onderhouden met de koninklijke hoogheden, die niet in de Nederlandse minister Bukman geïnteresseerd waren en de minister de minister lieten, maar alleen met prins Claus wilden praten. De Nederlandse inspecteur-generaal voor de ontwikkelingssamenwerking wekte de bewondering van het achterblijvende Nederlandse gezelschap door geen krimp te geven en geen spier te vertrekken, hoewel iedere Nederlander in het vliegtuig besefte dat zijn plichtsgevoel het maar met moeite gewonnen had van zijn natuur. Hij had het, volgens een der aanwezige ambtenaren, hoofdzakelijk gedaan 'om de eer van Nederland te redden'.

De officiële belangstelling die hem in ontwikkelingslanden ten deel valt, vindt hij vooral hinderlijk, omdat ze hem afleidt van zijn eigenlijke werk. Hij onderscheidt die hinder in twee categorieën: het onbegrip van autoriteiten in bepaalde landen (c.q. het Midden-Oosten) voor buitenlandse delegaties (c.q. de Nederlandse) die onder leiding staan van een minister en niet van een prins, en de overmatige gastvrijheid in weer andere landen, waar de gastheren hem overladen met officiële ontvangsten en zich niet kunnen voorstellen dat hij zich daaraan geheel wil onttrekken om al zijn tijd te besteden aan het bezoeken van ontwikkelingsprojecten. In het Midden-Oosten begrepen zijn gastheren er niets van dat de delegatie uit Nederland door de minister werd geleid en niet door de prins, in Afrika en Azië begrepen ze weer niet waarom de prins alleen contact zocht met ontwikkelingsdeskundigen en niet met de autoriteiten. Na afloop van de reis werd de eerste complicatie in *de Volkskrant* aldus samengevat: 'Het opnemen van de prins-gemaal in de delegatie van de minister van Ontwikkelingssamenwerking is geen simpele zaak. De combinatie mag in Nederland normaal zijn, in de Derde Wereld zijn de autoriteiten er nauwelijks van te overtuigen dat de echtgenoot van de koningin slechts op het tweede plan komt.'[1] Voorafgaande aan elk bezoek van prins Claus aan landen in de Derde Wereld zouden strooibiljetten moeten worden uitgeworpen met voorlichting over de werking van de ministeriële verantwoordelijkheid in het Nederlandse staatsbestel.

Tegenover de Nederlandse journalisten die hem in 1989 op zijn bezoek aan Islamabad vergezelden, sprak hij zijn voorkeur uit voor onbegeleide inspecties: in aanwezigheid van hoogwaardigheidsbekleders wist hij nooit of hem ontvangsten werden bereid die van hogerhand waren geregisseerd, en daarom probeerde hij altijd aan officiële programma's te ontkomen en zoveel mogelijk te improviseren. Van ongedresseerde deskundigen kreeg je altijd meer te horen dan van uitleggers die door een autoriteit op de vingers werden gekeken.

Aan de meereizende verslaggevers vertrouwde de prins toe dat hij zich zeer thuis voelde in de rol van ontwikkelingsadviseur en reizen in gezelschap van de minister van Ontwikkelingshulp niet alleen vruchtbaar maar ook voordelig vond, omdat hij hem onderweg soms eerder kon overtuigen van zijn opvattingen dan op het departement in Den Haag.[2] Aangezien de ene minister de andere niet is, is de datering van die uitspraak niet zonder belang. Bukman was een minister die door deskundigen wel tot andere gedachten kon worden gebracht, maar Jan Pronk was (en is) niet zo'n minister. Over Pronk gaat het verhaal dat hij na zijn heraantreden in 1991 – veertien jaar na

zijn eerste ambtstermijn als minister van Ontwikkelingssamenwerking – op zijn eerste bespreking met zijn staf zonder
plichtplegingen zijn programma ontvouwde, daarover een
monoloog afstak die anderhalf uur duurde en zijn uiteenzetting
op de hem eigen even vastberaden als onweerlegbare toon
besloot met de mededeling: 'Dit is mijn programma voor de
komende regeringsperiode. Ik hoop dat u mij wilt helpen bij
de uitvoering daarvan.' Onder minister Bukman, die een goed
manager was maar geen grote eigen gedachten had over de
ontwikkelingssamenwerking, hadden de ambtenaren van
Ontwikkelingssamenwerking een tamelijk grote invloed op
het beleid gehad, maar onder minister Pronk hoefden ze zich
daarover geen illusies meer te maken. Een van de *bright young
men* van het departement zag in het herstel van het politieke
primaat meer voor- dan nadelen. 'Hij is een stimulerende
workaholic van wie ik meer geleerd heb dan hij van mij heeft.
Het is heel verfrissend weer een minister te hebben, die precies
weet wat hij wil, en het is ook heel goed dat hij je af en toe je
huiswerk laat overmaken. Het is niet leuk dat hij een nota van
je afkeurt en zegt hoe en waar die beter en korter moet, maar
je aanvaardt dat liever van iemand die de materie beheerst dan
van een minister die niet echt deskundig is. Pronk kan zich dat
permitteren, omdat hij het geheel overziet als geen ander, en
ook nog meer ervan afweet dan alle specialisten bij elkaar.'[3]

De allesomvattende kennis die Pronk van de politieke en so-
ciaal-economische problemen in de Derde Wereld heeft, heeft
dezelfde prikkelende uitwerking op prins Claus. 'Hij heeft een
diepe bewondering voor kennis', zo typeert een van de
stafleden het. De programmatische overeenkomst die de prins
en de minister in de jaren zeventig hadden, is twintig jaar later
wat verflauwd en ook zijn gedrevenheid is, in vergelijking met
die van Pronk, duidelijk afgenomen. De prins is in de loop der
jaren niet alleen sceptischer geworden over de effectiviteit van
de westerse hulp, maar ook over de kwaliteit van de economische wetenschap, die zich naar zijn mening nooit genoeg be-
kommerd heeft om billijkheid en gerechtigheid, waardoor
voor miljoenen mensen in de Derde Wereld de levensstandaard
lager is dan dertig jaar geleden.

Zijn betrokkenheid bij de ontwikkelingseconomie is zeker niet verflauwd, maar zijn inzichten over de beste strategie voor de economische ontwikkeling van Afrika – het continent waar hij een deel van zijn jeugd doorbracht en waarmee hij zich nog steeds verbonden voelt – zijn materieel veranderd. In de jaren zeventig onderschreef hij nog de 'donorcentrische' strategie, waarin het zwaartepunt lag bij de zeggenschap van de westerse regeringen over de bestemming van de ontwikkelingshulp. In de jaren tachtig is hij geëvolueerd naar het inzicht dat de ontwikkelingslanden zelf moeten bepalen hoe ze de westerse economische hulp willen gebruiken. Voor een conservatief wil hij overigens niet doorgaan, hij beschouwt zichzelf als progressief, maar wijst – nu heftig – het etiket van 'linkse softie' dat men hem vroeger heeft willen opplakken, met kracht van de hand.

De ontwikkeling die de opvattingen van prins Claus in de ontwikkelingseconomie hebben doorgemaakt, is niet zonder ironie: gedurende de veertienjarige afwezigheid van Pronk op Ontwikkelingssamenwerking (tussen 1977 en 1991) was de prins een van de laatste Pronkianen op het departement, nu Pronk als minister is teruggekeerd, lijkt het Pronkiaanse vuur in hem te zijn gedoofd. Maar op één punt zijn ze beiden nog even Pronkiaans als ooit: de armoedebestrijding moet volgens beiden veel meer prioriteit krijgen.

Prins Claus slaat, wanneer zijn programma het toelaat, geen enkele stafvergadering op Ontwikkelingssamenwerking over. De ministersstaf is een compacte eenheid waarin intellectueel debat een hoge prioriteit heeft.[4] De prins houdt zich daarin op de achtergrond, werpt meer vragen en suggesties op dan dat hij zich in het debat werpt, maar hij bloeit, zoals een van de stafleden het omschrijft, zichtbaar op in de stimulerende atmosfeer van serieus debat.

Intellectueel debat heeft een grote aantrekkingskracht op hem, zoals hij zich tot intellectuelen ook het meest aangetrokken voelt. Dat blijkt ook uit de auteurs die hij leest, en vooral uit de manier waarop hij boeken leest. Hij is een glossenschrijver die niet zelden een boek dat hij heeft gelezen of een boekrecensie die hem intrigeert naar iemand toestuurt, met het verzoek het te lezen en er commentaar op te geven. Soms is dat een invitatie voor een nader gesprek, soms een aanzet tot debat. Wanneer hem op zijn beurt een boek wordt toegestuurd, laat hij met een verbazingwekkende snelheid van zich horen, ten teken dat hij het gelezen heeft – met commentaar. Hij is wat de Engelsen noemen een *compulsive avid reader*, een lezer die door de begeerte is aangeraakt. Gretige lezers hebben soms de neiging andere lezers te overschatten. Zo vroeg hij de Jordaanse koning Hussein een reactie op het boek over de Golfoorlog van zijn favoriete Egyptische auteur, de journalist Mohamed Heikal. Hussein had het boek kennelijk gelezen, maar de prins had zich niet gerealiseerd dat Heikal zich in het boek buitengewoon kritisch uitliet over het opportunisme van de Jordaanse koning. De koning liet merken de conversatie niet te waarderen en geen prijs te stellen op verdere recensering. The king was not amused. En prins Claus besefte te laat dat hij een *gaffe* had begaan die de conversatie enigszins belastte.

Zijn vrouw aarzelt tussen intellectuelen en kunstenaars, maar voor prins Claus is een intellectueel de hoogste mensensoort op zijn waardenschaal, waarbij het zwaartepunt van de definitie ligt bij denkbeelden en hun geschiedenis. 'Een intellectueel', zegt een van zijn ambtenaren, 'is iemand voor hem! Hij herkent zo iemand onmiddellijk, want hij is het zelf!' Om er onmiddellijk aan toe te voegen: 'De oorzaak dat hij op de achtergrond opereert zit in zijn karakter. Hij is zeer bescheiden, dat is een van zijn meest wezenlijke eigenschappen. In zijn bescheidenheid gaat ook zijn constitutionele positie op. Hij zal zich nooit opdringen, zich niet op zijn positie laten voorstaan en niet meer ruimte in beslag nemen dan hij nodig heeft.' De werkkamer van de inspecteur-generaal voor de ontwikkelingssamenwerking op de zevende etage van het ministerie is een sprekende illustratie van die bescheidenheid: een zeer eenvoudige kamer, gevuld met een simpel bureau, een overjarige bureaustoel (niet van ontwerpers als Eames of Starck, maar van de Hema) en een met kunstleer beklede bank, van het soort dat op ophaaldagen voor het groot vuil in de Laan van Meerdervoort en omgeving op het trottoir wordt gezet.

Prins Claus heeft twee werkkamers in de 'Aperots'[5]. Een voor zijn werk als inspecteur-generaal voor de ontwikkelingssamenwerking (IGOS) en een voor zijn werk als algemeen adviseur voor de ontwikkelingssamenwerking (ADOS). Tussen die twee etages is geen levendig verkeer van nota's of grote memoranda – want die schrijft de inspecteur-generaal noch de algemeen adviseur – wel van notities ('blocnootjes'), die in minuscuul handschrift zijn vervat, vaak vergezeld van artikelen uit *Le Monde*, die hij soms voorziet van kanttekeningen.

De koninklijke status van de inspecteur-generaal blijkt in de praktijk geen bijzondere sociale belasting voor de zevende etage van Ontwikkelingssamenwerking te zijn. De adviseurs in de staf van de minister en de overige ambtenaren met wie hij verkeert zeggen geen koninklijke hoogheid, maar prins Claus, ook in de aanspreekvorm. Sommigen tutoyeren hem (iedereen tutoyeert Jan Pronk), maar ook degenen die dat niet doen beschouwen hem als een collega en gaan op informele voet met hem om. In de discussie voelt niemand zich geremd om hem tegen te spreken wanneer die gelegenheid zich voordoet. Enigerlei eisen aan de omgangsvormen heeft hij nooit gesteld behoudens de wens, zoals een ambtenaar het formuleert, serieus genomen te worden.

Prins Claus schreef enkele jaren geleden een voorwoord in een liber amicorum voor de Duitse ambassadeur in Den Haag Otto von der Gablenz, waarin een miniatuur zelfportret verborgen was. Uit zijn bijdrage sprak een sterke zielsverwantschap met zijn vroegere vakgenoten maar ook een existentiële jaloezie. Zijn lofrede op de kwaliteiten van de Duitse ambassadeur was een *sentimental journey* naar het Verloren Paradijs uit zijn eigen vroegere leven – naar de jaren waarin hij de vrijheid had om initiatieven te nemen, nog geen constitutioneel keurslijf droeg en, met inachtneming van de conventies van zijn beroep, zijn eigen leven kon inrichten.

Daarin lag een verwijzing besloten naar zijn gekooide bestaan in de Nederlandse constitutionele monarchie: de implicatie dat zijn tegenwoordige leven dergelijke vrijheden niet toestond. De populaire mening heeft daarvan gemaakt dat die beperkingen – plus zijn bescheiden rol in de schaduw van zijn vrouw – zijn levensgeluk hebben geruïneerd. Maar die beperkingen hebben de staatkundige vrijheden, waarop ook de echtgenoot van het koninklijk staatshoofd recht heeft, geenszins weggedrukt. Integendeel, onder het bepaald niet frivole Nederlandse constitutionele bestel is de prins altijd een vrijheid van spreken en schrijven toegestaan die hem in staat heeft gesteld een markante intellectuele rol als adviseur van de minister van Ontwikkelingssamenwerking te spelen. Door hem onaangelijnd als ministerieel adviseur te benoemen heeft de regering in 1979 ruimte willen scheppen voor een maatschappelijke functie met een reële inhoud. Om haarkloverijen over zijn bevoegdheden te voorkomen, liet ze wijselijk een taakomschrijving, waarop een groot deel van de Tweede Kamer aandrong, achterwege. Uit de instructies waarmee hij de Derde Wereld bezocht, kon de Kamer opmaken dat de regering niet van plan was van prins Claus louter een ornament van het Nederlandse ontwikkelingsbeleid te maken. De regering was niet bang dat de prins zijn vingers aan de politiek zou branden, op voorwaarde dat hij niet in troebel vaarwater zou geraken of uitspraken zou doen waarmee in de Nederlandse politiek 'onmiddellijk controverses worden opgeroepen'[6].

In de functie van (eerst) bijzonder, (later) algemeen adviseur van de minister voor Ontwikkelingssamenwerking tevens inspecteur-generaal ontwikkelingssamenwerking heeft prins Claus sindsdien de hele wereld bereisd en fundamentele en oorspronkelijke geluiden laten horen, die hem in de loop der jaren in de Derde Wereld een gezaghebbende stem hebben verleend.

Als voor ambtenaren geldt dat zij een duurzame invloed op het beleid hebben doordat zij hun ministers overleven, dan gaat dat voor prins Claus zeker op: met de uitzondering van minister Pronk – die in anciënniteit zijn evenknie is – laat hij alle ministers van Ontwikkelingssamenwerking in dienstjaren ver achter zich, en zelfs de meeste ambtenaren van het departement.

De toespraken die hij in zijn hoedanigheid van adviseur tevens inspecteur-generaal houdt, vallen onder de werking van de ministeriële verantwoordelijkheid, maar die regel wordt niet zo strikt toegepast dat die als een halsband knelt. De prins is nog nooit de mond gesnoerd en behoudens kleine correcties heeft de regering nooit een redevoering gecensureerd. Prins

Claus schrijft zijn teksten overwegend zelf, draagt zijn eigen inzichten uit, is niet de boodschapper van de regering en heeft een zekere marge om van de regeringsstandpunten af te wijken – wat niet hetzelfde is als de vrijheid om de regering onder vuur te nemen. Hij legt zijn toespraken altijd vooraf aan de minister voor, maar het gebeurt zelden dat de minister meer dan een detail schrapt.

Ook de opmerkelijke rede die hij in mei 1991 op de twintigste Wereldconferentie over ontwikkelingsvraagstukken in Amsterdam uitsprak, was volgens de vaste procedure 'ter inzage gelegd'. De prins had de tekst een week van tevoren aan minister Pronk gestuurd, maar er niets meer over gehoord, wat in de code van het departement zo veel betekende als: geen bezwaar. De rede trok ruime aandacht door zijn onbewimpelde kritiek op de westerse ontwikkelingsstrategie in de jaren tachtig, die hij met de meeste inleiders van de conferentie als 'verloren jaren' bestempelde. Het rijke deel van de mensheid mag dan een decennium van onafgebroken groei hebben beleefd en een aantal ontwikkelingslanden mag de taaie scheidslijn tussen impasse en groei hebben overschreden, voor een derde van de wereldbevolking waren het, volgens prins Claus, jaren van een verlammende schuldenlast geweest, van welvaartsverlies aan het rijke Noorden, van een laagterecord van de grondstoffenprijzen en van internationale monetaire wanorde. 'Voor velen is de levensstandaard lager dan dertig jaar geleden.'[7]

De mislukking van de Nieuwe Wereldorde hield naar de mening van de prins ook de mislukking van de westerse economische concepten in. 'Ik geloof dat een deel van het probleem te wijten is aan de plaats die de economie inneemt in de ontwikkelingstheorie. Het is mijn overtuiging dat er meer aan de hand is: als we naar de ontwikkeling van de economische theorie in de laatste tweehonderd jaar kijken, kunnen we met aanvaardbare overdrijving concluderen dat ze voornamelijk begaan is geweest met de vraag hoe degenen die reeds rijk zijn, hun rijkdom nog verder kunnen vergroten. Economen hebben nauwelijks aandacht besteed aan kwesties van spreiding. Inderdaad geloof ik dat de voornaamste stroming in de economie in veel opzichten een orthodoxe consensus vertegenwoordigt die aantoonbaar conservatief is. Een dergelijke rechtzinnigheid zegt ons bijna altijd dat we meer nodig hebben van hetzelfde. Slechts zelden zegt ze ons dat we iets nieuws nodig hebben, iets anders. Wellicht moeten we de verschijning van een "groene" Keynes afwachten om ons uit deze toestand te helpen. Maar bij voorkeur een Keynes die is geboren in en behoort tot het Zuiden.'[8]

De regel van de ministeriële verantwoordelijkheid heeft hij altijd zorgvuldig in acht genomen, zonder zijn vrijheid te kort te doen om een ander geluid dan het regeringsstandpunt te laten horen. Eén keer heeft hij de regering, naar zijn eigen mening, zelfs te veel ontzien. Enkele jaren geleden heeft hij op verzoek van minister De Koning een toespraak gehouden waarin hij uitgangspunten van het regeringsbeleid verdedigde die de zijne niet waren. Van die dienstbaarheid heeft hij, zo heeft hij me verteld, spijt gehad.

De beste illustratie dat de ministeriële verantwoordelijkheid nooit zwaar op prins Claus heeft gedrukt – en dus nooit verantwoordelijk kan worden gesteld voor 'de schaduw over zijn bestaan' – is de Freudiaanse verspreking in zijn aanvaardingstoespraak van het Honorary Fellowship dat het Institute of Social Studies hem in 1988 toekende. De rede die hij daar hield, sprak hij voor eigen verantwoordelijkheid uit ('in my very personal capacity') onder de veelzeggende toevoeging: 'wat dat ook moge betekenen'. Hij had er verstandiger aan gedaan eraan toe te voegen 'Met verschuldigde eerbied aan de ministeriële verantwoordelijkheid' of woorden van die strekking. Maar er was niemand die erover viel, omdat zijn opvatting over zijn constitutionele bevoegdheden altijd boven elke verdenking verheven is geweest.

Prins Claus heeft zo veel krediet vergaard doordat hij zich steeds nauwgezet rekenschap heeft gegeven van de grenzen van zijn bewegingsruimte. Daarmee heeft hij een vlekkeloos constitutioneel besef getoond. Dat is hem aangeboren, maar is ook aangeleerd. Het geheim van zijn voorspoedige en snelle integratie in de Nederlandse maatschappij moet voor een belangrijk deel worden gezocht in de rechtenstudie die hij in de vroegere Bondsrepubliek heeft gedaan. De Claus von Amsberg die in 1965 Van Amsberg, Prins der Nederlanden werd, had een juridisch gevormd brein, dat vertrouwd was met rechts-vergelijking en hem in staat stelde onmiddellijk het verschil te doen zien tussen de grondwet van de Bondsrepubliek en de eigenaardigheden van de Nederlandse. Als praktizerend ad-vocaat was hij gewend dossiers methodisch te lezen, en die ervaring kwam hem nu te pas bij het systematisch bestuderen van professor Ouds omvangrijke delen over het *Constitutioneel Recht van het Koninkrijk der Nederlanden*. Die achtergrond heeft hem ook het onschatbare voordeel gegeven dat hij zich zonder al te veel moeite heeft kunnen aanpassen aan de Nederlandse constitutie. Wat hij tot dusver van zijn functie heeft gemaakt, heeft hij op eigen kracht en kwaliteit tot stand gebracht. Daar-mee toont hij dagelijks aan dat ook in de schaduw van het koninklijk staatshoofd een zinvol professioneel bestaan moge-lijk is.[9]

Claus van Amsberg had het geluk dat hij in 1965 een wijzer kabinet trof dan zijn schoonvader in 1936 had getroffen: het kabinet-Cals was zo verstandig de wereld van handel en indus-trie bij hem vandaan te houden en hem toe te vertrouwen aan de coaching van mr C.J. van Schelle, die daarvoor van zijn ambassadeurschap in Brussel werd ontheven en die hem in zijn leerperiode in contact bracht met vooraanstaande ambtsdragers uit het openbaar bestuur en met journalisten en historici. Dat waren andere categorieën dan die welke prins Bernhard in de jaren dertig hadden ingewijd. Voor een deel deden zich daarin de voorkeuren van Claus en Beatrix gelden, maar voor het overwegende deel Van Schelles inzicht dat een toekomstige prins-gemaal 'dicht bij de constitutie' moest worden opgevoed. De oud-ambassadeur (in de jaren zeventig grootmeester van het Huis van de Koningin ofwel hoofd van de hoforganisatie) had daaromtrent gezonde denkbeelden, die nauwer aansluiting zochten bij het democratische scholingsplan waarmee de Staten van Holland het 'Kind van Staat' hadden grootgebracht dan bij Colijns handel- en industriefilosofie die prins Bernhards acculturatie had begeleid.

Van Schelles inzichten vielen in een vruchtbare bodem, want Claus van Amsberg was bij zijn inplanting reeds een 'voltooide' democraat. Hij was zelfs meer dan dat, maar dat wisten we toen nog niet – als we het in 1965 al hadden willen weten. Hij had een dubbele democratische vorming achter de rug, waar hij in 1965 nog bescheiden over zweeg. De eerste kreeg hij in het gedenazificeerde Duitsland van zijn jeugd, waarin hij onder Amerikaans bestuur in democratische zin werd 'heropgevoed'. De tweede in de Dominicaanse Republiek, waar hij enige jaren als diplomaat werkte onder een zwarte dictatuur, die, naar hij me vertelde, zijn gevoel voor democratie had 'gescherpt'. Daar had hij 'de democratie bovenal leren liefhebben'.[10]

De aanstelling van Van Schelle tot supervisor van de toekomstige prins-gemaal hield de erkenning in dat de regering op haar dwalingen van 1936 was teruggekomen. Ze toonde daarmee aan van haar fouten te hebben geleerd. De ontwikkeling die zij heeft doorgemaakt, vertoont op dit punt een progressieve lijn: onder het premierschap van H. Colijn herstelde de regering bij de komst van prins Bernhard de fout die zij onder het premierschap van mr N.G. Pierson in 1901 tegenover prins Hendrik had gemaakt: prins Bernhard kreeg geen constitutionele vorming, maar wel een grondwettelijk inkomen van tweehonderdduizend gulden per jaar (een bedrag dat betaald werd uit een korting op de begroting van koningin Wilhelmina, die op eigen initiatief afstand deed van een gelijk bedrag van haar grondwettelijk inkomen), terwijl Hendrik het zonder staatsinkomen moest doen.[11] Prins Claus kreeg én een staatsinkomen én een goede scholing in de constitutie.

Eind goed, al goed. Met de scholing van prins Claus erkende de regering dat de instandhouding van de constitutionele monarchie meer gebaat was bij de vorming in de staatkundige cultuurhistorie[12] dan bij die in het bankwezen.

Epiloog

De voorbeelden van zwakke controle in het voorgaande hoofdstuk tonen het gebrek aan constitutioneel beleid aan dat de regering in de jaren vóór 1976 (pre-Lockheed) tegenover prins Bernhard aan de dag heeft gelegd. In plaats van duidelijkheid en consequentheid toonde zij gemakzucht en halfheid en zag zij – bewust of niet – alle gevarenzones over het hoofd. In plaats van piketpalen uit te zetten en schrikdraad te spannen, liet zij Gods water over Gods akker lopen. Waar ze een politiek van *containment* had moeten voeren, voerde ze een onthoudingspolitiek. Die onthouding was niet zozeer een gevolg van beredeneerde wijsheid, als wel van struisvogelpolitiek. In wezen vloeide de vluchtige verhouding die de regering in de jaren 1946-1976 met prins Bernhard onderhield, voort uit verkeerde denkbeelden over zijn staatsrechtelijke positie. In al die jaren deed ze alsof de prins-gemaal formeel niet bestond. Voor de regering telde alleen de koningin. Dit impliceerde dat de minister-president naar zijn mening alleen met de koningin te maken had. Alles wat deze met de prins te behandelen had, werd in de contacten met de koningin afgedaan, zelden rechtstreeks.

Die praktijk vond steun in de staatsrechtelijke theorie waarin met een prins-gemaal van vlees en bloed geen rekening werd gehouden. Ook de ministers van Staat dr W. Drees en prof. mr P.J. Oud, die de regering na de Irene-crisis in 1964 een nieuwe begripsomschrijving van de ministeriële verantwoordelijkheid voor het koninklijk huis aan de hand deden, zagen de figuur van de prins-gemaal over het hoofd. Er was voor Drees en Oud alle aanleiding geweest ook op de staatsrechtelijke positie van de prins-gemaal in te gaan, omdat de regering advies had gevraagd 'omtrent omvang en werking van de ministeriële verantwoordelijkheid in aangelegenheden van het Koninklijk Huis' waarbij de prins in de eerste vraag met name was genoemd. 'Vraag 1. Is er alleen verantwoordelijkheid voor het doen en laten van H.M. de Koningin of ook voor dat van de leden van het Koninklijk Huis zoals Prins Bernhard en Hare Koninklijke Hoogheden de Prinsessen?' In het antwoord van de ministers van Staat op die vraag kwam de prins echter niet voor.

De ministeriële verantwoordelijkheid strekt zich zowel uit tot het doen en laten van de Koning als tot dat van de leden van Zijn Huis. De aard der verantwoordelijkheid is echter in beide gevallen niet dezelfde. Voor zover de Koning betreft, zullen de ministers het doen en laten zelf voor hun verantwoording hebben te nemen. Voor wat de leden van Zijn Huis aangaat, is er wel verantwoordelijkheid met betrekking tot al dan niet preventief of repressief optreden der ministers, doch niet met betrekking tot het doen en laten zelf. Men kan de ministers dus alleen verantwoordelijk stellen, als zij in gebreke zouden zijn gebleven hun invloed aan te wenden tot het voorkomen van een bepaalde gedraging of als zij verzuimd zouden hebben passende maatregelen te bevorderen nadat een gedraging heeft plaats gehad.

Dit onderscheid spruit voort uit het verschil in verhouding tussen de Koning en Zijn ministers en die tussen de leden van 's Konings Huis en de ministers. De ministeriële verantwoordelijkheid is het complement van de Koninklijke onschendbaarheid. Dit betekent dat de ministers, zolang zij hun ambt blijven bekleden, gehouden zijn het doen en laten van de Koning met hun verantwoordelijkheid te dekken. Meent een minister dit niet langer te kunnen doen, dan kan hij verzoeken van zijn ambt te worden ontheven. Een dergelijke ontslagaanvrage zal de Koning kunnen doen overwegen of hij tenslotte toch het inzicht van de minister zal volgen dan wel in diens plaats een opvolger zal kunnen benoemen, die zowel zijn vertrouwen als dat van de Staten-Generaal geniet.

Voor de leden van het Koninklijk Huis geldt de onschendbaarheid niet. Hun doen en laten behoeft daarom niet door ministeriële verantwoordelijkheid te worden gedekt. Dit ligt in de aard der zaak, omdat het hier niet gaat om een beleid dat gezamenlijk en onder verantwoordelijkheid van de ministers wordt gevoerd. Het middel van ontslagaanvrage dat met de verplichting om eens anders gedrag te dekken onverbrekelijk moet zijn verbonden, zou dus hier niet kunnen werken.[1]

In het licht van de politieke werkelijkheid van dat ogenblik getuigde dit antwoord van een zekere wereldvreemdheid. Het miskende twee feiten die in 1964 moeilijk konden worden veronachtzaamd: in de eerste plaats het feit dat prins Bernhard in die jaren in de buiten het ministeriële toezicht gelegen ge-varenzones van Lockheed zwom, in de tweede plaats het feit dat hij juist op dat moment zijn meest intensieve contacten met het internationale bedrijfsleven had. Dit had voor Drees en Oud een dwingende reden dienen te zijn aan de positie van prins Bernhard meer dan gewone aandacht te besteden. Uit hun ontkenning van ministeriële verantwoordelijkheid voor gedragingen van de leden van het koninklijk huis, dus ook voor prins Bernhard, sprak weinig realiteitszin. Uit de gang van zaken bij de 'Werkspoorreis' van prins Bernhard naar Argentinië (1951) is gebleken hoezeer juist toen de collectieve ministeriële verantwoordelijkheid voor de gedragingen van de prins had moeten worden geactiveerd. Er was wel degelijk sprake van beleid, dat 'gezamenlijk en onder verantwoorde-lijkheid van de ministers' c.q. drie ministers, werd gevoerd. In 1976 heeft de regering die verantwoordelijkheid van het toenmalige kabinet-Drees – in antwoord op vragen van het Tweede-Kamerlid A. van der Hek – ook volmondig erkend. Die verantwoordelijkheid gold voor alle goodwillreizen van de prins. Daarmee werd een hoeksteen onder het standpunt van Drees en Oud weggetrokken. Het advies van de ministers van Staat miskende de historische feiten in de betrekkingen tussen de regering en prins Bernhard. Bovendien gingen Drees en Oud er geheel aan voorbij dat de prins in zijn functie van inspecteur-generaal van de krijgsmacht in de jaren vijftig met de minister van Oorlog ir C. Staf een praktisch tien jaar durend partnerschap vormde, waarin hij onder ministeriële verantwoordelijkheid een deel van de internationale contacten van de minister met de internationale vliegtuigindustrie had overgenomen. De Commissie van Drie erkende dat feit in 1976 wel, zij het dat zij dit deed in een understatement waarin de feiten waren weggemoffeld: 'Overigens mag niet worden vergeten, dat politieke en militaire autoriteiten op het ministerie van Defensie zo nu en dan een beroep op Z.K.H. hebben gedaan om zijn relaties bij de vliegtuigindustrie te benutten in het kader van hun aanschaffingsbeleid.'²

Het zou verstandig constitutioneel beleid zijn geweest als het gehele internationale werkterrein van prins Bernhard in 1946 onder een centraal punt van toezicht c.q. bij de minister-president zou zijn gebracht. Was dat toen gebeurd, dan had de regering ook de ministeriële verantwoordelijkheid voor het kosmopolitisme van de prins in één hand kunnen houden. Geen minister-president noch minister van Defensie oefende echter ooit meer dan een fragmentarisch toezicht uit. De minister-president wist zelden wat de inspecteur-generaal in het buitenland deed, en de minister van Defensie had geen supervisie over de Prins der Nederlanden, ook wanneer deze het militaire uniform droeg. Er was altijd een *grijze zone* waarin het toezicht niet voorzag en waarop, door gebrek aan overleg tussen de ministers, de ministeriële verantwoordelijkheid in de praktijk geen vat had.

Deze problemen hadden natuurlijk opgelost kunnen worden door een actievere ministeriële waakzaamheid, maar ze waren ook inherent aan de meervoudige status van de prins: nu eens was hij militair en als zodanig ondergeschikt aan de minister van Defensie, dan weer delegatieleider van een economische missie en ondergeschikt aan de mnister van Economische Zaken. En soms fungeerde hij als lid van het koninklijk huis, uitsluitend onder verantwoordelijkheid van de minister-president (en in bepaalde gevallen zelfs alleen ondergeschikt aan de koningin, als hoofd van het koninklijk huis).

Menig minister kon door de bomen het bos niet meer zien. Dat was de ene keer het gevolg van gemakzucht, de andere keer van de kortstondigheid van het ministerschap. Een enkele keer had dat ook te maken met het feit dat alle ministerswerk maar mensenwerk is. De regering is weliswaar een staatsrechtelijk orgaan in permanentie, maar kabinetten zijn politieke organen die vaak al bij hun aantreden met één been in het graf staan. Bij de portefeuilleoverdracht worden ministers in het algemeen behoorlijk door hun voorgangers ingelicht, zodat ze de knelpunten uit het recente verleden meestal kennen. Van de interne problemen van oudere kabinetten weten ze echter doorgaans weinig of niets. Soms hebben ministers het geluk alleswetende ambtenaren in hun omgeving te hebben die al een leven lang meelopen, maar meestal is de regering aangewezen op een eigen geheugen dat niet onderdoet voor dat van de meeste mensen. Een treffend voorbeeld van het povere collectieve geheugen van de regering is het interne onderzoek dat de minister van Defensie ir H. Vredeling in 1976 op zijn departement liet instellen naar de benoeming, dertig jaar tevoren, van prins Bernhard tot inspecteur-generaal van de landmacht. Vredeling wilde weten, zoals hij jaren later in de *Haagse Post* verklaarde, 'hoe men er in 's hemelsnaam toe gekomen was de prins een militaire rang te geven'. Een onderzoek was nodig, omdat er geen collectief geheugen meer was noch literatuur of een ambtgenoot die opheldering kon verschaffen.

Bij zoveel onduidelijkheid over de status van prins Bernhard was het niet eens zo verbazingwekkend dat de meeste ministers het op het punt van toezicht eerder voor gezien hielden dan met hun taak in overeenstemming was. In feite kwam het erop neer dat de arm van de ministeriële verantwoordelijkheid niet 'overzee' reikte en het ministeriële toezicht eigenlijk beperkt bleef tot het binnenland – waar het ook niet echt functioneerde. Maar overzee ontplooide prins Bernhard juist zijn belangrijkste activiteiten.

Prins Bernhard was ruim dertig jaar lang de *golden errand boy* van de Nederlandse regering, die direct na de tweede wereldoorlog al grote orders voor het Nederlandse bedrijfsleven binnenhaalde, landingsrechten voor de KLM veilig stelde en door zijn goodwillreizen een belangrijke bijdrage aan de wederopbloei van de Nederlandse economie leverde – al behoorde die prestatie tot de onbecijferbare grootheden. Hij was de koninklijke mascotte van de Nederlandse export en de vertegenwoordiger en spreekbuis van velerlei belangen – par-

ticuliere economische ondernemingsbelangen, maar ook nationale economische, militaire en culturele belangen.

Als voorzitter van de Bilderberg-conferentie, waarvan hij de
medeoprichter en de vaste president was, haalde hij periodiek
de toonaangevende industriële en politieke figuren uit heel de
wereld naar Nederland. Hij werd als zodanig het middelpunt
van een invloedrijke 'Atlantische' club, een internationale export in goodwilldiplomatie, die op zijn beurt overal werd
uitgenodigd de bijeenkomsten van de groten der aarde op te
luisteren. De Britse socialist Denis Healy, bijna veertig jaar lid
van het Lagerhuis, zong in zijn memoires *The Time of My Life*
de lof op de bemiddelingsgave van prins Bernhard, oud-premier
Biesheuvel stak een laudatie af op zijn 'Angelsaksische voorzit-
tersstijl', de sjah van Perzië wilde alleen met prins Bernhard
onderhandelen over een herstel van betrekkingen tussen Iran
en Nederland en president Kennedy putte zich tegenover de
Nederlandse prins uit in verontschuldigingen over het misluk-
ken van onderhandelingen, waardoor aan de KLM in 1961 geen
landingsrechten in Los Angeles was verleend.[3]

De internationale reputatie van prins Bernhard berustte ten
dele op een mystificatie, zoals het duidelijkst bleek in de Verenigde Staten, waar zijn persoonlijke kwaliteiten veelal met
politieke invloed werden verward. De Nederlandse regering
had hier duidelijkheid kunnen scheppen doch liet dit maar zo.
Functionarissen van het State Department en van Lockheed,
bijvoorbeeld, die niet wisten dat de Prins der Nederlanden een
titel zonder politieke betekenis was, dachten dat prins Bernhard
ten naaste bij een *viceroy* was, zoals Mountbatten in India.
Soms liet de regering de Amerikanen maar in die waan, omdat
het niet zelden grote voordelen bood met een viceroy op
tournee te gaan. Eigenlijk leek zijn internationale positie nog
het meest op de functie die koningin Wilhelmina in het Nederland van na de bevrijding dat zij als een familiebedrijf wilde
runnen, voor hem in gedachten had gehad – die van 'onderko-
ning'.

In de getuigenverklaringen die in het rapport van de Commissie van Drie zijn opgenomen, dook meer dan eens de
veronderstelling bij zijn Amerikaanse relaties op, dat prins
Bernhard bij de KLM en de koninklijke luchtmacht aan de

touwtjes trok en meebesliste over de aankoop van vliegtuigen. Zo gaf ook A.C. Kotchian, president van Lockheed ten tijde van de hoorzittingen van de desbetreffende Amerikaanse Senaatscommissie in 1976, blijk van een onnauwkeurige voorstelling van de positie van prins Bernhard in Nederland. Hij wist dat deze inspecteur-generaal van de krijgsmacht was, maar hij bleek niet te weten dat aan deze functie geen beslissingsbevoegdheid verbonden was. De lobbyisten van Lockheed, die het hoofdkantoor adviseerden over de hoogte van de honoraria ('commissies') voor adviseurs en bemiddelaars als prins Bernhard, wisten dat evenmin.

Van de vermogenspositie van de prins hadden sommige Amerikanen daarentegen een betere voorstelling. Senator Charles Percy maakte tijdens de hoorzittingen in Washington daaromtrent een opmerking die in dit verband van belang is. Tegenover de indruk van Lockheed-functionarissen dat de prins in geldnood zat en door koningin Juliana 'kort werd gehouden' (A.C. Kotchian), stelde Percy dat de prins moeilijk als een man in geldnood kon worden afgeschilderd. *'Isn't he a man of some wealth in his own right?'*[4] Met andere woorden, was het wel aannemelijk dat iemand met zo veel geld een commissie van honderdduizend dollar voor zichzelf zou vragen?

Die vraag hield generlei inbreuk op privacy in, zij was in dit verband volkomen terzake. De prins beweerde het geld van Lockheed voor het World Wildlife Fund te hebben gevraagd, dan wel altijd in de veronderstelling te hebben verkeerd dat dit fonds voor zijn bemiddeling zou worden beloond. Maar hij zou er eerder in geslaagd zijn de twijfel daaromtrent weg te nemen wanneer hij zelf zijn vermogenspositie had verduidelijkt en zou hebben verklaard dat hij, gegeven zijn particuliere vermogen, bij de in het geding zijnde giften geen belang had.

De internationale standing van prins Bernhard was hoger dan zijn formele positie. Men rekende hem tot de 'wereldleiders', ofschoon hij noch ondernemingen leidde noch politieke verantwoordelijkheid droeg. Zolang de voordelen groter waren dan de nadelen, liet de regering dat internationale misverstand over de invloed van de prins voortbestaan. Als zij dat (internationaal voordelige) misverstand uit de weg had geruimd, was de kip met de gouden eieren wellicht van de leg geraakt.

Misschien was dit wel de belangrijkste reden dat de prins gedurende de eerste dertig jaar na de oorlog door de meeste kabinetten geen strobreed in de weg werd gelegd. De risico's die prins Bernhard liep, waren voor de regering op z'n ergst een staatsrechtelijk ongemak. In de praktijk deed dat ongemak zich echter nooit gelden. Dat verklaart waarom prins Bernhard in de jaren vijftig en zestig, toen hij zijn talrijke economische home-runs scoorde, door alle kabinetten even geestdriftig op handen werd gedragen. Dat blijkt onder meer uit het volgende, handgeschreven briefje van premier Beel:

De Minister-President heeft de eer namens de Raad van Ministers Zijne Koninklijke Hoogheid de Prins der Nederlanden uit te nodigen tot een dejeuner op woensdag 11 maart 1959 te 12.45 uur in Restaurant Royal te 's-Gravenhage.[5]

Was er dan altijd alleen maar lof en waardering en nooit kritiek? Kritiek was er genoeg, maar die werd nooit uitgesproken. Volgens mr A.P.J.M.M. van der Stee, minister van Landbouw in het kabinet-Den Uyl, 'durfde vóór 1976 niemand tegen prins Bernhard op'. Deze bewindsman had zich verbaasd over de byzantijnse toon die in de kring van zijn politieke geestverwanten, in het bijzonder onder voormalige ambtgenoten tegen prins Bernhard in acht werd genomen: 'De meeste ministers sidderden voor hem. Het koninklijk huis had altijd nog iets half goddelijks, daar sprak je blijkbaar niet op een aardse toon tegen.'[6]

Maar de ministers die wel de juiste aardse toon wisten te treffen, konden hun boodschap lang niet altijd te bestemder plaatse kwijt. 'Wanneer je aanmerkingen op prins Bernhard had, besprak je die met de koningin, nooit rechtstreeks met de prins, tenzij de koningin het nodig vond dat dit rechtstreeks gebeurde. Zo was dat geregeld,' aldus een oud-bewindsman.[7]

Kritiek werd trouwens zelden kenbaar gemaakt. Soms namen ministers met tegenzin kennis van een 'project' waarvoor de minister-president of een andere collega de prins, buiten de ministerraad om, toestemming had verleend. Een minister uit het laatste kabinet-Drees (1956-1958): 'Bernhard was in het midden van de jaren vijftig een hopeloos geval. Iedere keer

zeiden wij in de Rea: "Waarmee.zal hij nu weer thuis komen?"
Of: "Wat zal het ons nu weer kosten?"'⁸

De retorische toon zegt genoeg over de kracht van de kritiek:
de minister had handenwringend zijn vertwijfeling uitgesproken maar het daarbij gelaten. Geen minister placht zijn bezwaren vóór 1973 in de ministerraad ter tafel te brengen. Misschien
waren er ministers die hun medewerking aan de reizen van de
prins wilden onthouden, maar dan spraken ze hun bezwaren
in elk geval niet expliciet uit. Prins Bernhard was trouwens
altijd gedekt: hij maakte geen enkele reis zonder die tevoren
bij de regering aan te melden. Dat iedere premier die dekking
ook gaf, moge blijken uit het kleurrijke verhaal van een voor-
malig adviseur van de minister-president over *de kast met zilveren hanen*. 'De regering had een speciale collectie zilveren
hanen waarmee prins Bernhard op reis ging om de buitenlandse
handelsbetrekkingen voor de Nederlandse industrie in te nemen. Op Algemene Zaken stond altijd, zoals wij dat noemden,
een gesmede zilveren kip met losse vleugels klaar voor direct
gebruik.'

Verscheidene ministers uit het kabinet-Den Uyl (1973-1977)
oefenden binnenskamers overigens wél kritiek uit. Een van
deze bewindslieden stoorde zich aan het gebrek aan controle
van de regering op de financiën van het Wereldnatuurfonds en
het World Wildlife Fund (WWLF). In feite vielen die volledig
buiten de ministeriële controle. 'Prins Bernhard beschouwde
die fondsen als een privé-zaak, waarmee de regering niets
te maken had.' De regering liet het volgens deze minister
oogluikend toe, in het volle besef dat de honoraria die de prins
voor het openen van nieuwe bedrijfsvestigingen ontving, in
die fondsen dan wel in de kassen van 'zijn' andere culturele
fondsen werden gestort.

Hier raken we aan een van de kardinale dode momenten in de
werking van de ministeriële verantwoordelijkheid. Volgens de
eerder aangehaalde minister was de regering ervan op de hoogte
dat 'de prins een eigen collectebus had, die zij de moeite van
het controleren niet waard vond'⁹. Als zij inderdaad wist dat
er grote sommen geld uit de nevenfuncties van de prins, zoals
bedrijfsopeningen, naar zijn fondsen werden gesluisd, dan zijn

niet alleen de rode lampen op de controlepanelen genegeerd, maar ook de waarschuwingen, onder meer die van de hier aan het woord zijnde minister, dat een belangrijke geldstroom in de boeken van de prins aan het ministeriële toezicht was onttrokken. Deze gevarenzone was misschien wel *the root of all evil* die de meeste aandacht van de regering had moeten krijgen. De 'commissies' die de Amerikaanse vliegtuigfabriek Lockheed in de jaren zestig aan prins Bernhard zou hebben betaald voor het verlenen van goede diensten – de 'onvindbare' bedragen waar het Lockheed-onderzoek om draaide –, waren immers met het World Wildlife Fund verbonden. Prins Bernhard had ze volgens zijn verklaringen weliswaar niet ontvangen, maar de sommen die hij, op grond van toezeggingen, te goed meende te hebben, had hij voor het WWLF bestemd. Was deze extraterritoriale boekhouding van de prins van het begin af onder het voor zijn overige functies geldende ministeriële toezicht gebracht, dan had dit schimmige gebied zelfs nooit kunnen bestaan. De controle van de Algemene Rekenkamer is ten onrechte 'terughoudend' geweest en de ministeriële verantwoordelijkheid is ook op dit terrein in gebreke gebleven.

Weer een andere minister uit het kabinet-Den Uyl stelde met verbazing vast dat prins Bernhard in de jaren zeventig (de voorgaande periode viel buiten zijn gezichtsveld) 'alleen voor Fokker en Philips werkte'[10], dit in tegenstelling tot de gangbare voorstelling dat al zijn werkzaamheden in het teken van het algemeen belang stonden. Maar ook deze minister bleef passief en beschouwde een en ander als een natuurrechtelijke ordening waartegen niets te doen viel.

Overigens kon niet worden gezegd dat prins Bernhard geheimzinnig deed over zijn werk voor het Wereldnatuurfonds. Hij bracht er zelfs verslag van uit in de ministerraad!

De notulen van de vergadering van de ministerraad van vrijdag 24 april 1970 vermelden dat de prins een uitgebreide verantwoording gaf van zijn werkzaamheden voor die instelling.

Prins Bernhard is erkentelijk voor het herstel van de traditie om hem na afloop van een reis die hij op verzoek van de regering heeft gemaakt de gelegenheid te bieden in de ministerraad verslag uit te brengen. In Ethiopië heeft spreker twee natuurreservaten bezocht, die verleden jaar door het Wereldnatuurfonds waren opgericht en waarvan er een niet op de juiste wijze bleek te worden beheerd. Op verzoek van de Ethiopische minister belast met de natuurbescherming heeft spreker een aantal punten met keizer Haile Selassie besproken. Voorts heeft hij gesproken over verbindingen en over de levering van mijnenvegers ten aanzien waarvan Nederland een goed aanbod had gedaan. Vervolgens is spreker via Aden met de Friendship gevlogen naar Karachi, waar voornamelijk besprekingen werden gevoerd in het kader van het Wereldnatuurfonds. De Pakistaanse president heeft spreker uitgenodigd voor een officieel bezoek dat hij, indien de regering hiermee instemt, in januari 1971 zou kunnen brengen.[11]

Uit deze ministerraadsnotulen blijkt dat de regering het werk van prins Bernhard niet als een hobby kwalificeerde, maar tot zijn officiële werk rekende, waarvoor hem ook de transportmiddelen van de regering en de hulpdiensten van de Nederlandse ambassades ter beschikking werden gesteld. Het Wereldnatuurfonds en het World Wildlife Fund – de fondsen die prins Bernhard volgens een der eerdergenoemde ministers als zijn 'persoonlijk eigendom' beschouwde – stonden, in elk geval in 1970, onder ministeriële verantwoordelijkheid en hadden derhalve volledig onder financieel toezicht van de ministers moeten staan.

Het oordeel dat de regering in 1976 over de betrokkenheid van prins Bernhard bij de Lockheed-zaak heeft geveld, berustte voor een belangrijk deel op de schriftelijke schuldbekentenis van de prins dat hij in zijn betrekkingen met Lockheed 'niet die zorgvuldigheid in acht [had] genomen', die op grond van zijn positie als echtgenoot van de koningin en als Prins der Nederlanden vereist was. In die verklaring erkende hij initiatieven, die hem waren voorgelegd, 'niet voldoende kritisch [te hebben] beoordeeld' en brieven te hebben geschreven, die hij 'niet had mogen verzenden' (de zogenoemde 'bedelbrieven'). Prins Bernhard aanvaardde 'hiervoor de volle verantwoordelijkheid en dus de afkeuring', die de Commissie daarover in haar rapport had uitgesproken.[12]

De belangrijkste feiten waarop dat oordeel steunde, mogen als bekend worden verondersteld. De directie van Lockheed overwoog in 1959-1960 serieus een JetStar-vliegtuig aan prins Bernhard ten geschenke te geven. Dat geschenk diende ten dele als beloning voor zijn adviezen, zijn aanmoediging en zijn bemiddeling, de vertaling van 'ongeveer tien jaar van regelmatig en in toenemende mate vriendschappelijk contact' tussen de prins en de directie van de vliegtuigfabriek, ten dele als tegenprestatie voor de reclame die de prins voor Lockheed zou maken als hij ermee zou vliegen – *so that he could fly it around as an advertisement for Lockheed*[13].

Toen deze gedachte ter zijde moest worden geschoven, omdat de uitvoering op grote praktische moeilijkheden stuitte, nam de voorgestelde beloning de vorm van een gift in geld aan: de schenking van een vliegtuig werd nu een schenking van één miljoen dollar. Hoewel de prins verklaarde dat 'dit bedrag door Lockheed niet voor hem was bestemd' doch voor een vriend die oude, betwiste vorderingen op de fabriek zou hebben en hij schriftelijk meedeelde geen enkel bedrag te hebben ontvangen, was de Commissie van mening dat de prins er zelf toe had bijgedragen om 'bij de Lockheed-organisatie de indruk te bevestigen dat hij de bestemmeling was van het geheime geschenk'. Toen de besprekingen over het geld waren begonnen, waren de verhoudingen, volgens de commissie, 'onzuiver geworden'. Lockheed had het daardoor 'kunnen aandurven zich in 1968 aan de Prins op te dringen met ongepaste vragen en met aanbiedingen, die niet beslist genoeg van de hand zijn gewezen'. En het was ermee geëindigd dat de prins zich aan Lockheed had 'opgedrongen met even ongepaste verzoeken om commissies'[14].

Het onderzoek van de Commissie van Drie is zo uitvoerig in haar rapport weergegeven, dat ik naar de documentatie dienaangaande mag verwijzen. Ik volsta hier met een enkele kanttekening over de conclusies van de regering.

De regering conformeerde zich aan het eindoordeel van de Commissie dat prins Bernhard zich 'te lichtvaardig had begeven in transacties, die de indruk moesten wekken dat hij gevoelig was voor gunsten', dat hij zich toegankelijk had getoond 'voor onoorbare verlangens en aanbiedingen' en zich had laten 'verleiden tot het nemen van initiatieven die volstrekt onaanvaardbaar waren en die hemzelf en het Nederlandse aanschaffingsbeleid bij Lockheed [...] in een bedenkelijk daglicht moesten stellen'[15]. Dat oordeel kan ik onderschrijven, evenals de maatregelen die de regering daaraan verbond. De straf was gegrond, de straftoemeting in overeenstemming met de ernst van de vergrijpen, waarvan de suggestie van omkoopbaarheid naar mijn mening de ernstigste was.

Maar de motivering van het oordeel van de regering was niet vrij van hypocrisie en ze was vooral onevenwichtig. Want hoe ernstig de ondeugden van prins Bernhard in deze zaak ook mochten zijn geweest, het constitutionele bestel had grosso modo dertig jaar lang zijn toezichthoudende taken verzaakt. De regering had nauwelijks toezicht op de prins uitgeoefend, geen enkel kader voor hem aangegeven en geen schrikdraad gespannen. En ook het parlement had hem, zeer wel wetend dat hij een vrijbuiter was, altijd laten begaan. De uitspraak van de minister-president drs J.M. den Uyl dat 'de regering niet wenste voorbij te gaan aan de verantwoordelijkheid van achtereenvolgende kabinetten, ook het huidige', voor de gedragingen van prins Bernhard, hield wel een erkenning van medeverantwoordelijkheid in, maar ze was een veel te zwakke en veel te algemene erkenning van die medeverantwoordelijkheid. Het onderzoek van de Commissie van Drie als geheel leed aan onevenwichtigheid, doordat haar opdracht niet voorzag in een reconstructie die zich ook uitstrekte tot de historische achtergrond waartegen prins Bernhard opereerde. Die tekortkoming vloeide voort uit de beslissing geen historicus in de commissie van onderzoek op te nemen. Door die structurele fout is de aandacht voor de voorgeschiedenis van de zaak min of meer verdampt, en het doen en laten van prins Bernhard geïsoleerd van zijn historische en staatsrechtelijke context. Gezien de zich over vier decennia uitstrekkende 'verantwoordelijkheid van achtereenvolgende kabinetten' was het niet gerechtvaardigd het onderzoek te beperken tot de jaren zestig en de verantwoordelijkheid van de ministers van Defensie uit de voorgaande tien jaren buiten het onderzoek te laten. Er was geen enkele reden geweest deze commissie niet op dezelfde voet te doen samenstellen als later de commissie-Schöffer, die in opdracht van het kabinet-Van Agt in 1979 een historisch-wetenschappelijk onderzoek instelde naar het opsporings- en vervolgingsbeleid in de zaak-Menten vanaf de bevrijding tot de zomer van 1976. Deze commissie bestond uit twee historici en een jurist.[16]

De regering heeft de beslissing om geen strafrechtelijk on-derzoek in te stellen gemotiveerd met redenen van staatsbelang. Vooral het instellen van een vervolging zou, volgens de over-wegingen van de regering, ernstige gevolgen kunnen hebben voor de positie van het staatshoofd. Het kabinet wilde 'in deze situatie voor het intreden van zulke gevolgen geen verant-woordelijkheid nemen'[17]. Die dramatische formulering wekte de indruk dat de regering in 1976 op de rand van een diepe afgrond had gebalanceerd. Dat was geenszins het geval. De regering had zich al die woorden kunnen besparen wanneer ze, na het Openbaar Ministerie te hebben geraadpleegd, in gewoon Nederlands gezegd had dat een strafzaak niets had kunnen worden. Het rapport van de Commissie van Drie zou daarvoor een te wankele basis zijn geweest. Met de vaagheid van getuigen en een gedeeltelijke verjaring van het recht op strafvervolging, zou het OM, dat bewijs moet aanbrengen, weinig hebben kunnen uitrichten. De rechter zou met dat materiaal nooit tot een bewezen verklaring hebben kunnen komen.

De beslissing om van strafvervolging af te zien, is in 1976 in ruime kring als een daad van wijs beleid verwelkomd, maar ze leverde ook een nadeel voor prins Bernhard op. Door de zaak politiek af te doen werd hem de mogelijkheid van optimale rechtsbijstand ontnomen. De prins werd bijgestaan door twee Haagse advocaten, mr C.R.C. Wijckerheld Bisdom en mr Y. Scholten, die naam hadden gemaakt als civilisten, maar niet als strafpleiters. Omdat de zaak onder de ministeriële verant-woordelijkheid werd afgedaan, werden geen advocaten tot de beraadslagingen van de regering toegelaten; ook strafpleiters hadden de prins in die situatie dus niet van nut kunnen zijn. Wijckerheld Bisdom en Scholten begrepen in elk geval niet dat prins Bernhard niet met de suave onderhandelingstactiek van de civiele advocatuur maar met een constitutionele verdediging, dus met politieke middelen, het meest gediend zou zijn geweest. Prins Bernhard stond immers niet tegenover het *forum privilegiatum* c.q. de Hoge Raad, maar tegenover ministers.[18] Het is aan twijfel onderhevig of betere advocaten dan deze vaste juridische adviseurs van het koninklijk huis een beter resultaat voor prins Bernhard in de wacht zouden hebben gesleept, maar betere advocaten zouden in ieder geval de medeverantwoordelijkheid van de regering in het geding hebben gebracht.

Prins Bernhard legde in 1976, op grond van het rapport van de Commissie van Drie, al zijn militaire functies neer onder gelijktijdige terugtreding uit zijn commissariaten in een aantal ondernemingen. Onder druk van de Amerikaanse leden verbrak vervolgens het bestuur van 'Bilderberg' de banden met de prins. Wat ongemoeid bleef, waren zijn culturele functies, beschermheerschappen en dergelijke en zijn werk voor het Wereldnatuurfonds en het World Wildlife Fund. Het enige commissariaat dat niet onder het consigne van 1976 viel en dat prins Bernhard mocht blijven vervullen, was dat van de Koninklijke Jaarbeurs. De regering ontzag dit commissariaat, nadat minister-president Den Uyl zich door de voorzitter van de Jaarbeurs, prof. A. Dreesmann, ervan had laten overtuigen dat het hier een 'koninklijk' commissariaat betrof waaraan de regering niet mocht tornen. Ook het lidmaatschap van de Raad van State bleef buiten de regeling van 1976, maar de uitzondering die de regering in dit geval maakte, vloeide minder voort uit een bewuste toegeeflijkheid dan uit het feit dat het Den Uyl was ontgaan dat de prins zijn lidmaatschap van dit hoge college van staat nog bekleedde. Prins Bernhard ontleende er weinig voldoening aan, want de Raad van State had nooit zijn eerste belangstelling gehad. Behoudens ceremoniële bijeenkomsten woonde hij nimmer vergaderingen van het hoogste adviesorgaan van de regering bij.

De strafmaatregelen die de regering na het onderzoek in de Lockheed-zaak nam, waren een slag die het paleis Soestdijk op zijn grondvesten deed schudden en die een einde leek te maken aan het publieke leven van prins Bernhard.

Vijftien jaar later lijkt de schade aardig te zijn hersteld en blijkt de geschiedenis een ironische wending te hebben genomen. Met vrijwel alle ondernemingen en instellingen waarmee prins Bernhard in 1976 zijn relatie moest opgeven, heeft hij nog steeds banden, met sommige nog even sterk als voorheen. In een aantal gevallen zijn die banden opnieuw aangehaald, in andere hebben ze zich gehandhaafd. Vrijwel overal zijn die betrekkingen in stand gehouden door stille loyaliteitsverklaringen van vroegere medebestuurders, collega-commissarissen en militaire medewerkers, die hem ook na zijn terugtreden op hun bijeenkomsten bleven uitnodigen en de contacten niet wensten op te geven. Zo ontvangt hij nog regelmatig het *steering committee*, het dagelijks bestuur, van 'Bilderberg' op paleis Soestdijk, is hij eregast op diners van raden van bestuur en commissarissen en blijft ook de KLM hem op de oude voet behandelen. Bij de viering van zijn tachtigste verjaardag liet ook het ministerie van Defensie zich als vanouds weer vertegenwoordigen.

Zijn banden met de krijgsmacht zijn evenmin veranderd, misschien zijn die zelfs het sterkst gebleven. Op De Zwaluwenberg te Hilversum, waar prins Bernhard kantoor hield als inspecteur-generaal van de krijgsmacht, hebben zijn opvolgers zijn werkkamer uit loyaliteit volledig in de staat gelaten zoals hij die in 1976 achterliet. Sinds dat jaar heeft hij op De Zwaluwenberg vrijwel geen enkel 'generaalsdiner', een traditie die hij zelf had ingesteld, overgeslagen. Als hij niet door verplichtingen in het buitenland verhinderd is, slaat hij nooit militaire invitaties af, van welke aard ook. Het militaire uniform draagt hij al lang niet meer, maar dat betekent niet dat het uniform uit zijn leven is verdwenen. Op paleis Soestdijk rijden de militaire chefs nog altijd af en aan en elk jaar maken de hoofden van de krijgsmachtdelen op het paleis nog steeds hun opwachting om de vroegere inspecteur-generaal, oudergewoonte, op de hoogte te houden van de ontwikkelingen in hun sector. Dit militaire eerbetoon gaat zelfs zo ver dat de koninklijke landmacht speciaal ten behoeve van de prins nog steeds een jaarverslag vervaardigt, waarvoor elk jaar een overste een aantal dagen vrijmaakt.

De regering is daarbij niet achtergebleven. Nadat minister-president mr A.A.M. van Agt prins Bernhard in 1979 al een incidentele toestemming gaf om het militaire uniform te dragen, herhaalde minister-president drs R.F.M. Lubbers die toestemming in 1991 ter gelegenheid van de tachtigste verjaardag van de prins.[19] Premier Lubbers ging nog een stap verder: hij liet de prins namens de regering weten 'het op prijs te stellen dat [hij] bij voorkomende gevallen weer het uniform zou dragen'[20]. Lubbers dacht in het bijzonder aan de jaarlijkse herdenking van de Duitse capitulatie in Wageningen. 'Met daar weer het uniform te dragen zoudt u velen een groot plezier doen.' De prins, die bij gebreke van een officiële beslissing daaromtrent altijd had betwist dat de regering een 'uniformverbod' had ingesteld, had het laatste woord: 'Daar doet u mij geen enkel plezier mee. Die uniformen kunnen mij gestolen worden.' Maar aangezien hij gevoelig was voor de gedachte dat hij er zeer velen een groot plezier mee zou doen, trok hij het in 1991 in Wageningen toch weer aan. Hetzelfde uniform dat hij in de oorlog had gedragen, paste hem nog als gegoten. 'Er hoefde geen knoop te worden verzet.'

Noten

INLEIDING (PAG. 7 T/M 12)

1. In deze onderzoeksperiode heb ik gebruik kunnen maken van de zogenoemde Gele Kamer, een van de laatste oorspronkelijke empire-kamers van het paleis Soestdijk.

HOOFDSTUK I (PAG. 13 T/M 17)

1. De Kamerleden Den Uyl (pvdA), Andriessen (kvp), Wiegel (vvd), Aantjes (arp), Van Mierlo (d'66), Mellema (chu) en Berger (ds'70) wilden weten of de uitspraken van de prins in NRC *Handelsblad* juist waren weergegeven. Antwoord van de minister-president d.d. 1 november 1971: 'De uitspraken zijn naar de strekking juist weergegeven.'

Zo ja, was de minister-president dan van mening dat het door de prins bepleite 'nieuwe democratisch bestel', zoals tot uiting gebracht in het desbetreffende interview, 'afwijkt van de grondslag van onze parlementaire democratie'? Antwoord minister-president: 'Deze vraag beantwoord ik bevestigend' (*Handelingen Tweede Kamer*, zitting 1971-1972, aanhangsel, blz. 583).

De Kamerleden Wiebenga en Van der Spek (beiden psp) vroegen per gelijke datum de minister-president of deze de mening deelde dat de suggesties van de prins in strijd waren 'met letter en geest van onze grondwet en met de door het geldend staatsrecht vastgelegde bevoegdheden en bevoegdheidsverhoudingen van Regering en Staten-Generaal'. Antwoord d.d. 3 november 1971: 'Deze vraag beantwoord ik bevestigend' (*Handelingen Tweede Kamer*, zitting 1971-1972, aan-hangsel, blz. 585).

2. In 1925 werd koning George v, in weerwil van zijn onberispelijke constitutionele conduitestaat, door premier Baldwin gedwongen een voor de Speaker bedoelde brief, waarin hij aanmerkingen op de 'slonzigheid' van het Lagerhuis had gemaakt, terug te nemen, op

grond van schending van de *Declaration of Rights* (Harold Nicolson, *King George the Fifth, His Life and Reign* (Pan Books), Londen, 1967, blz. 552-553).

3. De zich van hun waardigheid overbewuste Staten van Holland lieten de Oranje-stadhouders, bij wijze van straf, geruime tijd in een antichambre wachten om hun ontstemming over het beleid van deze staatsambtenaren te demonstreren.

4. Tegenover de auteur.

5. In een gesprek met de auteur te zijnen huize in Bloemendaal.

6. a.v.

HOOFDSTUK II (PAG. 18 T/M 30)

1. In gesprek met de auteur. De grondwet laat de wetgever de vrijheid ook leden van het koninklijk huis die niet van rechtswege zitting hebben in de Raad van State, zitting te verlenen, overeenkomstig art. 74, lid 1: De Koning is voorzitter van de Raad van State. De vermoedelijke opvolger van de Koning heeft na het bereiken van de leeftijd van achttien jaar van rechtswege zitting in de Raad. Bij of krachtens de wet kan aan andere leden van het Koninklijk Huis zitting in de Raad worden verleend. Prins Bernhard is eveneens bij wet zitting in de Raad van State verleend.

2. In gesprek met de auteur.

3. Dagboek Ernst Heldring, 20 november 1939, blz. 1421.

4. Over zijn Duitse accent heeft prins Bernhard in de loop der jaren veel te horen gekregen, maar er is onvoldoende aandacht op gevestigd dat zijn accent altijd een samenstel van Engelse en Duitse tongvallen is geweest, waarin Engelse invloeden de Duitse van jongsaf hebben overheerst. De Amsterdamse pedagoog prof. dr J. Waterink, auteur van een hagiografie over de prins, die in de jaren vijftig tot de huisvriendenkring op paleis Soestdijk behoorde, was ervan overtuigd dat in het ouderlijk milieu van prins Bernhard veelal Engels werd gesproken en dat de prins, die door Engelse gouvernantes werd opgevoed, pas op zijn derde jaar in zijn ouderlijk huis voor het eerst Duits hoorde.

5. Jkvr mr C.W.I. Wttewaall van Stoetwegen in gesprek met de auteur (1974).

6. 'Voor u persoonlijk', brieven van jhr A.C.D. de Graeff aan J.P. graaf van Limburg Stirum (1933-1937), Den Haag/Hilversum, 1986.

7. E. Heldring, *Dagboeken,* blz. 1223.

8. Idem.

9. Jan Wagenaar, *Vaderlandsche Geschiedenis,* deel 13, Amsterdam, 1755, blz. 199.

10. 'De Nederlandse instanties verschansten zich achter de zogenaamde Nederlandse neutraliteit, die het hun verbood, zich in de aangelegenheden van buitenlandse staatsburgers te mengen. Hoe intens ik ook naar bondgenoten zocht, nimmer heb ik in de kringen der Nederlandse regering een Vansittart of een Cooper gevonden – mannen, bij wie ik zeker was niet aan de nazi's verraden te worden, wanneer ik hun mijn ware aard toevertrouwde' (Wolfgang zu Putlitz, *In Rok tussen de Bruinhemden,* Den Haag, 1964, blz. 209).

11. *Eenzaam maar niet alleen,* blz. 265.

12. Idem.

13. Mededeling tegenover de auteur.

14. Een vriendschap die zich tot de rest van de Britse koninklijke familie zou uitstrekken en die na de dood van George VI tot de tegenwoordige dag op zijn vrouw, de koningin-moeder, zou overgaan.

15. John W. Wheeler-Bennett, *King George VI, His Life and Reign* (Papermac), Londen, 1965, blz. 131-132.

16. Die in dat jaar nog heette: *An educational Society for spreading information about parliamentary government,* gevestigd te Londen. Prins Bernhard herinnerde zich desgevraagd niet dat hij tot Honorary Member van de Society was benoemd.

17. H. Colijn, *Saevis tranquillus in undis*; toelichting op het antirevolutionair beginselprogram, Amsterdam, 1934.

HOOFDSTUK III (PAG. 31 T/M 37)

1. H.C. Posthumus Meyjes, *De Enquête-commissie is van oordeel... een samenvatting van het parlementaire onderzoek naar het regeringsbeleid in de oorlogsjaren 1940-1945*, Arnhem/Amsterdam, 1958, blz. 18.

De getuigen die in de mogelijkheid verkeerden mededelingen te doen over de rol van koningin Wilhelmina of prins Bernhard, kregen aan het begin van hun verhoor de procedurele waarschuwing elke verwijzing naar het onschendbaar staatshoofd achterwege te laten, overeenkomstig het belangrijkste grondwettelijk voorschrift dienaangaande. De voorzitter van de commissie, mr L.A. Donker, zei dat meestal in de volgende bewoordingen: 'Wij hebben met verschillende zaken rekening te houden. En wel in de eerste plaats met de bepaling van artikel 55 der Grondwet: de Koning is onschendbaar, de Ministers zijn verantwoordelijk. Dat betekent dus, dat buiten beschouwing moeten blijven persoonlijke daden en uitingen van de Draagster van de Kroon, want persoonlijke daden en uitingen van de Draagster van de Kroon zijn staatsrechtelijk irrelevant; wij hebben hier alleen te maken met Regeringsdaden, waarvoor een bepaalde Minister de verantwoordelijkheid draagt. Over de verantwoordelijkheid van die Minister kunnen wij natuurlijk in volle vrijheid spreken [...]' (PEC, 5c, blz. 92).

2. Brief van mag. dr S. Stokman OFM aan prins Bernhard van 15 december 1945 ter gelegenheid van de aanbieding van zijn, zojuist verschenen boek *Het verzet van de Nederlandsche Bisschoppen tegen het Nationaal-Socialisme en de Duitsche tirannie* (archief prins Bernhard/paleis Soestdijk).

3. In gesprek met de auteur.

4. Het eerste deel van het verslag van de Parlementaire Enquêtecommissie verscheen in 1949, het laatste, achtste deel in 1956. Het totaal omvat 14 864 pagina's (groot formaat), waarvan het eigenlijke verslag 4227 pagina's telt, de bijlagen 1984 en de verhoren 8653 pagina's. De Enquêtecommissie telde acht leden, die verdeeld waren over twee subcommissies. De meeste verhoren werden geleid door de eminente voorzitter van de commissie, de latere minister van justitie mr L.A. Donker (PvdA), die de belangrijke getuigenverhoren over de Nederlandse inlichtingendiensten in Londen vrijwel geheel voor zijn rekening nam. De Enquêtecommissie werd ingesteld krachtens de Enquêtewet-1947, die aanhangig was gemaakt door de voorzitter van de PvdA-fractie in de Tweede Kamer, mr M. van der Goes van Naters, die zelf geen deel van de commissie uitmaakte. Hij was

ook een belangrijk staatkundig theoreticus op wiens naam twee oorspronkelijke geschriften over de hervorming van het staatsrecht stonden.

5. Op het punt van historische betrouwbaarheid is een genuanceerd oordeel op zijn plaats. De absolute betekenis die dr L. de Jong aan de getuigenverhoren van de Enquêtecommissie toekent in zijn *Het Koninkrijk der Nederlanden in de Tweede Wereldoorlog* (14 delen) houdt geen stand in het licht van de archiefstukken van de Enquêtecommissie in het Algemeen Rijksarchief. Uit tal van zich daar bevindende briefjes van getuigen blijkt het meer dan eens te zijn voorgekomen dat getuigen de mondelinge verklaringen die zij voor de commissie aflegden, tevoren op elkaar afstemden om de commissie zoveel mogelijk wind uit de zeilen te nemen. De getuige prof. mr P.S. Gerbrandy, minister-president van twee 'Londense' kabinetten, liet zijn verklaringen over het ontslag van het omstreden hoofd van de inlichtingendienst te Londen, Fr. van 't Sant, en over de rol die deze in de Londense gemeenschap speelde, zelfs door Van 't Sant zelf opstellen.

6. Posthumus Meyjes, a.v.

7. L. de Jong, *Het Koninkrijk der Nederlanden in de Tweede Wereldoorlog*, Den Haag, 1979, deel 9 (hierna, achter de auteursnaam, aangeduid als: *Het Koninkrijk*).

8. De Engelsen, die het leerstuk van de onschendbaarheid al in de middeleeuwen bedachten, verklaren deze mysterieuze constructie minder stijf en met meer ironie uit de historische uitholling van de macht des konings. Deze uitholling van de koninklijke macht steunt op de paradox dat de Koning niets verkeerds kan doen. 'The King can do no wrong.' Dit is geen vrijbrief voor vorstelijk wangedrag, zoals men licht zou kunnen denken. Dat betekent het, ook in de ogen van de Engelsen, niet. Het betekent veeleer dat de Koning alleen onfeilbaar is omdat zijn handelingen niet de kracht van zijn eigen wil hebben; dat hij als Staatshoofd nauwelijks enige constitutionele functies kan uitoefenen behalve op het advies van zijn ministers, die er de verantwoordelijkheid voor aanvaarden. 'De Koning kan niets verkeerds doen, maar zijn ministers kunnen dat wel' (Kenneth Rose, *King George V*, Londen, 1983, blz. 107).

9. De betrekkingen van prins Bernhard en prinses Juliana met Franklin D. Roosevelt waren heel wat hartelijker dan die van koningin Wilhelmina met zijn van de Hollandse kolonisten afstammende neef Theodore, die van 1901 tot 1909 president van de Verenigde Staten

was. Theodore Roosevelt had veel op met het Nederlandse volks-karakter, maar hij vond dat Wilhelmina 'pretenties' had (in de internationale politiek) die haar 'belachelijk' maakten. In zijn ogen was Nederland als klein land minder belangrijk dan een aantal staten van de federale unie, en daarom was het 'absurd' dat de koningin van Nederland zich gedroeg 'as if she belonged to the God-given-ruler class' (In: Frank Freidel, *The Dutchness of the Roosevelts,* New York, 1981).

10. Prins Bernhard, Verslag van twee besprekingen in Washington (archief prins Bernhard/paleis Soestdijk).

11. Keesings Historisch Archief, jaargang 1945, blz. 6410.

HOOFDSTUK IV (PAG. 38 T/M 44)

1. Alden Hatch, *Prins Bernhard,* blz. 179-180.

2. In G.J. van Ojens officiële geschiedenis van de BS (*De Binnenlandse Strijdkrachten,* Den Haag, 1972, 2 dl.) wordt de gebeurtenis in het geheel niet vermeld, hoewel de auteur een ruim gebruik heeft gemaakt van de biografie van Alden Hatch.

3. Majoor mr Ch.H.J.F. van Houten, officieel gemachtigde van prins Bernhard, aangesteld als verbindingsofficier tussen het Bureau Inlichtingen en de staf van de Bevelhebber van de Nederlandse Strijdkrachten. Deze Van Houten, die in Londen verbindingsofficier van koningin Wilhelmina was geweest, moest krachtens een geheime opdracht van de koningin ook op de veiligheid van haar soms wat onbesuisde (volgens Wilhelmina: 'dappere') schoonzoon passen (in: Alden Hatch, *Prins Bernhard,* blz. 139-140).

4. Verhoren PEC, 5c, blz.9, r. kolom.

5. L. de Jong, *Het Koninkrijk,* dl. 10a, blz. 856.

6. Jan Hof, *Tussen paard en pantser,* jhr J.J.G. Beelaerts van Blokland, De cavalerie, het verzet en de Prinses Irene Brigade, Kampen, 1990, blz. 141.

7. Tegenover de auteur op 4 november 1991.

8. *De Telegraaf,* 16 oktober 1956.

9. Enkele jaren nadat *De Telegraaf* de toestemming kreeg om weer te verschijnen (1949), keerde Van Maasdijk er in een bestuurlijke positie terug, als president-commissaris van de n.v. Rotatiedrukkerij Voorburgwal (1951).

10. Mededeling van prins Bernhard op 4 november 1991 aan de auteur.

HOOFDSTUK V (PAG. 45 T/M 54)

1. De Jong, *Het Koninkrijk*, dl. 9 eerste helft, blz. 114.

2. a.v., blz. 115.

3. a.v., blz. 116.

4. a.v., blz. 120.

5. Idem.

6. a.v., blz. 118.

7. Jhr Dirk Jan de Geer was minister-president van het in mei 1940 naar Engeland uitgeweken kabinet. Hij miste de kracht om op het meest beslissende ogenblik in de geschiedenis van Nederland leiding aan het kabinet te geven. In zijn ouderdom lag een zekere verontschuldiging: hij was al in zijn zeventigste levensjaar toen hij de overtocht naar Engeland moest maken en daarna instortte. Zijn psychische tekortkomingen, in het bijzonder zijn defaitisme, veroorzaakten zijn afzetting. Nadat hij eerst voor de BBC-radio de Nederlandse overheidsdiensten in bezet gebied had opgeroepen tot samenwerking met de bezettingsautoriteiten en vervolgens in het kabinet begon te pleiten voor onderhandelingen met de Duitsers, desnoods buiten Engeland om, werd hij in augustus 1940 door koningin Wilhelmina tot ontslag gedwongen. Toen hij, tegen de zin van de regering, ook nog naar Nederland terugkeerde en aldus de Duitse propaganda in de kaart speelde (hetgeen hem op de beschuldiging van desertie door zijn opvolger Gerbrandy kwam te staan), verloor hij volledig zijn reputatie. In de jaren dertig had hij zich in de Tweede Kamer als pacifist en 'rood' doen kennen. Hij was de enige christen-democraat die de parlementaire sociaal-democraten met tolerantie bejegende (en het wederkerig respect van de SDAP verwierf) en de eerste confessionele premier die in augustus 1939 twee ministers van de SDAP in zijn kabinet opnam.

Hoewel hij een toegewijd parlementariër was, vond hij het op 10 mei 1940 niet nodig achter de regeringstafel in de Tweede Kamer te verschijnen om namens de regering een protest tegen de bezetting van Nederland te laten horen. Hij verschoonde zich op dat moment omdat hij 'wel wat anders aan zijn hoofd had'. Als regeringsleider in ballingschap trok hij zich het materiële lot van de enkele leden van de Staten-Generaal die zich na mei 1940 in Londen bevonden (en niet meer naar Nederland terug konden keren) hoegenaamd niet aan. Dat gold uiteraard ook voor de andere ministers. Terwijl dezen zichzelf van een goede honorering hadden voorzien, kreeg het kamerlid Schaepman een rijksdaalder per dag aangeboden. Anderen kregen helemaal niets. Volgens de Parlementaire Enquêtecommissie gaf die behandeling 'blijk van weinig deferentie van de zijde van de regering tegenover leden van de Staten-Generaal' (PEC, dl. 2 a en b, blz. 230).

8. J.A.W. Burger, 'Regeren in ballingschap', in: *Socialisme en Democratie*, juli/augustus 1965, blz. 530.

9. In gesprek met de auteur.

10. Idem.

11. Mededeling aan de auteur.

12. Pieter Sjoerds Gerbrandy, minister van Justitie in het op 10 augustus 1939 aangetreden kabinet-De Geer; minister-president van 3 september 1940 tot 24 juni 1945; Gerbrandy (wiens naam officieel met een ij geschreven werd) combineerde in Londen de portefeuilles van Algemene Oorlogvoering en Justitie (tot februari 1942 en ad interim van februari 1945 tot juni 1945). Het eerste halfjaar van 1942 was hij ook minister van Koloniën. Sedert 1930 was hij hoogleraar in het handelsrecht, burgerlijk procesrecht en faillissementsrecht aan de Vrije Universiteit te Amsterdam. Anders dan De Geer stond Gerbrandy op het compromisloze standpunt dat de strijd tegen Duitsland met de bondgenoten tot diens volstrekte nederlaag moest worden voortgezet. Het staat vast dat koningin Wilhelmina Gerbrandy als opvolger van De Geer koos, omdat zij wist dat Gerbrandy en zij eensgeestes waren in de beoordeling van het karakter van de oorlog tegen Hitler en vasthielden aan de overtuiging dat deze op de meest onverschrokken wijze moest worden gevoerd (Naar: W.F. de Gaay Fortman in het *Biografisch Woordenboek van Nederland,* dl. 1, blz. 195-198).

13. De Jong, a.v., blz. 140.

14. a.v., blz. 107.

15. Idem.

16. a.v., blz. 142.

17. Idem, blz. 142-146.

18. A. den Doolaard, 'Londense achtergronden', in: *Het leven van een landloper*, Amsterdam, 1979, blz. 268-269.

19. Samenvatting van het pamflet bij: J. van den Tempel, *Nederland in Londen*, Haarlem, 1946, blz. 108-111.

20. De getuige P. Brijnen van Houten verklaarde voor de Parlementaire Enquêtecommissie dat hij dit enige keren uit de mond van Somer had gehoord (PEC, 4c-1, blz. 255). Somer noteerde in zijn in 1981 gepubliceerde 'Londense' dagboeken dat hij in zijn hoedanigheid van hoofd van het Bureau Inlichtingen van het departement van Oorlog in 1942 betrokken was bij besprekingen met koningin Wilhelmina over een na de oorlog door het leger in te stellen regering, waarvan de koningin de leiding zou nemen.
'Zaterdag 13 februari: Hare Majesteit verzocht mij om half 7 voor een bespreking te komen. Bij die bespreking werd vooral de kwestie van een eventuele militaire dictatuur besproken, die al dan niet in Nederland zou moeten worden ingesteld vóór of na terugkeer van Hare Majesteit in Nederland. De Koningin verklaarde zichzelf een pertinente tegenstander van alles wat naar dictatuur zweemt. Zij wil zo spoedig mogelijk terugkeren, desnoods op het eerste stukje grond dat vrij komt en dan het bewind zelf in handen nemen' (J.M. Somer, *Man in oorlog*/dagboeken 13 maart 1942-22 september 1943, Baarn, 1981).

HOOFDSTUK VI (PAG. 55 T/M 63)

1. In 1945 werd prins Bernhard benoemd tot inspecteur-generaal van de landmacht nadat hij tevoren eervol was ontheven uit zijn functie van bevelhebber der Nederlandse strijdkrachten. Op 31 december 1946 werd hij tot inspecteur-generaal van de marine benoemd, op 12 januari 1955 tot inspecteur-generaal van de luchtmacht en op 1 januari 1970 tot inspecteur-generaal der krijgsmacht.

2. Volgens een interview met verslaggever Jan Tromp van de *Haagse Post* zou Vredeling het wat informeler hebben gezegd: 'Ik herinner me nog goed dat ik in die tijd gedacht heb: hoe is het nou in godsnaam mogelijk dat zo'n prins of hoe het heten moge aan zo'n baan is gekomen?' In het interview sprak hij echter uit zijn herinnering over een kwestie die negen jaar eerder was opgekomen (*Haagse Post*, 21 december 1985).

3. De ex-bewindsman had het in 1985, toen hij zich door de *Haagse Post* liet interviewen, kunnen weten wanneer hij het in 1979 verschenen negende deel van L. de Jongs *Het Koninkrijk* had geraadpleegd. Daarin was de geschiedenis van het schrappen van de woorden *à la suite* reeds uit de doeken gedaan (De Jong, a.v., 9, dl. II, blz. 1351).

4. De Jong, a.v., 9, dl. II, blz. 1351.

5. De Jong, a.v., 9, dl. II, blz. 1351. Het is de vraag of Van Boeyen, nu er van een voldongen feit sprake was, wel iets anders had kunnen doen dan berusten. Intrekking van het besluit had hij ongetwijfeld met zijn ontslag moeten bekopen, want koningin Wilhelmina wist, vooral in zaken het koninklijk huis betreffende, niet van wijken en zou een opnieuw aan haar voorgelegd bevorderingsbesluit in de oorspronkelijke formulering zeker niet hebben getekend.

6. Idem.

7. Jhr ir O.C.A. van Lidth de Jeude was van 15 september 1942 tot 23 februari 1945 met de portefeuille van Oorlog in het eerste kabinet-Gerbrandy belast.

8. De Jong, a.v., 9, dl. II, blz. 1349.

9. Mededeling van prins Bernhard aan de auteur.

10. De naoorlogse generaals mr H.J. Kruls en B.R.P.F. Hasselman en de luitenant-generaal M.R.H. Calmeyer waren in de jaren twintig en dertig gemiddeld bijna dertien jaar luitenant geweest voordat zij tot kapitein werden bevorderd.

11. Hatch, a.v., blz. 93.

12. In een gesprek met de auteur.

13. In gesprek met de auteur.

14. Hatch, a.v., blz. 132.

15. Den Doolaard, *Het leven van een landloper*, blz. 231. Volgens deze auteur, die gedurende de oorlogsjaren een van de centrale figuren van Radio Oranje in Londen was, speelde prins Bernhard na het ontslag van Van 't Sant een veel belangrijker rol in de Centrale Inlichtingendienst dan de Parlementaire Enquêtecommissie na de oorlog heeft kunnen achterhalen. 'De eigenlijke chef was niemand minder dan prins Bernhard. Hoe een dergelijke constructie, die onvermijdelijk het risico met zich meebracht dat een lid van het koninklijk huis gecompromitteerd kon raken, constitutioneel houdbaar was, ontging mij.' Den Doolaard kwam wel tot de conclusie dat de lessen die hij op de Haarlemse middelbare school had genoten van de 'Thorbeckiaan' dr E. van Raalte 'op de toestanden in de Londense ballingschap niet toepasselijk waren' (Den Doolaard, a.v., blz. 230).

16. Volgens dr J.G. de Beus, secretaris van minister-president Gerbrandy in Londen en notulist van de vergaderingen van de commissie-Terugkeer, was prins Bernhard wel lid van de commissie, maar zou hij in het geval van stemmingen – waarop het volgens hem nooit was aangekomen – niet hebben mogen meestemmen (PEC, 5c, blz. 54). Blijkens de aantekeningen van De Beus was prins Bernhard iedere week in de vergadering aanwezig (idem, blz. 55). Een andere minister, de socialist ir J.W. Albarda, die zelf geen lid van de commissies was geweest, verklaarde voor de Enquêtecommissie niet beter te weten dan dat de prins als gast in de commissies aanwezig was geweest. De voorzitter van de Enquêtecommissie, mr L.A. Donker, stelde vast dat nooit zwart op wit was uitgemaakt of de bedoelde commissies *uit* de ministerraad waren of een commissie van ministers *naast* de ministerraad (PEC, 5c, blz. 55).

17. Wiessing schreef in zijn memoires: 'Van de Prins weet men – zelfs de zijige Van den Tempel erkent het in zijn boek – dat deze met Gerbrandy en nog een paar scherp anti-democratische heertjes een geheime fractie gevormd heeft binnen het Kabinet!' (H.P.L. Wiessing, *Bewegend Portret/Levensherinneringen*, Amsterdam, 1960, blz. 435).

18. De Jong ontleent één keer aan de notulen van de commissie-Terugkeer een mening van prins Bernhard, en wel naar aanleiding van het agendapunt economische zuivering. Toen daarover in september 1943 in het kabinet werd gesproken, meende minister Van Boeyen

dat het bedrijfsleven dat beter zelf kon doen. Zou de overheid het doen, dan zou zij haar taak 'grenzeloos' uitbreiden, aldus Van Boeyen. Gerbrandy, Albarda en prins Bernhard waren het hiermee eens, maar minister Burger niet (De Jong, 9, dl. II, blz. 1290). In een vergadering van de commissie-Terugkeer van augustus 1944 bracht de prins naar voren dat men in de bedrijven precies wist wie 'fout' waren geweest en dat de regering zich dus niet met de bedrijfszuivering hoefde te bemoeien. Gerbrandy en Albarda onderschreven dat standpunt (idem).

19. De Jong, a.v., 9, dl. I, blz. 357.

20. In het standaardverhaal dat hij daarover vertelt, ontbreken datum en plaats, maar het is waarschijnlijk dat het zich in september 1940 in het landelijke Surrey afspeelde, want Gerbrandy was nog een 'nieuwe' minister-president en was juist op het buiten van de koningin geweest. 'Op een mooie, warme dag was ik met de nieuwe minister-president Gerbrandy een boottocht gaan maken op de Theems. Gerbrandy kon de verleiding niet weerstaan en sprong in het water. Maar hij was geen goed zwemmer en daar het water dieper was dan hij dacht, raakte hij in paniek en verdween onder water. Ik kon hem gelukkig bijtijds bij zijn zwempak grijpen en hem in de boot helpen.' Mededeling aan de auteur.

HOOFDSTUK VII (PAG. 64 T/M 76)

1. Colonel A.J. Drexel Biddle was van 1941 tot 1944 Amerikaans gezant bij de Nederlandse regering te Londen.

2. Rapport van het *Office of Strategic Services* (OSS), de in 1942 opgerichte Amerikaanse tegenhanger van de Britse MI-6, de *Special Operations Executive* (SOE) en de *Political Warfare Executive*. Het rapport werd op 30 maart 1945 bij het OSS in Washington gecatalogiseerd onder nummer 2947 en de titel *Prince Bernhard The Future Prince Consort of the Netherlands*. Het citaat is ontleend aan Wim Klinkenberg, *Prins Bernhard, een politieke biografie*, Amsterdam, 1979, blz. 207.

3. De Jong, a.v., 10a, dl. I, blz. 168.

4. In de nota van minister Van Boeyen van 15 maart 1941 werd de mogelijkheid geopperd prins Bernhard met een taak te belasten, hetzij bij het herstel van de orde hetzij op bestuurlijk terrein. Dat voorstel werd door de ministerraad verworpen (PEC, 5a, blz. 139, waar ook

de overige voorstellen worden genoemd). Gerbrandy deelde in een brief aan de koningin van 6 juni 1942 mee het raadzaam te vinden een centraal punt te scheppen 'van waaruit plannen voor het nemen van maatregelen voor de terugkeer uitgaan en de verschillende voorstellen worden verzameld, beoordeeld en gecoördineerd. Het ligt in de bedoeling Z.K.H. als hoofd van deze dienst voor te dragen; hij zal deze functie vervullen onder ministeriële verantwoordelijkheid van de minister van Algemene Oorlogvoering' (PEC, 5a, blz. 145).

5. Generaal C.J. Snijders verloor in het voorjaar van 1918 het vertrouwen van het kabinet-Cort van der Linden omdat hij een versterking van de verdediging tegen het militair oppermachtige Duitsland 'doelloos' had genoemd. De minister van Oorlog, jhr B.C. de Jonge, droeg hem op grond van die uitspraak voor ontslag voor, dat echter door koningin Wilhelmina werd geweigerd. Ook toen de opperbevelhebber zelf zijn ontslag indiende, bleef zij bij die weigering: er was, zo liet zij de generaal weten, geen reden om ontslag te vragen, aangezien hij het volle vertrouwen van de Kroon had behouden en zijn ontslag niet in het landsbelang zou zijn. Alle ministers, op Cort van der Linden na, namen daarop ontslag. Doordat er geen minister van Oorlog meer was om de officiële weigering van het ontslag aan Snijders te contrasigneren, tekende Wilhelmina de brief alleen, wat volgens oud-minister De Jonge een daad was van de persoonlijke koning, 'die inconstitutioneel was en door de premier had moeten worden voorkomen, maar is toegelaten' (De Jonge, *Memoires*, blz. 47). Het conflict werd aangehouden, in verband met 'de naderende verkiezingen', maar in werkelijkheid om het ingrijpen van de koningin te maskeren. Het conflict laaide na de verkiezingen, onder het nieuwe kabinet-Ruijs de Beerenbrouck weer op, nu naar aanleiding van ongeregeldheden in De Harskamp, waar dienstplichtige soldaten enkele barakken in brand hadden gestoken. De extreme reactie van de opperbevelhebber, die de sociale spanningen niet onderkende, bracht hem opnieuw in conflict met zijn politieke superieuren. Bij deze tweede aanvaring ruimde hij het veld nadat de minister van Oorlog, jhr G.A.A. Alting von Geusau in de Tweede Kamer had meegedeeld geen reorganisatie van het leger te kunnen uitvoeren met een man als Snijders. Bij het debat dat hierover in de Kamer werd gevoerd, stelde de socialist P.J. Troelstra de vraag: bestaat in Nederland de zuiver parlementaire regeringsvorm of hebben wij ook te rekenen met een coterie in de omgeving van de koningin, die achter de schermen haar oncontroleerbare invloed uitoefent? (*Handelingen Tweede Kamer*, zitting 1918-1919, blz. 341).

6. De Jong, a.v., 10a, dl. 1, blz. 169.

7. De Jong, a.v., 12, dl. I, blz. 135.

8. De Jong, a.v., 10a, dl. II, blz. 925.

9. Het hoofd van de afdeling BS in de staf van prins Bernhard als Bevelhebber van de Nederlandse Strijdkrachten, de luitenant-kolonel mr C.H.J.F. van Houten, verklaarde voor de Enquêtecommissie dat prins Bernhard persoonlijk over de tegenzin van het geallieerde hoofdkwartier tegen de militaire erkenning van de Binnenlandse Strijdkrachten was geïnformeerd. In een persoonlijk contact met Bedell Smith had hij ervaren dat 'men in het begin niet zo geweldig enthousiast was'. Op grond van de ervaringen in andere landen 'was men een beetje huiverig geworden' voor bepaalde politieke stromingen bij de illegalen en uit dien hoofde was het geallieerde hoofdkwartier er dan ook aanvankelijk 'niet erg voor geporteerd ook een Nederlands ondergronds leger te erkennen' (PEC, 7 a/b, blz. 324). De politieke stromingen in de illegaliteit waarvoor gevreesd werd, waren vooral de communistische groeperingen. De met die visie sympathiserende Ordedienst (OD), de 'militaire' stroming in de Nederlandse illegaliteit, telde in de zomer van 1944 (toen de BS nog niet waren opgericht) tal van 'leiders' die ervan droomden de leiding van de linkse groeperingen (communisten en socialisten) na de bevrijding onmiddellijk te interneren om aldus een linkse revolutie in Nederland te voorkomen. Van de uitvoering van dergelijke plannen is niets terecht gekomen doordat de leiding van de OD betrekkelijk snel in de Binnenlandse Strijdkrachten integreerde, waardoor ook de contrarevolutionaire krachten beteugeld werden.

10. De Jong, a.v., 10a, dl. I, blz. 169. De Supreme Commander vond het uitspreken van zijn veto overigens niet het nabetrachten waard, want in zijn minutieuze oorlogsmemoires (*Crusade in Europe*, New York, 1958) komt de kwestie niet voor.

11. De officiële geschiedschrijver van de Binnenlandse Strijdkrachten, het voormalige hoofd van de sectie militaire geschiedenis van de koninklijke landmacht, G.J. van Ojen, geeft in zijn geschiedenis van de BS de motieven voor de benoeming van prins Bernhard tot Bevelhebber Nederlandse Strijdkrachten aldus weer: 'Hoewel de suggestie van H.M. de Koningin haar schoonzoon tot deze functie te benoemen aanvankelijk in de boezem der Nederlandse regering op bezwaren stuitte, werden deze toch overwonnen, omdat het onder de toenmalige omstandigheden van niet te schatten waarde werd geacht dat de Prins in de kringen van het opperbevel persona grata was en bij hoge instanties verscheidene malen een gelegenheid kon scheppen, met vrucht de be-

langen van Nederland en van de onder hem gestelde troepen te beplei-
ten' (G.J. van Ojen, *De Binnenlandse Strijdkrachten*, Den Haag, 1972,
blz. 148). Over die motieven ook: PEC, 7a/b, blz. 324.

12. Zie de correspondentie die de prins in het begin van de oorlog
als Chief Liaison Officer in Londen voerde en voor de bijdragen van
het Prins Bernhardfonds (in het begin van de oorlog nog geheten:
Spitfire Fund) aan de Britse oorlogvoering.

13. Bij KB van 3 augustus 1942, nr 11, was omtrent de militaire
positie van prins Bernhard bepaald dat:
1. de bepalingen, regelende de bevordering, het ontslag, het op
non-activiteit en op pensioen stellen en de overige voorschriften,
regelende de rechtspositie der officieren van de K.M., de K.L. en
van het K.N.I.L., op de prins niet van toepassing zouden zijn;
2. de prins niet onderworpen zou zijn aan de strafbevoegdheid van
enige militaire meerdere;
3. het bepaalde in de artt. 39 (strafbevoegdheid) en 44 (opleggen
van voorlopig arrest) van de Wet op de Krijgstucht en in de overeen-
komstige artikelen van het Wetboek van Militair Strafrecht, met
betrekking tot de prins buiten toepassing zouden blijven;
4. de verplichtingen rechten, aan de door de prins beklede militaire
rangen zich beperken tot de functie(s) door de regering aan hem
opgedragen (Ontleend: aan Van Ojen, a.v., blz. 148. Deze auteur
geeft ook de letterlijke tekst van de Instructie voor den Bevelhebber
der Nederlandsche Strijdkrachten: KB d.d. 19 juni 1944, nr. 2, Staats-
blad, nr. E 44; Van Ojen, a.v., blz. 143-145).

14. P.S. Gerbrandy, *Enige hoofdpunten van het regeeringsbeleid in Lon-
den*, Den Haag, 1946. De auteursnaam van deze uitgave van de
Rijksuitgeverij wordt niet in de titel, alleen in het voorwoord vermeld.
Gerbrandy dateert de benoeming van het bevelhebberschap van de
Binnenlandse Strijdkrachten een maand te vroeg.

15. Gerbrandy, a.v., blz. 250.

16. Bij KB van 30 augustus 1941 was prins Bernhard benoemd tot
Hoofd van de Koninklijke Nederlandse Militaire Missie te Londen.
Hij vervulde die functie tot 20 juli 1943 toen deze missie werd
opgeheven. Van 20 juli 1943 tot 3 september 1944 was hij bij ministeriële beschikking van 21 juli 1943 Chief Liaison Officer tussen de
Nederlandse regering en het op 15 februari 1944 ingestelde geallieerde
opperbevel (Shaef).

17. Van Ojen, a.v., blz. 148.

18. Getuige P.S. Gerbrandy, PEC, 5c, blz. 416. Churchills antwoord aan Gerbrandy dat hij onwetend was van het bombardement op de Westkapelse zeedijk hoeft niet strijdig te zijn met het feit dat hij aanwezig was op de bijeenkomst van geallieerde bevelhebbers op 31 oktober 1944, waarop over het lot van de stad Vlissingen werd beslist. Toen Gerbrandy veertien dagen eerder zijn beklag kwam doen, was Churchill nog niet van de bombardementsplannen op de hoogte. In Martin Gilberts relaas van de bijeenkomst van 31 oktober verzette Churchill zich tegen het voorstel van de Gecombineerde chefs-staf, na het opblazen van de zeedijken ook de Duitse verdedigingswerken op Walcheren te bombarderen. Bij dat bombardement zou Vlissingen zeker gevaar lopen. Churchills biograaf geeft voor de oppositie van de Britse premier 'humanitaire redenen' op. Maar Eisenhowers aandrang om het bombardement op het als een fort ingerichte Walcheren uit te voeren teneinde verdere verliezen onder de (reeds gedecimeerde) geallieerde troepen te voorkomen, wist Churchill over te halen (Martin Gilbert, *Winston S. Churchill, Road to Victory*, Vol. VII, Londen, 1986, blz. 1045-1046).

19. Brian Urquhart, *A Life in Peace and War*, Londen, 1987, blz. 70-75.

HOOFDSTUK VIII (PAG. 77 T/M 86)

1. Voor de beschrijving van de bedoelde R AF-bombardementsvluchten, onder meer op Duitse schepen in de Rotterdamse Waalhaven, wordt verwezen naar een brief van air vice-marshal Donald Stevenson d.d. 27 juli 1941, en de correspondentie tussen prins Bernhard en de Britse ministeries van Buitenlandse Zaken en van Luchtvaart. Zie ook het fotokatern.

2. De vergelijking met de Erfprins in 1813 in dr L. de Jong, *Het Koninkrijk*, deel 9 (II), blz. 1329-1330; over het 'voorlopig bewind': a.v., blz. 1328 en 1332. Een gedetailleerde beschrijving van de betrekkingen tussen koningin Wilhelmina en het eerste kabinet-Gerbrandy in hoofdstuk 17 van De Jongs negende deel (II), blz. 1324 e.v.

Prins Bernhards biograaf Alden Hatch omschreef de verhouding tussen de koningin en de prins tijdens de oorlogsjaren als een onverbrekelijke eenheid: 'In de afgelopen jaren was er een zeer nauwe band ontstaan tussen koningin Wilhelmina en haar toegewijde schoonzoon. Het was een nauwe band in de letterlijke zin, doordat ze zoveel uren samen hadden doorgebracht binnen de enge wanden van een schuilkelder; maar er was ook een innige verbondenheid ontstaan door het vertrouwen dat zij in elkaar stelden en door de genegenheid die zij voor elkaar koesterden' (Hatch, a.v., blz. 132). De verwijzing naar schuilkelders berust op een mythe, want prins Bernhard heeft naar eigen zeggen 'tijdens de bombardementen nooit in schuilkelders gezeten' en derhalve ook niet samen met zijn schoonmoeder.

3. De Jong, a.v., 10a, dl. 1, blz. 176.

4. De Jong, a.v., 10a, dl. 1, blz. 170.

5. In de redactie van Radio Oranje dreigde een conflict uit te breken over de overhaasting waarmee de benoeming van prins Bernhard tot bevelhebber der Nederlandse strijdkrachten via de radio werd bekendgemaakt. Het hoofd van Radio Oranje, H.J. van den Broek, bij het grote publiek beter bekend als 'De Rotterdammer' (niet dezelfde als ir J. van den Broek, die in Londen minister van Financiën was) kreeg van zijn redacteur A. den Doolaard de waarschuwing dat de bekendmaking moest worden opgehouden, omdat het benoemingsbesluit wel door de koningin was getekend maar nog niet was gecontrasigneerd. Den Doolaard weigerde het bericht in de uitzending voor te lezen zolang het besluit niet de handtekening van een van de ministers zou dragen. 'Het was staatsrechtelijk helemaal niet in de haak, dat het besluit slechts de handtekening van de koningin droeg en rechtstreeks van haar naar de redactie was gebracht. Ik maakte daar op formele gronden bezwaar tegen, want het was een ketterij die mijn liberale gemoed niet kon verdragen, maar Van den Broek werd daar buitengewoon nerveus van en zag niets in een formeel protest, want hij had – dat wist ik wel – "opdracht van hogerhand" gekregen. Met andere woorden, de koningin had opdracht gegeven het besluit onmiddellijk uit te zenden. Ik moet bekennen dat het me niet echt verbaasde, omdat dergelijke zonden tegen de constitutie in Londen wel vaker voorkwamen' (mededeling van Den Doolaard aan de auteur). Het ontbreken van een contraseign verklaart het persoonlijk voornaamwoord 'ik' in de toelichting van het benoemingsbesluit. Zou de koninklijke weg gevolgd zijn, dan zou het 'ik' op grond van de ministeriële medeondertekening ongetwijfeld in 'wij' zijn veranderd. Uiteindelijk werd het besluit door drie ministers ondertekend, namelijk Gerbrandy (minister-president en Algemene Oorlogvoering), Van Lidth de Jeude (Oorlog) en Van Heuven Goedhart (Justitie). Het werd ook enkele dagen geantidateerd.

6. De naam Binnenlandse Strijdkrachten die de troepen van prins Bernhard kregen, werd op het hoofdkwartier van generaal Eisenhower bedacht, zoals blijkt uit een brief van Eisenhowers chef-staf generaal W. Bedell Smith van 31 augustus 1944: 'Nu de bevrijdingslegers naar de grenzen van Nederland beginnen op te rukken, acht de opperbevelhebber de tijd gekomen om de verzetsbeweging in Nederland te beschouwen als "de Nederlandse Binnenlandse Strijdkrachten"' (De Jong, a.v., 10a, dl. 1, blz. 171). Diezelfde dag nog zond het Bureau Inlichtingen (BI) aan de illegaliteit in Nederland, dat wil zeggen aan de Raad van Verzet en aan de Contact-Commissie der illegaliteit, het volgende telegram uit Londen: 'Er wordt overwogen de actieve Nederlandse verzetsgroepen bij eventuele krijgsverrichtingen in Nederland officieel te erkennen als binnenlandse militaire strijdkrachten. Op Geall. initiatief en met volledige instemming van HM en betrokken ministers zal prins Bernhard, door HM en generaal Eisenhower aangewezen, vanuit het hoofdkwartier leiding hebben te geven aan deze strijdkrachten.' De afzenders hadden de officiële bekendmaking naar eigen inzicht liberaal geïnterpreteerd. Van 'Geall. initiatief' was geen sprake en de 'volledige instemming der betrokken ministers' was niet verkregen (De Jong, a.v., 10a, dl. 1, blz. 172). Op 4 september 1944 reageerde de Raad van Verzet telegrafisch: 'De ondergrondse strijders begroeten met vreugde in ZKH hun opperbevelhebber. Zij wachten met ongeduld op zijn bevelen en hopen weldra onder zijn leiding met ontplooide vaandels de laatste vijand van de Nederlandse bodem te verdrijven' (PEC, 7c, blz. 35). De Nederlandse illegaliteit had nog geen bericht van de officiële titel van de prins ontvangen en verkeerde nog in de veronderstelling dat haar aanvoerder nu opperbevelhebber was geworden. Het Bureau Inlichtingen had over de titel niets gemeld, wat waarschijnlijk niet zonder opzet was gebeurd.

7. De Jong, a.v., 10a, dl. 1, blz. 176.

8. Van de risico's die in een dergelijke constitutionele dubbelrol voor prins Bernhard besloten lagen, gaf ten minste één adviseur van de Nederlandse regering in Londen zich impliciet rekenschap: dr G.H.C. Hart, economisch adviseur van de minister van Koloniën, schreef na de capitulatie van de Belgische koning in zijn dagboek: 'Wel blijkt duidelijk, hoe bedenkelijk de combinatie van de functie van opperbevelhebber met die van koning is en hoeveel zuiverder de gang van zaken, bij alle ellende, bij ons is geweest, hetgeen in Engeland en Frankrijk duidelijk, feitelijk nu eerst wordt begrepen' (A.E. Kersten (red.), *Het dagboek van dr G.H.C. Hart/Londen mei 1940-mei 1941*, Den Haag, 1976, blz. 18).

9. Het verbod op het voeren van de titel opperbevelhebber is op het spraakgebruik in de gelederen van de Binnenlandse Strijdkrachten maar beperkt doorgedrongen: tot de dag van vandaag houden de meeste oud-BS-medewerkers van de prins vast aan de gewoonte hem als hun 'opperbevelhebber' te beschouwen.

Ook in de Nederlandse vertaling van prins Bernhards 'geautoriseerde' biografie van Alden Hatch (*Prins Bernhard, zijn plaats en functie in de moderne monarchie*; Becht Uitgeversmaatschappij, Amsterdam, 1962) is ten onrechte de titel opperbevelhebber gehandhaafd. Zo laat de vertaling, waarin een hoofdstuk getiteld is 'Opperbevelhebber', prins Bernhard zeggen: 'Toen ik nog opperbevelhebber was, kon ik eenvoudig zeggen: laten we eens een proef nemen' (blz. 324). Prins Bernhard ontkent overigens dat het boek van Hatch een geautoriseerde vertaling is. Hij zegt de tekst vóór publikatie niet te hebben gezien en derhalve ook geen autorisatie te hebben gegeven.

De getuigen die in de jaren 1948-1950 voor de Parlementaire Enquêtecommissie verschenen, spraken in hun bijdragen over de Binnenlandse Strijdkrachten vrijwel zonder uitzondering eveneens hardnekkig van 'opperbevelhebber' (PEC, 5c, blz. 268). Aangezien dat ook werd gedaan door de getuige mr G.J. van Heuven Goedhart, die minister van Justitie was van 11 juli 1944 tot 23 februari 1945 en een van de ondertekenaars van het benoemingsbesluit van 3 september 1944, moet worden aangenomen dat het kabinet-Gerbrandy geen ruime bekendheid heeft gegeven aan de brief van minister Van Lidth de Jeude van 16 november 1944 aan generaal Eisenhower, die een officiële 'rectificatie' bevatte.

Hoe gevoelig die titulatuur tien jaar na de oorlog nog bleek te zijn, kan uit het volgende briefje van oud-premier Gerbrandy van 16 mei 1955 aan prins Bernhard worden afgeleid: 'Koninklijke Hoogheid, Nu de herdenking van onze gevallenen en de herdenking van onze bevrijding voorbij zijn, wil ik U nog eens uitdrukkelijk mijn verontschuldiging aanbieden voor de onjuiste titulatuur in mijn openingswoord op 4 Mei j.l. in de Ridderzaal door U we Koninklijke Hoogheid de naam te geven van Bevelhebber der Binnenlandse Strijdkrachten in plaats van Bevelhebber der Nederlandse Strijdkrachten. Ik had inderdaad als mede-uitlokker en mede contrasignerend Minister van het desbetreffende Koninklijke Besluit beter moeten weten. Bovendien het verschil is in wezen ook niet klein. Het was zeker niet enkel met het oog op de Binnenlandse Strijdkrachten dat met name Generaal Bedell Smith mij zo hartelijk verzekerde van de grote betekenis, die Uw leiding heeft gehad. Ik moge Uwe Koninklijke Hoogheid verzoeken wel mijn betuiging van leedwezen te willen aanvaarden. P.S. Gerbrandy' (archief prins Bernhard/Soestdijk).

10. Telegram van Bureau Inlichtingen aan minister Van Lidth de Jeude (in het Engels): 'queen expects royal decree OLZ stop (am) having meeting with other ministers on monday morning and would appreciate receiving decree by monday' (De Jong, a.v., 10a, dl. II, blz. 926). Van Lidth antwoordde per omgaande aan Van Kleffens, die in Londen in afwezigheid van Gerbrandy de vergaderingen van de achtergebleven ministers voorzat: 'most urgent for ministers council stop ministers here unanimously of opinion nomination OLZ in present phase premature and highly undesirable stop growing resistance of population against irresponsible activities of Interior Forces necessitates inmmediate measures safeguarding prestige royal family stop sending report to queen' (De Jong, a.v., 10a, dl. II, blz. 927).

11. De term 'oranjefascisme' werd in journalistieke kringen in Londen veelvuldig gebruikt voor de autoritaire staatkundige denkbeelden die in de omgeving van koningin Wilhelmina en prins Bernhard over de staatsinrichting van het naoorlogse Nederland werden aangehangen. De socialistische minister Albarda kwam op 20 augustus 1942 in een lezing voor de vereniging Pro Patria, een bolwerk van Nederlandse orangisten in Londen, tegen dit oranjefascisme en vóór de parlementaire democratie op, 'Het werd oranjefascisme genoemd omdat men er in die kringen naar streefde de koningin (na de oorlog) een zekere onbeperkte macht te geven, zonder parlement of als het moest met een adviserend parlement, met ministers die aan de koningin verantwoording schuldig waren en niet aan het parlement. Men streefde daar dus naar een herstel van het absolutisme, bijna nog krachtiger dan Nederland in het begin van de negentiende eeuw gedurende korte tijd heeft gekend' (PEC, 5a, blz. 218). 'Er is een tijd geweest dat bij een niet gering aantal Nederlanders in Londen opvattingen en stemmingen bestonden, die fascistisch, half-fascistisch of neo-fascistisch konden worden genoemd, namelijk in de eerste jaren van ons verblijf in Engeland. Men kon die opvattingen en stemmingen ontmoeten in de Nederlandse kolonie, die van het staatkundig leven grotendeels vervreemd was, ook bij de Engelandvaarders en vooral in officierskringen' (Get. ir J.W. Albarda, PEC, 5b, blz. 66 en 67).

12. Getuige mr G.J. van Heuven Goedhart, PEC, 5a, blz. 438; 5c, blz. 263.

13. Getuige dr M. van Blankenstein, PEC, 5c, blz. 9.

14. Idem, PEC, 5c, blz. 262.

15. De Jong, a.v., 10a, dl. ii, blz. 928.

16. Idem.

17. De Jong, a.v., 9, dl. ii, blz. 1327.

18. Het ontslag van de socialist mr Burger, die intussen bij de koningin uit de gratie was geraakt en Gerbrandy's 'luis in de pels' was geworden na zijn geruchtmakende radiotoespraak over de zuivering in het bevrijde zuiden, leidde een kettingreactie van ontslagbrieven in. De socialisten Albarda en Van den Tempel stapten uit solidariteit met Burger op. Van Heuven Goedhart volgde hun voorbeeld niet (daarvoor was zijn geestverwantschap met de latere politieke leider van de PVDA te gering), maar wilde met Van den Broek opstappen omdat de koningin haar handtekening weigerde te zetten onder het besluit over de terugkeer van de Staten-Generaal. Hoewel Gerbrandy daarop de koningin meedeelde dat het kabinet in zijn geheel ontslag had aangeboden, hielden de drie eerder genoemde socialisten vast aan afzonderlijk ontslag om het principiële karakter van hun daad te onderstrepen: Burgers daad was een waarschuwing tegen het zijns inziens ondemocratische Militair Gezag en tegen het zuiveringsbeleid, maar kort voordat hij zelf ontslag nam was hij, zonder het te weten, al – met Wilhelmina's instemming – door Gerbrandy uit het kabinet gezet. In feite was hij dus twee keer ontslagen. Albarda wenste geen verantwoordelijkheid te nemen voor die bejegening van zijn ambtgenoot en hekelde publiekelijk de 'Perzische staatszeden' waaraan Gerbrandy zich had schuldig gemaakt. Het toneel was een koningsdrama met een ironische ontknoping: Gerbrandy, die op de nominatie stond om er als eerste uit te vliegen omdat hij de koningin meer tegenwerkte naarmate de bevrijding dichterbij kwam, gaf zijn post niet op, de loyale Van Lidth de Jeude werd bij de kabinetsformatie 'over het hoofd gezien' en Van Heuven Goedhart werd door Gerbrandy, ondanks hun zeer goede persoonlijke betrekkingen, bij de volgende kabinetsformatie zonder egards aan de dijk gezet, omdat de 'illegale' invallers uit het zuiden niet met hem konden samenwerken.

Burgers cause célèbre betrof een radiotoespraak op 14 januari 1945 waarin een uitspraak voorkwam die hem blijvende bekendheid zou bezorgen. In het kort zette hij zijn bezwaren uiteen tegen een te groot uitgevallen zuivering van collaborateurs, waaronder door het toedoen van het overijverige Militair Gezag te veel mensen zouden vallen die daarvoor niet belangrijk genoeg waren. 'Wanneer dan ook sommigen het zuiveringsvraagstuk tot stokpaardje nemen en daarbij willen krenken en verwijderen díe Nederlanders, die niet de meest volmaakte houding van gemoed en beleid hebben ten toon gespreid, dan acht ik dit uitgangspunt ten enenmale onjuist. *Want het gaat niet om het vinden van begane fouten, maar om het vinden van hen, die fout zijn geweest.* Wanneer voor hen die fout zijn geweest, het recht zijn loop heeft gehad, dan is het zuiveringsvraagstuk ten einde' (Chr. van Esterik/Joop van Tijn, a.v., blz. 77).

19. Getuige ir J.B. ridder de van der Schueren was eerder lid van de Buitengewone Raad van Advies, die in 1942 in Londen was opgericht om de regering bij het ontbreken van een parlement tot klankbord te dienen. Hij werd na de bevrijding benoemd tot commissaris der koningin in Overijssel, PEC, 5c, blz. 634 e.v.

20. De leiders van de 'oude' partijen (zoals Koos Vorrink en Jan Schouten) hadden in de herfst van 1942 op vragen van Londen over de huns inziens noodzakelijke naoorlogse staatkundige hervorming geantwoord: 'In zoverre gesproken kan worden van een algemeen verlangen naar een sterkere autoriteit der regering, betreft dit zeker niet de behoefte aan een wijziging van de staatsrechtelijke positie van het staatshoofd' (De Jong, a.v., 9a, dl. II, blz. 1326).

21. De Jong, a.v., 9a, dl. II, blz. 1328 en 1332.

22. De Jong, a.v., 10a, dl. II, blz. 1026.

23. Volgens De Jong 'viel het de koningin nimmer moeilijk, minachtend over ministers te oordelen' (De Jong, a.v., 10a, dl. II, blz. 1025 en 9a, dl. II, blz. 1324-1325).

24. Dr J.E. de Quay, minister van Oorlog in het derde kabinet-Gerbrandy van 24 april 1945 tot 24 juni 1945, was voorzitter van het 'driemanschap' van de Nederlandse Unie, een door Seyss-Inquart, de Duitse rijkscommissaris voor het bezette Nederlandse gebied, toegelaten maatschappelijke organisatie, die de samenwerking met de bezetter niet schuwde en op grond daarvan door de illegaliteit hevig werd bestreden. Onder het voorzitterschap van De Quay riep de Unie haar kaderleden op om vrijwillig voor de 'Winterhulp' te collecteren; toen dat weinig succes bleek te hebben, schreef zij verplichte medewerking voor. Mr G.J. van Heuven Goedhart waarschuwde in een brief d.d. 1 februari 1945 premier Gerbrandy voor de figuur van De Quay, wiens naam op dat moment al voor een post in het kabinet circuleerde. Daaraan is de volgende zin ontleend: 'Terwijl de verzetsbeweging van den eersten dag den Arbeidsdienst bestreden heeft als een scholingsinstituut voor NSB'ers, bepleitte De

Quay vrijwillig toetreden tot dien Arbeidsdienst met den grootsten nadruk' (PEC, 5b, bijlage 161, blz. 468). Na de oorlog werd De Quay commissaris van de koningin in Noord-Brabant en in 1959 minister-president (tot 1963).

25. De Jong, a.v., 10a, dl. II, blz. 1016.

26. De Jong, a.v., 9, dl. II, blz. 1338.

27. De Jong, a.v., 10a, dl. II, 1015.

HOOFDSTUK IX (PAG. 87 T/M 96)

1. Het College van Vertrouwensmannen bestond uit de latere minister-president W. Drees, de commissaris van de koningin in Utrecht jhr mr L.H.N. Bosch van Rosenthal (voorzitter), de Leidse hoogleraar in het handelsrecht en burgerlijk procesrecht mr R.P. Cleveringa, de commissaris van de koningin in Limburg mr W.G.A. van Sonsbeeck (later vervangen door het Eerste-Kamerlid pater dr J.G. Stokman), de latere commissaris van de koningin in Drente, mr J. Cramer, de ambtenaar der buitenlandse dienst J. van der Gaag, de hoogleraar aan de Vrije Universiteit mr J. Oranje (bijgenaamd de 'vader der prinsen') en de directeur-generaal der PTT ir L. Neher. Secretaris was mr J. le Poole. De hoofdtaak van het college was het nemen van maatregelen tot handhaving van rust en orde, een taak die, krachtens het Besluit Bijzondere Staat van Beleg (BBSB), bij doublure ook aan het Militair Gezag was opgedragen en onvermijdelijk competentiegeschillen veroorzaakte. De leden van het College van Vertrouwensmannen werden onder andere gerechtigd verklaard elke ambtenaar van rijk, provincie of gemeente bevel te geven tot staking van de uitoefening van zijn functie. Diezelfde bevoegdheid was ook aan het Militair Gezag toegekend.

2. H.J. Kruls, *Generaal in Nederland*, Bussum, 1975, blz. 104. Ook andere bronnen doen mededeling van Gerbrandy's toverformules. Volgens verschillende ambtgenoten uit zijn Londense kabinetten tilde Gerbrandy niet zwaar aan constitutionele voorschriften en gebruiken. Mr G.J. van Heuven Goedhart (Justitie) noemde Gerbrandy (met wie hij bevriend was) 'constitutioneel uitgesproken zwak' (in een brief d.d. 29 maart 1945 aan de voorzitter van het College van Vertrouwensmannen; opgenomen in de Bijlagen van de Verslagen der Enquêtecommissie). Oud-minister P.A. Kerstens hekelde in zijn verhoor door de Enquêtecommissie de constitutionele gemakzucht van Gerbrandy. 'Dat is nu eenmaal de aard van de heer Gerbrandy, wiens

typische uitdrukking was: *daar baggeren we wel doorheen*. Dat was een woord, dat hij welhaast dagelijks gebruikte. Dat maakte het zeer moeilijk; daardoor ontstonden telkens spanningen' (Get. P.A. Kerstens, PEC, 5c, blz. 92).

3. Het Militair Gezag telde op 30 juni 1945 ruim 4100 burgerambtenaren, 1736 officieren en 10 683 onderofficieren, niet meegerekend het personeel der bewakings- en verblijfskampen (opgave in: Kruls, a.v., blz. 141). De ministers Van den Tempel en Kerstens braken voor de Parlementaire Enquêtecommissie de staf over het salarisbeleid van het Nederlandse ministerie van Oorlog in Londen, omdat de functionarissen van het Militair Gezag zo veel toelage kregen, dat de aanzuigende werking die daarvan op de Nederlandse ambtenaren uitging, de Nederlandse departementen in Londen ontvolkte. Door die concurrentievervalsing verloren tal van ministers bekwame ambtenaren aan het MG, 'die slechts een uniform aantrokken en daarvoor dubbel betaald kregen' (PEC, 5c, blz. 97).

4. Kruls, a.v., blz. 85.

5. Het Arrestatiebesluit-1944 onderscheidde ten minste vier fasen: een voorfase waarin de BS bevoegd waren tot arresteren, en een eerste, tweede en derde fase, waarin weer andere gezagsorganen als de (intussen gezuiverde) politie en de politieke opsporingsdienst een rol speelden.

6. Prof. dr J.H.A. Logemann (PvdA), minister van Overzeese Gebiedsdelen in het kabinet-Schermerhorn/Drees van 24 juni 1945 tot 3 juli 1946.

7. In de correspondentie van de overheid van die jaren werd het vrouwelijk persoonlijk voornaamwoord nog consequent gebruikt indien het betrekking had op een vrouwelijk zelfstandig naamwoord. Dat had tot gevolg dat prins Bernhard in derde-persoonsaanduidingen die verband hielden met zijn aanspreekvormen Zijne Koninklijke Hoogheid (Z.K.H.) of Uwe Koninklijke Hoogheid (U.K.H.) altijd bejegend werd met Haar of Hare. De brief van minister Logemann van 20 augustus 1945 aan prins Bernhard begon dan ook aldus: 'In den avond van den 10den dezer verzocht U.K.H. mij een onderzoek in te stellen naar een te Haren opzichte ongepaste uitlating, die de heer P. Kerstens [...] zich zou hebben veroorloofd tegenover den Kapitein Pruis van Haar staf.' De naam van de kapitein was in de brief verkeerd gespeld en moest luiden: Pruys (brief in archief prins Bernhard/paleis Soestdijk).

8. De brief van minister Logemann van 20 augustus eindigde met de mededeling: 'Mijn ambtgenoot Mr Meynen deelt de bovenstaande conclusie' (zie vorige noot).

9. Memorandum nr 270 *'Mijn positie en verantwoordelijkheid'* van 22 maart 1945 (archief prins Bernhard/paleis Soestdijk).

10. Brief van de minister van Oorlog van 18 augustus 1945 aan Z.K.H. de Prins der Nederlanden, antwoord van prins Bernhard d.d. 23 augustus 1945 (beide in archief: prins Bernhard/paleis Soestdijk).

11. Brief van de minister van Oorlog van 5 maart 1946 aan Z.K.H. de Prins der Nederlanden. In een brief van dezelfde minister van 21 juni 1946 werd de prins medegedeeld dat een en ander was uitgewerkt in het koninklijk besluit van 28 mei 1946, nr 86, 'waarbij aan Uwe Koninklijke Hoogheid, in Haar functie van Inspecteur-Generaal der Koninklijke Landmacht een tegemoetkoming in representatiekosten wordt toegekend naar reden van *f* 10 000,- per jaar' (archief prins Bernhard/paleis Soestdijk). In 1959 is deze vergoeding voor 'representatiekosten', eveneens bij koninklijk besluit, verhoogd tot *f* 20 000,- per jaar, bevestigd in een brief van de minister van Defensie S.J. van den Bergh van 3 juni 1959 (aanwezig in archief prins Bernhard/paleis Soestdijk).

HOOFDSTUK X (PAG. 97 T/M 109)

1. Memorandum van het hoofd van de sectie III van de Binnenlandse Strijdkrachten van 27 april 1945 aan prins Bernhard; brief van de commander of the Netherlands Forces, lieutenant-general Prince of the Netherlands aan lieutenant-general W.B. Smith, Chief of Staff, A.E.F. van 29 april 1945 (archief prins Bernhard/paleis Soestdijk).

2. Brief aan Lt-Gen. W.B. Smith van 7 april 1945 (archief prins Bernhard/paleis Soestdijk), die als volgt begint: 'Since you know that I am known as a scrounger – usually not unsuccessful – I should like to ask for your personal help in another of these little matters.' In het archief is geen schriftelijk antwoord aangetroffen, waarschijnlijk is er telefonisch op gereageerd. Prins Bernhard en Bedell Smith belden veel met elkaar en ontmoetten elkaar in die periode ook regelmatig.

3. Het gelukte minister Meynen (Oorlog) in juli 1945 koningin Wilhelmina ervan te overtuigen dat het uit constitutioneel oogpunt

veiliger was om prins Bernhard na de ontbinding van de Binnenlandse Strijdkrachten, nu deze voor een deel waren overgegaan naar het nieuwe leger en in Nederlands-Indië waren ingezet voor de bevrijding van Java, van zijn commando te ontheffen. De ontbinding van de BS verschafte Meynen een gerede aanleiding de ontheffing bij koningin Wilhelmina erdoor te krijgen. In de functie van inspecteur-generaal kon het leger profiteren van zijn kennis en ervaring, want volgens de minister had de prins 'werkelijk goed inzicht in legerzaken'. De koningin stemde in met het creëren van een nieuwe functie voor haar schoonzoon, mits deze niet zou *slijten*. Zij bond aan haar goedkeuring de voorwaarde dat de vernieuwing van het leger, die de regering kort tevoren had aangekondigd, volgens plan zou worden uitgevoerd. In een notitie aan de minister schreef zij (met haar typische toepassing van de inversie): 'Wordt aan deze voorwaarde binnen vier maanden niet in de bevredigende wijze voldaan, ik bij den Prins zal aandringen zijn ontslag te vragen' (J. Meynen in: G. Puchinger, *Is de gereformeerde wereld veranderd?* Delft, 1964, blz. 151).

4. De benoeming tot inspecteur-generaal van de koninklijke landmacht werd geregeld bij koninklijk besluit van 13 september 1945, nr 25, waarbij tevens werd vastgesteld de instructie van de inspecteur-generaal, bij ministeriële beschikking van 8 oktober 1945, nr 2.

5. Brief van de generaal-majoor H.J. Phaff van 17 maart 1945 aan prins Bernhard (archief prins Bernhard/paleis Soestdijk). Phaff nam ontslag als adjudant van de prins, omdat hij zich beledigd voelde door de kritiek die prins Bernhard op de sociale gezindheid van de vooroorlogse officieren had geoefend. De prins had bij die gelegenheid gezegd, dat naar zijn mening 'ten minste vijftig procent van het officierscorps van 1940 het vertrouwen van de onder hen dienende manschappen niet had, aangezien zij zich dit vertrouwen nimmer door hun handelingen of optreden hadden verworven. Zij hadden zich nooit de moeite gegeven zich buiten den dienst met de manschappen te bemoeien. Dit gebrek aan vertrouwen in het officierscorps was volgens mij o.a. een der oorzaken geweest van het feit, dat ons leger in 1940 niet méér heeft kunnen presteeren' (brief van prins Bernhard van 10 maart 1945 aan Phaff). Generaal Phaff wees in zijn brief van 17 maart de 'moderne beginselen' van de prins als modebegrippen van de hand. 'De ondergeschikten zijn er heusch niet van gediend, dat hun meerderen zich buiten dienst steeds met hen bemoeien. De woorden "Vader en vriend zijn van zijne soldaten" is een modeleuze geworden.' Phaff vatte zijn kritiek op de strekking van de krijgshistorische visie van de prins samen in de kwalificatie 'ondoordacht'.

Phaff had enkele dagen eerder eveneens zijn handtekening gezet onder een protestbrief van vijf in Londen verblijvende opperofficieren aan de minister van Oorlog, waarin deze gevraagd werd zich te distantiëren van de kritiek die de prins op het vooroorlogse leger had geoefend. Deze brief van 12 maart 1945 was verder ondertekend door de generaal-majoor D. van Voorst Evekink, de luitenant-generaal J.F. v.d. Vijver, de generaal-majoor J.W. van Oorschot en de generaal-majoor A.Q.H. Dijxhoorn, de oud-minister van Defensie. Minister J.M. de Booy (Oorlog a.i.) kwam niet ten principale aan het verzoek van Phaff en de anderen tegemoet, maar gaf de prins de volgende terechtwijzing: 'Ik moge Uwer Koninklijke Hoogheid verzoeken in den vervolge wel rekening te willen houden met mijne zienswijze, dat het voor het met een goede geest bezielen van officieren en manschappen van het leger niet noodig of gewenscht is om op kleineerende wijze te spreken over het personeel van de Koninklijke Landmacht, dat in Mei 1940 met geheel onvoldoende sterkte en bewapening het land moest verdedigen' (brief van 27 maart 1945 van de minister van Oorlog a.i. aan prins Bernhard; archief prins Bernhard/paleis Soestdijk).

6. In gesprek met de auteur. De sympathie van de prins voor de 'gewone man' in het leger en zijn vermogen diens taal te spreken steken opzichtig af tegen de officiële taal van zijn omgeving op het paleis. In 1945 worden namens de Prins der Nederlanden nog briefjes geschreven die beginnen met de archaïsche formule: 'Overeenkomstig de bevelen van Z.K.H. de Prins der Nederlanden stuur ik U bijgaand de gesigneerde foto waar U om gevraagd hebt.' Pas in de jaren vijftig dringen moderne correspondentievormen door. Dan worden de *bevelen* geleidelijk vervangen door *opdrachten*. In de jaren zestig maken de opdrachten plaats voor verzoeken.

7. Brief van 1 mei 1945 (nr 845. Afd. 1) van de fgd. Directeur van Politie in het ressort van het gerechtshof te 's-Hertogenbosch aan Z.K.H. Prins Bernhard, Bevelhebber der Nederlandsche Strijdkrachten TE VELDE (archief prins Bernhard/paleis Soestdijk).

8. Brief van prins Bernhard van 17 juni 1945 aan de generaal-majoor mr H.J. Kruls, chef-staf Militair Gezag (archief prins Bernhard/paleis Soestdijk).

9. Brief van prins Bernhard van 21 februari 1946 aan de luitenant-generaal b.d. jhr W. Roëll.

10. Brief van prins Bernhard van 4 mei 1945 aan de generaal-majoor mr H.J. Kruls (archief prins Bernhard/archief paleis Soestdijk).

11. De Jong, a.v., 9, dl. II, blz. 889.

12. Brief van prins Bernhard van 10 juni 1945 aan de minister van Oorlog (archief prins Bernhard/paleis Soestdijk). Derksema was hoofd van de sectie IIIa van het Militair Gezag (politie).

13. Brief van prins Bernhard van 17 februari 1945 aan de minister van Oorlog te Londen (archief prins Bernhard/paleis Soestdijk).

14. Brief van prins Bernhard van 18 december 1945 aan de minister van Marine. De brief eindigt als volgt: 'Intusschen bestaat misschien de mogelijkheid om aan de nieuwe Marinier-officieren iets van den geest van de oude Mariniers, waar dergelijke dingen zonder eenigen twijfel niet zouden zijn voorgekomen, te doen bijbrengen en ik zou het ten zeerste op prijs stellen, indien ik hierover de meening van Uwe Excellentie zou mogen vernemen' (archief prins Bernhard/paleis Soestdijk).

15. Brief van prins Bernhard van 18 juni 1946 aan de Raad voor Oorlogvoering (archief prins Bernhard/paleis Soestdijk).

16. Brief van prins Bernhard van 16 mei 1949 aan de minister van Oorlog (archief prins Bernhard/paleis Soestdijk).

17. In de biografie van Alden Hatch zegt de prins over zijn inzet voor de verzelfstandiging van de koninklijke luchtmacht in de jaren vijftig: 'Een van de dingen die ik bereikt heb is in elk geval de afzonderlijke luchtmacht. Dat was geen oorspronkelijk idee, maar het lag in de lijn van de ontwikkeling. Toch was 90 procent van de mensen die iets te zeggen hadden ertegen. Ik heb er zeven jaar voor gevochten. En het is me gelukt' (Hatch, a.v., blz. 324).

18. Mededeling aan de auteur. De luitenant-kolonel der grenadiers b.d. H.F. Fabri is de samensteller van het *Gedenkboek 40 jarig bestaan van de staf inspecteur-generaal*, Hilversum, 1985 (niet in de handel).

HOOFDSTUK XI (PAG. 110 T/M 125)

1. Brief van prins Bernhard van 5 juni 1950 aan de minister van Economische Zaken (archief prins Bernhard/archief paleis Soestdijk).

2. Brief van minister dr J.R.M. van den Brink (Economische Zaken) van 7 juni 1950 (archief prins Bernhard/paleis Soestdijk).

3. Brief van dr H.N. Boon van 24 september 1952 aan dr H.R. van Houten, buitengewoon gezant en gevolmachtigd minister te Mexico (Algemeen Rijksarchief/particuliere collectie H.N. Boon).

4. Brief van prins Bernhard van 12 februari 1948 aan minister mr C.W.G.H. baron van Boetzelaer van Oosterhout; minister van Buitenlandse Zaken van 3 juli 1946 tot 7 augustus 1948 (Archief Buitenlandse Zaken/AMBZ, 272/Algemeen, 1950). Ook uit de hier weergegeven spelling blijkt dat de prins in 1948 soms nog eigenhandig brieven schreef. Zijn spelling zou onder invloed van zijn puzzelwoede in de loop der jaren echter zo goed als foutloos worden. In 1992 bereikte hij onder de deelnemers in paleis Soestdijk de hoogste score in de dagelijkse puzzels van de *Volkskrant* en *The International Herald Tribune* (mededeling van de persoonlijk assistent van de prins, mevrouw C.M. Gilles).

5. Mr D.U. Stikker werd op 7 augustus 1948 minister van Buitenlandse Zaken in het kabinet-Drees/Van Schaik. Hij stelde zich, na een conflict met zijn partij over het te volgen beleid in de kwestie-Nieuw Guinea, in september 1952 niet meer voor het tweede kabinet-Drees beschikbaar. Hij vertegenwoordigde de VVD, maar schreef van zichzelf: 'Ik ben in mijn hart geen partijman.' Stikker nam het initiatief tot de oprichting van de Stichting van de Arbeid (17 mei 1945), waarvan hij in dat jaar de voorzitter werd. Hij begon zijn loopbaan als bankier (bij zelfstandige dochters van de Twentsche Bank), maar werd in 1935 directeur van Heineken's Bierbrouwerij N.V. in Amsterdam. In de oorlog was hij een vooraanstaande figuur in de ondergrondse en speelde hij een centrale rol bij de financiering van het verzet, niet aarzelend de organisatie en de financiële middelen van de brouwerij te gebruiken. Hoewel hij een typische ondernemer was, was hij tijdens en na de oorlog bevriend met verscheidene vakbondsfiguren. Stikker werd in het jaar van zijn aftreden benoemd tot ambassadeur in Londen, een post die hij in 1958 verwisselde voor die van hoofd van de Nederlandse Permanente Vertegenwoordiging bij de Navo. Hij bouwde in die functie internationaal zoveel krediet op dat hij in 1961 werd benoemd tot secretaris-generaal van de Navo. (Gegevens ontleend aan H.N. Boon in *Biografisch Woordenboek van Nederland*, Amsterdam, 1985, dl. II, blz. 536-539.)

6. Memo van dr H.N. Boon van 12 augustus 1949 (Archief Buitenlandse Zaken/AMBZ, 272/0/Algemeen).

7. Memo van chef directeur kabinet en protocol van 1 december 1949 aan secretaris-generaal (Archief Buitenlandse Zaken/AMBZ/272/Reis prins Bernhard Argentinië, 1951).

8. In het begin van de jaren vijftig maakte prins Bernhard, op verzoek van de regering en aan het hoofd van een officiële missie, drie grote reizen naar Latijns-Amerika. In 1950: Nederlandse Antillen en Suriname, Brazilië, Mexico en Venezuela, in 1951: Argentinië, Uruguay en Chili; in 1952: Mexico, Colombia, Ecuador en Peru. Een reisverslag in: F.A. de Graaff, *Met de prins op reis*, Haarlem, 1951. Dr F.A. de Graaff was particulier secretaris van prins Bernhard in die jaren.

9. Schriftelijke vragen van het Tweede Kamerlid A. van der Hek van 15 maart 1976 aan de minister-president, de minister van Financiën en aan de minister van Economische Zaken (*Handelingen Tweede Kamer*, zitting 1975-1976, Aanhangsel, nr 827, blz. 1651). Vraag en antwoord zijn in de 'witte stukken' verkeerd gedateerd: het antwoord van de regering zou volgens de officiële datering (15 maart) een dag eerder door de Kamer zijn ontvangen dan de vragen van Van der Hek aan de regering waren ingezonden (16 maart).

10. Dr M.W. Holtrop was gedurende zijn presidentschap van De Nederlandsche Bank zo afkerig van persoonlijke publiciteit, dat zijn vroegere naaste medewerkers verrast waren door zijn toetreding tot de Commissie van Drie. Een van die medewerkers heeft in zijn dissertatie over het monetaire beleid van dr Holtrop de vraag opgeworpen waarom de oud-president van de Bank in deze commissie zitting heeft genomen, gegeven diens behoefte aan privacy. 'Denkbaar is, dat hij zich met het tot hem gerichte verzoek vanwege de daaraan verbonden publiciteit allerminst gelukkig heeft gevoeld. Echter, zoals bij eerdere aangelegenheden is gebleken, heeft Holtrop steeds gedacht, gesproken en gehandeld vanuit zijn betrokkenheid bij zaken van het algemeen belang. Daar dit belang een nationale dimensie kreeg – het risico van een crisis rondom de monarchie kon immers niet worden uitgesloten – mag stellig worden aangenomen, dat Holtrop op dat moment zijn plichtsbesef zonder aarzeling heeft laten prevaleren boven overwegingen van persoonlijke aard' (W.F.V. Vanthoor, *Een oog op Holtrop, Grondlegger van de Nederlandse monetaire analyse*, diss., Amsterdam, 1991, blz. 207).

11. Het Kantoor Deviezenvergunningen van De Nederlandsche Bank heeft op 22 juni 1951 een vergunning afgegeven tot het verrichten van betalingen op aanwijzingen van de N.V. Werkspoor, tot een

bedrag van *f* 30 028 774,50, zulks ten laste van de US-dollarrekening van de Nederlandsche Handel-Maatschappij, aan wie de vergunning was geadresseerd. De betaling is tussen 28 juni en 9 juli 1951 verricht, maar De Nederlandsche Bank heeft, aldus het antwoord van de regering in 1976, niet kunnen achterhalen wie de begunstigde(n) was/waren.

12. Oud-presidenten van De Nederlandsche Bank blijven, evenals presidenten van de Verenigde Staten, voor het leven in het bezit van de titel president. In de Verenigde Staten heeft dat prerogatief een wettelijke basis, in Nederland steunt het op een traditie, die overigens alleen binnen de Bank en onder de oud-personeelsleden in acht wordt genomen. Tot de zichtbare hoogheidsrechten die een oud-president van De Nederlandsche Bank worden toegekend, behoort een vaste werkkamer met telefoon in de gebouwen van de Bank, waarover hij naar believen kan beschikken.

13. In gesprek met de auteur. Overigens predikte dr Holtrop niet het *holier-than-thou*-devies, want een jaar voordat de zaak van de Werkspoororder in de directie van de Bank speelde, had hij zijn fiat gegeven aan een deviezenvergunning voor een transactie met Argentinië waarmee eveneens een groot bedrag aan steekpenningen gemoeid was. Het betrof hier 'provisie' verschuldigd wegens levering van drie emigrantenschepen. De leveranciers voor deze Argentijnse order waren de scheepswerven De Schelde (twee schepen) en Van der Giessen (één) en Werkspoor, die de motorinstallatie voor een van de schepen zou leveren. De Argentijnen vroegen een 'provisie' van *f* 1 275 000 per schip of een half miljoen dollar, ineens te betalen bij de ondertekening van de contracten. Met het oog op de geheimhouding zou de betaling in New York op een speciale rekening moeten geschieden. Blijkens een stuk van 20 december 1947 in het directiearchief van De Nederlandsche Bank wist dr Holtrop dat de 'provisie' moest worden uitbetaald 'aan hoge regeringspersonen in Argentinië'. In dit geval noteerde hij in de marge (in potlood): 'Ned Bank geen bezwaar indien B.E.B. en Financiën accoord, mits zeker is dat dan ook handelsovereenkomst tot stand komt.' Voordat hij zijn goedkeuring gaf, belde de president van De Nederlandsche Bank met Economische Zaken (ir Kerkhoven), die oordeelde dat de totstandkoming van het schepencontract 'zeer belangrijk' was, omdat 'hiermee de kredietverlening van Argentinië samenhangt'.

Onder de stukken in het directiearchief van De Nederlandsche Bank bevindt zich een zogenaamd A-formulier van het kantoor deviezenvergunningen van de Bank, dat speciaal voor transacties met steekpenningen werd gebruikt. In de wandeling heette dit een provisieformulier. De Nederlandsche Bank had voor het doorsluizen van 'provisies' een speciale *terme voilé* ingevoerd, de 'uitkering in verband met behaalde overprijs'. Blijkbaar kwam dit zo vaak voor, dat men er voorgedrukte formulieren voor liet maken.

14. Mededeling aan de auteur.

15. Idem.

16. Idem.

17. Brief van het Spaans, Portugees en Ibero-Amerikaans Instituut van de Rijksuniversiteit te Utrecht van 18 oktober 1957 aan prins Bernhard, waarin onder dankbetuiging de ontvangst bevestigd wordt van 'een deel van Uw tantième als Commissaris van de N.V. Koninklijke Nederlandse Vliegtuigenfabriek Fokker' (archief prins Bernhard/paleis Soestdijk). Soortgelijke schenkingen werden ook gedaan aan culturele instellingen, zoals het Prins Bernhardfonds, getuige bedankbrieven van dat fonds, die in het archief voorkomen (zie ook noot 4 in hoofdstuk XIII).

18. Het ministerie van Buitenlandse Zaken gaf ten behoeve van de Zuidamerikaanse regeringen een curriculum vitae van de prins uit, waarin de gegevens over zijn universitaire vorming enigszins waren geretoucheerd. Het c.v. vermeldde: rechtenstudie aan de universiteiten te Lausanne, München en Berlijn. De in Berlijn behaalde graad van Referendar Juris werd, in strijd met de feiten, door het ministerie gekwalificeerd als superieur aan de Nederlandse meestertitel, blijkens de aantekening tussen haken: 'iets meer dan meester in de rechten' (Archief BZ/stuk F.O. 19670/1950).

19. Codetelegram van minister van Buitenlandse Zaken (Stikker) aan Nederlandse ambassadeur te Buenos Aires van 23 februari 1951 (Archief BZ/DKP/KA 18498).

20. Mededeling aan de auteur.

21. Codetelegram van 13 maart 1950 van de minister van Buitenlandse Zaken (Stikker) aan de gezant in Mexico (Archief BZ/DKP, 1950).

22. Telegram van de gezant Kleyn Molekamp van 16 februari 1951 aan secretaris-generaal H.N. Boon (Archief BZ/AMBZ, 272, Argentinië, 1951).

23. Brief van H.H. van Waveren van 30 oktober 1951 aan prins Bernhard (archief prins Bernhard/paleis Soestdijk).

24. Brief van H.H. van Waveren van 10 april 1953 aan prins Bernhard (archief prins Bernhard/paleis Soestdijk).

HOOFDSTUK XII (PAG. 126 T/M 142)

1. H.J.A. Hofland, *Tegels lichten of Ware Verhalen over de Autoriteiten in het Land van de Voldongen Feiten*, Amsterdam, 1972, blz. 119.

2. *Der Spiegel* publiceerde voor het eerst over de kwestie-Hofmans in zijn uitgave van 16 juni 1956. Het kabinet-Drees greep terstond naar het machteloze onderdrukkingsmiddel van een importverbod. Dank zij een importeur die zijn taak niet verstond (Van Ditmar), slaagde het erin de desbetreffende editie van *Der Spiegel* grotendeels buiten de deur te houden (op het deel van de oplage na dat de zwarte markt bereikte). Met het via andere kanalen geïmporteerde Engelse dagblad *Daily Express* en het zondagsblad *The Sunday Pictorial*, die eveneens met uit hofkringen afkomstige onthullingen kwamen, lukte dat maar gedeeltelijk.

3. De commissie bestond uit twee voormalige premiers, dr L.J.M. Beel en mr P.S. Gerbrandy, en uit de voorlaatste gouverneur-generaal van Nederlands-Indië, mr A.W.L. Tjarda van Starkenborgh Stachouwer, die in 1956 permanent vertegenwoordiger van Nederland bij de Navo was. Op 28 juni 1956 maakten koningin Juliana en prins Bernhard de instelling van de commissie bekend. De tekst van het bij die gelegenheid, door de Rijksvoorlichtingsdienst gepubliceerde communiqué luidde: 'De wijze waarop men in den vreemde het toelaatbaar heeft geoordeeld in het openbaar ons gezinsleven en de verhoudingen in onze naaste omgeving te belichten, heeft ons beiden teleurgesteld en gegriefd. Wij achten een onderzoek naar de omstandigheden die hiertoe hebben geleid, gewenst.'

Op 2 augustus verscheen opnieuw een communiqué afkomstig van de koningin en de prins, dat het doofpotkarakter van het onderzoek niet eens meer poogde te verbergen: 'De heren prof. dr L.J.M. Beel, prof. mr P.S. Gerbrandy en jonkheer mr A.W.L. Tjarda van Starkenborgh Stachouwer hebben ons ter voldoening aan de opdracht van 28 juni j.l. hun bevindingen voorgelegd en van raad gediend. Wij betuigen hun onze oprechte dank. Hun advies is voor ons zeer waardevol geweest bij het oplossen van de gerezen moeilijkheden. Met vertrouwen zien wij de toekomst tegemoet.'

Bevatte dit communiqué van koningin Juliana en prins Bernhard in het geheel geen nieuws, een mededeling van de Rijksvoorlichtingsdienst, die later volgde, liep in voorzichtige bewoordingen vooruit op de grote schoonmaak die de hofhouding te wachten stond: de RVD had 'van bevoegde zijde' vernomen dat de koningin en de prins bepaalde voorzieningen in de sfeer van hun personeelsformatie hadden getroffen en dat andere voorzieningen nog zouden volgen, wat zoveel betekende als de aankondiging van de verwijdering van Hofmans en het ontslag van de Van Heeckerens.

In de Tweede Kamer werd op 24 oktober 1956 een summiere verklaring afgelegd door de liberale fractievoorzitter prof. mr P.J. Oud, die in het begin van zijn rede tijdens de Algemene Beschouwingen over de rijksbegroting van 1957 namens de fractievoorzitters dr J.A.H.J.S. Bruins Slot (ARP), mr J.A.W. Burger (PvdA), mr C.P.M. Romme (KVP) en H.W. Tilanus (CHU) het volgende zei: 'De publikaties in de pers in binnen- en buitenland omtrent hetgeen men de kwestie-Soestdijk is gaan noemen, hebben in ons land een ernstige verontrusting gewekt. Het betreft hier een aangelegenheid, waarbij de hoogste belangen van ons koninkrijk zijn betrokken. Zij kan daarom niet worden gezien als een zaak, die alleen de draagster van de kroon persoonlijk raakt en waarvoor haar raadslieden geen verantwoordelijkheid dragen.

Wij vertrouwen, dat het kabinet zich die verantwoordelijkheid ten volle bewust is en dat met name ten aanzien van de inrichting van het Huis der Koningin de maatregelen zullen worden genomen, die in het belang van de ongereptheid der monarchie noodzakelijk blijken' (*Handelingen Tweede Kamer*, dl. I, zitting 1956-1957, blz. 32).

De volgende dag antwoordde de minister-president dr W. Drees: 'Tegen de achtergrond van uiterst betreurenswaardige buitenlandse perspublikaties, waarop ook reacties van binnenlandse zijde zijn gevolgd, geeft de afgelegde verklaring blijk van grote terughoudendheid.

Ook in mijn antwoord stel ik er prijs op terughouding te betrachten. Met name omdat, hoewel ernstige verontrusting in den lande is verwekt, hier mede aan de orde zijn aangelegenheden, die ten nauwste het privé-leven van ons koninklijk gezin raken.

Op 15 oktober is medegedeeld, dat Hare Majesteit de Koningin zich rustig wenst te beraden op de voorzieningen, welke zullen moeten worden getroffen tot het bereiken van een doelmatiger coördinatie van de verschillende diensten van het koninklijk huis. Krachtens artikel 25 van de Grondwet behoort dit tot de taak van de koningin. Ik verwacht, dat deze voorzieningen binnenkort zullen leiden tot mutaties in genoemde diensten.

Het is mijn overtuiging, dat dit zal moeten worden afgewacht, alvorens men zich een mening ter zake kan vormen.

Het kabinet is zich bewust van zijn verantwoordelijkheid het mogelijke te doen tot het hooghouden der monarchie en van Hare Majesteit Koningin Juliana, die zozeer de liefde van de bevolking van het Koninkrijk geniet.

Wat de opmerkingen van de geachte afgevaardigde heer De Groot betreft, kan ik mededelen, dat het kabinet met H.M. de Koningin overlegt, op welke wijze het best kan worden vastgesteld, hoe bepaalde perspublikaties tot stand zijn gekomen. Indien zou blijken, dat deze vanuit Nederland zijn geïnspireerd, zo zullen maatregelen niet achterwege blijven.

In verband met de veelal fantastisch onjuiste voorstellingen, in sommige publikaties gegeven, stel ik er prijs op, zij het ten overvloede, nog eens uit te spreken, dat al wat Hare Majesteit de Koningin in de loop van de jaren op publiek terrein gezegd en gedaan heeft, natuurlijk ten volle voor verantwoordelijkheid van de ministers komt' (*Handelingen Tweede Kamer*, a.v., blz. 73-74).

4. A. Postma (red.), *Aan deze zijde van het Binnenhof, Gedenkboek ter gelegenheid van het 175-jarig bestaan van de Eerste Kamer der Staten-Generaal*, Den Haag, 1990, blz. 374.

5. F.J.F.M. Duynstee, *De kabinetsformaties 1946-1965*, Deventer, 1966, blz. 86. Duynstee spelde de naam van Hofmans tweemaal verkeerd: in het desbetreffende hoofdstuk 'Hofmann' en in het register 'Hofman'.

In zijn Groningse dissertatie over de constitutionele positie van de Nederlandse minister-president vermeldt de historicus J.P. Rehwinkel dat de aandacht voor de kwestie-Soestdijk in de ministerraad vrij minimaal was. 'Drees, die al acht jaar het ambt van minister-president had bekleed, genoot onder zijn collega's, ook die van een andere politieke gezindheid, veel respect. De ministers schonken hem het vertrouwen om de problemen naar eigen inzicht op te lossen.' Vandaar dat de ministerraad geen speciale kabinetscommissie voor de kwestie had ingesteld. 'Drees had derhalve de handen vrij en kon bovendien, met een meer dualistische verhouding tussen regering en parlement dan tegenwoordig, de problemen als een interne aangelegenheid van de regering beschouwen.' Het beleid van Drees is, aldus Rehwinkel, van meet af aan erop gericht geweest buiten de ministers zo weinig mogelijk anderen bij de perikelen aan het hof te betrekken; 'de premier wilde voor alles publiciteit voorkomen' (J.P. Rehwinkel, *De minister-president/Eerste onder zijns gelijken of gelijke onder eersten?* Zwolle, 1991, blz. 65).

6. De journalisten Hugo Arlman en Gerard Mulder hebben Hoflands voorstelling in hun boek *Van de Prins geen kwaad* (Alphen aan den Rijn, 1984) nog aanzienlijk uitgebreid, op grond van niet eerder vrijgegeven officiële stukken uit het kabinetsarchief van de minister van Buitenlandse Zaken en andere archieven.

Illustratief is de bijdrage die het Algemeen Nederlands Persbureau in deze jaren aan de doofpot leverde. Uit een particulier verworven correspondentie tussen functionarissen van dit persbureau blijkt dat het ANP in 1952 door hofkringen geïnformeerd was over de invloed van Greet Hofmans aan het Nederlandse hof, maar alle berichten daarover onderdrukte uit vrees voor beschadiging van de monarchie. Zonder de naam van 'de juffrouw' te durven noemen, schreef de hoofdredacteur van het ANP, D.J. Lambooy, op 6 maart 1952, aan de vooravond van de Amerikaanse reis van de koningin, aan de vertegenwoordiger van het ANP in New York, Donald Canter:

Waarde Canter,
    Een persoonlijke brief. Niet getikt door Tootje.
    Het onderwerp is ook te precair!
    Het gaat natuurlijk over de beroemde juffrouw, die rasputinische herinneringen opwekt.
    Mijn informante uit hoge kringen – gewoonlijk zeer wel geïnformeerd, zoals je weet, want van haar was ook mijn eerste inlichting over de juffrouw – heeft me iets merkwaardigs verteld.
    Namelijk, dat degene, die binnenkort de VS gaat bezoeken, de boodschap bij zich heeft voor haar Amerikaanse collega (de ware man), die de juffrouw uit hogere oorden zou hebben ontvangen. Die boodschap houdt in dat Nederland Nieuw-Guinea zou moeten afstaan.
    Mijn informante zou pogen in diplomatieke kring iets te doen.
    Ik vertrouw dat je deze brief strikt vertrouwelijk behandelt en geen namen noemt, ook niet van mij. Dat is zoo moeilijk bij mijn functie.
    Is er iets aan te doen?
    Hebt ge er reeds iets van gehoord?
    Beste groeten, van Uw
    D.J. Lambooy

De Newyorkse ANP-correspondent beschouwde de particulier secretaris van de koningin Van Heeckeren als de kwade genius aan het hof, blijkens het volgende fragment uit zijn brief van 26 oktober 1954 aan het hoofdkantoor van het ANP in Den Haag:

Van Heeckerens naam is onverbrekelijk verbonden aan de misda-
dige groep, die Soestdijk 'aan stukken heeft gereten', die mede de
Koningin tot daden opzet van dien aard, dat de heer Lambooy in
maart 1952 het nodig oordeelde mij te vragen of ik mogelijk
stappen kon ondernemen i.v.m. een plan van de Koningin om de
President van de vs mede te delen, dat zij van God een boodschap
had ontvangen dat Nederland Nieuw-Guinea aan de Indonesiërs
moest afstaan; deze zelfde heer Van Heeckeren, die mij trachtte
te indoctrineren met een wantrouwen jegens de Prins, die mij
mededeelde dat de Prins een man was, die God noch gebod kent,
die de Koningin alleen getrouwd had vanwege zijn ambities. Deze
Van Heeckeren, die mede door zijn activiteiten ons gehele Koninklijk Huis in gevaar brengt met zijn groep, die een nimmer afwisbare
smet op ons Koninklijk Huis heeft gebracht, ondanks al zijn mogelijk goede bedoelingen. En de hemel behoede ons, dat dit ooit
wereldkundig worde.

7. Geciteerd in Hofland, a.v., blz. 110.

8. Idem.

9. Hofland., a.v., blz. 111. Die informatie was afkomstig van de
directeur van het Amsterdamse bedrijf Atek, waar Greet Hofmans
twaalf jaar als looninschrijfster had gewerkt.

10. Mededeling van de prins aan de auteur.

11. Geciteerd in: W. Klinkenberg, a.v., blz. 372.

12. *Der Spiegel*, 13 juni 1956.

13. Geciteerd uit: Rede van koningin Juliana tot het Congres der
Verenigde Staten van 3 april 1952, in: *Keesings Historisch Archief*
(1952), blz. 9952.

14. Tekst in: a.v., blz. 10008.

15. Algemeen Rijksarchief, Den Haag/Tweede afdeling, particuliere
collecties (collectie-Stikker). De brief begint aldus: 'Hooggeachte
Heer Stikker, Het spijt mij dat ik deze brief moet schrijven, maar
pour acquit de conscience kan ik niet anders.'

16. Brief van dr H.N. Boon aan mr D.U. Stikker van 20 maart 1952
(a.v.). Boon gaf zich er in deze brief aan de minister rekenschap van

dat deze correspondentie met de koningin 'een nieuw conflict zou [kunnen] toevoegen aan de reeks welke reeds over de toespraken van Hare Majesteit zijn ontstaan'. Uit zijn brief blijkt dat de strijd over de inhoud zich niet beperkte tot de redevoering van de koningin tot het Amerikaanse Congres. Ook in haar toespraak tot de Veiligheidsraad had het departement (c.q. dr C.L. Patijn) 'enig meer logisch verband in het betoog' gebracht. Bij deze ingreep, aldus Boon aan de minister, waren ook 'alle bedenkelijke beelden zoals "de porseleinkast", "het ontwapeningsstreven", "de tegenstelling tussen antiek en modern" op zodanige wijze geëlimineerd, dat daaruit geen moeilijkheden meer kunnen dreigen. Niettemin is volgens Patijn de rede bepaald nog niet goed te noemen, doch zij kan – op deze wijze voorgedragen – althans geen kwaad meer.' De koningin had Boon de volgende dag opgebeld en hem haar reactie op zijn brief van 19 maart gegeven. 'De Koningin zeide dat zij mijn brief had gelezen en dat het inderdaad Haar bedoeling was een zuiver persoonlijk standpunt in Haar redevoeringen tot uitdrukking te brengen op die terreinen, die niet een zuivere Regeringspolitiek bestreken.' Boon stelde in het telefoongesprek de koningin ervan in kennis wat er uit haar toespraak tot de Veiligheidsraad was geschrapt en weggelaten 'en dat dit denkbeelden waren, waartegen zowel bij de Minister-President als bij de Minister van Buitenlandse Zaken de grootst mogelijke bezwaren bestonden'. De koningin verklaarde daarop 'dat Zij het gevoel had Vrijdag met deze zaak wel tot een goed einde te kunnen komen'.

Dr Boon citeerde in zijn brief een curieuze interpretatie van de directeur van het Kabinet der Koningin, mr M.A. Tellegen, van de werking der ministeriële verantwoordelijkheid. Tellegen meende dat de minister van Buitenlandse Zaken, wanneer de koningin in het buitenland was, niet alleen verantwoordelijk was voor hetgeen zij over de buitenlandse politiek zei, maar ook voor wat zij opmerkte over andere onderwerpen. 'Mejuffrouw Tellegen gaat zover om te zeggen, dat de Minister van Buitenlandse Zaken, wanneer deze het Staatshoofd vergezelt, als het ware een reizend contra-seign van de Regering is.' Boon bestreed die opvatting: 'Naar mijn gevoel is het beter om de verantwoordelijkheid van de Minister van Buitenlandse Zaken te bepalen tot zijn eigenlijke ambtsterrein en niet uit te strekken tot de terreinen van zijn Ambtgenoten alleen op grond van de omstandigheid dat Hare Majesteit zich op een bepaald ogenblik in het buitenland bevindt.'

17. Advies van dr H.N. Boon aan de koningin van 19 maart 1952 (a.v.).

18. Brief van koningin Juliana van 12 maart 1952 aan minister Stikker (a.v.).

19. Memorandum van dr H.N. Boon van 23 maart 1952 aan de minister van Buitenlandse Zaken (a.v.).

20. De hier bedoelde psychologische observaties van dr Drees steunen onder meer op mededelingen van voormalige adviseurs van de kroon tegenover de auteur.

21. Brief van mr D.U. Stikker van 20 april 1952 aan dr H.N. Boon (Algemeen Rijksarchief, particuliere collecties/collectie H.N. Boon).

HOOFDSTUK XIII (PAG. 143 T/M 162)

1. Brief van dr J. Zijlstra van 21 januari 1992 aan prins Bernhard (archief prins Bernhard/paleis Soestdijk).

2. Brief van dr A. Plesman van 12 april 1951 aan prins Bernhard. Deze brief werd gevolgd door een dankbetuiging van KLM-directeur mr L.H. Slotemaker van 28 april 1951 aan de prins (Koninklijk Huisarchief, Den Haag).

3. Brief van dr A. Plesman van 12 april 1951 aan prins Bernhard (a.v.).

4. Prins Bernhard liet het Prins Bernhardfonds, zoals in noot 17 van hoofdstuk XI is vermeld, regelmatig meeprofiteren van de vergoedingen die hij voor zijn commissariaten kreeg. In het Koninklijk Huisarchief bevindt zich een brief van het B-fonds van 26 juli 1955, waarin de algemeen secretaris drs J. Henrick Mulder aan de prins schrijft: 'Tot grote verrassing van het bestuur ontving het Prins Bernhardfonds dezer dagen een overschrijving van ƒ 1 250 (één duizend tweehonderd en vijftig gulden), zijnde een deel van de emolumenten, die Uwe Koninklijke Hoogheid, als Commissaris van de KLM, aan het Prins Bernhard-fonds heeft toebedacht.' De prins had dit bedrag laten overmaken uit het winstaandeel van ƒ 2 500,-, dat de algemene vergadering van aandeelhouders van de KLM op 15 mei 1955 tot verdeling van de winst over het boekjaar 1954 aan de leden van de raad van commissarissen had uitgekeerd.

5. Gezantschapsarchieven Buitenlandse Zaken, Den Haag/AMBZ/ Mexico/doos 12, 554 (Luchtvaartovereenkomsten 1948--1952). Uit

de Mexicaanse contacten die prins Bernhard in die jaren maakte, dateert zijn hartstocht voor de Mexicaanse volksmuziek. In de NRC van 19 november 1952 werd in een verslag over de reis naar Mexico en Peru bericht over 'het wilde enthousiasme van het publiek toen de prins een poncho aantrok en een sombrero opzette en op de muziek van een orkest meesterlijke figuren uitvoerde'. Nog altijd beheerst die muziek het leven van prins Bernhard. Er is geen dag die begint zonder Mexicaanse muziek; hij speelt die af wanneer hij in bad zit.

6. Brief van mr L.H. Slotemaker van 31 juli 1952 aan prins Bernhard. De directeur van de KLM schreef daarin onder meer: 'De KLM wil gaarne een dienst Curaçao-Bogotá openen, waartoe tot nu toe geen vergunning kon worden verkregen en voor welke zaak ik thans de belangstelling heb gewekt van de Internationale Bank te Washington. Ik zou het zeer op prijs stellen om op een passend ogenblik hierover nader met U te spreken. Wellicht zelfs is het voor de goede zaak aanbevelenswaardig, dat ik bij wijze van spreken in Uw schaduw de reis naar dit land meemaak, ten einde te trachten van de goodwill die dan ontstaat, te profiteren' (archief prins Bernhard/paleis Soestdijk).

7. Brief van mr L.H. Slotemaker van 1 mei 1953 aan prins Bernhard (a.v.).

8. Brief van mr L.H. Slotemaker van 27 juni 1949 aan prins Bernhard (a.v.).

9. Brief van mr L.H. Slotemaker van 22 december 1959 aan prins Bernhard (a.v.).

10. Brief van drs E.H. van der Beugel van 2 mei 1961 aan prins Bernhard (a.v.).

11. Ondanks de toestemming van de president-directeur van de KLM het directiearchief uit die jaren te raadplegen, en ondanks persoonlijke medewerking van oud-president-directeur S. Orlandini, was het niet mogelijk de medewerking van de lagere goden, die met de uitvoering van een en ander waren belast, te verzekeren.

12. Ordner KLM (a.v.).

13. In een gesprek met de auteur op 2 februari 1992.

14. Enkele speciale categorieën mogen hier niet onvermeld blijven. De prins schreef blindelings aanbevelingsbrieven voor mensen die hij uit de oorlog kende, mits zij in het verzet hadden gezeten of het uniform van de BS hadden gedragen, ook al was dat niet meer dan een boerenkiel geweest. Oud-BS'ers konden altijd een beroep op de prins doen, die de ene voorspraakbrief na de andere schreef. Op verzoek schreef hij ook talrijke getuigschriften. Blijkens de papieren in zijn archief schreef hij er zoveel dat ze in de volgende rubrieken kunnen worden verdeeld: voor militaire bevorderingen; ter ondersteuning van sollicitaties (in het bijzonder van werkzoekende militairen die uit Indonesië waren teruggekeerd); voor benoemingen (van kandidaten voor het burgemeesterschap); voor woningtoewijzingen; voor naturalisatie en emigratie; voor aanvragen van pensioenen (later van buitengewone pensioenen) en voor onderscheidingen. In de jaren 1945-1955 was de prins Nederlands kampioen recommanderen. In de meeste gevallen bereikten zijn brieven het gewenste resultaat, maar soms beet de aanbevolene in het zand.

Dat niet elke aanbeveling van de prins steunde op diepgaande kennis van de kwaliteiten van de aanbevolen kandidaat, blijkt uit een droog briefje van de commissaris der koningin in Noord-Brabant dr J.E. de Quay uit 1955, waarin deze de prins schrijft een door hem aangebrachte kandidaat voor het burgemeesterschap in de Brabantse gemeente Helvoirt te hebben afgewezen. De prins had De Quay een van zijn 'oorlogsvrienden' op zijn dak gestuurd, die in het geheel geen aanleg voor gemeente-administratie bleek te hebben en ook niet over andere bestuurlijke talenten beschikte. De commissaris der koningin toonde in zijn brief dat hij niet voor niets professor in de psychologie was geweest. Zijn antwoord aan de prins kwam erop neer dat de gemeente Helvoirt aan een ramp was ontsnapt. Hij had de door de prins aanbevolen kandidaat persoonlijk grondig aan een intellectuele test onderworpen en daarbij moeten vaststellen dat de kandidaat voor burgemeester niet geknipt was. Ze waren het er samen over eens geworden, schreef hij vaderlijk, dat de man niet geschikt was. 'Hij heeft geen kennis van het gemeenterecht en hij lijkt me,' zo voegde De Quay daaraan toe, 'gematigd intelligent, maar als hij eerst de cursus Gemeente-administratie met succes doorloopt, niet ongeschikt voor referendaris ener gemeente-secretarie' (a.v.).

Generaal Kruls vermeldt in zijn memoires de komische geschiedenis van een koninklijke onderscheiding, die tegen alle criteria in op aanbeveling van prins Bernhard in het begin van de jaren vijftig aan de jonge Franse luitenant de Lattre de Tassigny werd toegekend. De onderscheiding was aangevraagd door de vader van de luitenant, de met Kruls bevriende generaal de Lattre de Tassigny, die een officieel bezoek aan Nederland bracht. Kruls zat ermee in, omdat de Lattre junior zich op geen andere bijzondere verdienste kon beroepen dan dat hij de zoon van de generaal was. Prins Bernhard tilde daar niet zwaar aan en bezorgde Kruls een warme aanbeveling bij de minister van Binnenlandse Zaken Beel. Hoewel deze een zwak had voor prins Bernhard, was hij niet bereid het verzoek serieus in behandeling te nemen. Een onderscheiding vond hij in dit geval een absurditeit. Beel stuurde Kruls onverrichter zake terug en gaf hem het advies: 'Geef de jongeman een grote plak chocola.' Prins Bernhard kon daar hartelijk om lachen, maar vergat niet langs andere wegen de Franse gast ter wille te zijn en de Lattre junior kreeg zijn onderscheiding (H.J. Kruls, a.v., blz. 177).

15. Brief van prins Bernhard van 29 juli 1959 aan David Rockefeller (archief prins Bernhard/paleis Soestdijk).

16. Brief van R.L. Garner, president van International Finance Corporation van 10 juni 1960 aan prins Bernhard (a.v.). E.H. van Eeghen schreef de prins op 14 maart 1960 onder meer: 'Aangezien U een zo belangrijk aandeel hebt gehad bij de totstandkoming van de Nederlandse participatie, moge ik U hiervoor mijn hartelijke dank betuigen' (a.v.). Evenzo de Aerdenhoutse zakenman A.E.R. Arnold in een brief van 30 maart 1955: 'Het zij mij vergund Uwe Koninklijke Hoogheid wederom mijn eerbiedige dank te betuigen voor de grote steun, die Uwe Koninklijke Hoogheid mij ditmaal heeft geschonken in de vorm van een persoonlijk schrijven aan Z.M. de Keizer van Ethiopië, met het doel aan de contractsonderhandelingen een meer gunstig verloop te kunnen geven. Met grote dankbaarheid kan ik Uwe Koninklijke Hoogheid thans melden, dat ik enige dagen geleden, na negen maanden moeizaam onderhandelen, met een getekend regeringscontract uit Ethiopië ben teruggekeerd' (a.v.).

17. Brief van prins Bernhard van 16 maart 1960 aan Eugene R. Black, Washington (a.v.).

18. Brief van prins Bernhard van 1 maart 1955 aan keizer Haile Selassie (a.v.); antwoord keizer Haile Selassie van 20 mei 1955 aan prins Bernhard, waarin de Ethiopische monarch onder meer schreef: 'I have greatly valued the interest which Your Royal Highness has taken in this matter and, indeed, in the development of the Imperial Ethiopian Air Force and it is my earnest hope that you continue to do so and thereby contribute from your own wide experience and abilities' (a.v.).

19. Brief van Centraal Orgaan voor de Economische Betrekkingen met het Buitenland van 23 februari 1955 aan prins Bernhard (a.v.).

20. Naast de Economische Club organiseerde de prins regelmatig vergaderingen op paleis Soestdijk met Nederlandse ondernemers, waarin de strategie voor exportcampagnes werd vastgesteld. Zo maakten vrijwel alle georganiseerde economische belangen van Nederland, met uitzondering van de vakbeweging (die in de Economisch Club door NVV-voorzitter H. Oosterhuis was vertegenwoordigd), hun opwachting op 1 augustus 1955 voor een bespreking van een op prins Bernhards initiatief opgesteld memorandum over de exportbevordering in de Verenigde Staten. Het onder leiding van de prins vergaderende gezelschap onderschreef het belang van de vestiging van een Netherlands House in downtown Manhattan voor het vlagvertoon voor Nederland in algemene zin en stortte (of deed toezeggingen ter grootte van in totaal) zes miljoen gulden, die nodig was om het plan te verwerkelijken. De presentielijst vermeldde de volgende aanwezigen en de ondernemingen of instellingen die zij vertegenwoordigden: mr H. Albarda (Nederlandsche Handel-Maatschappij), mr M.G. de Baat (Unilever), ir H. Bloemgarten (Koninklijke), dr ir B. Bölger (Verbond van de Nederlandse Groothandel), ir H.M. Damme (Verbond van Nederlandse Ondernemers), ir A.J. Engel (AKU), Tj. Greidanus (Nederlandse Bankiersvereniging), ir H.D. Louwes (Landbouwschap), drs J.F. Posthumus (Herstelbank), ir Th.P. Tromp (Philips), A.F. Vas Dias (Nederlandsche Reedersvereeniging) en F. Jockin (Nederlandsche Handel-Maatschappij), secretaris (a.v.)

21. Brief van mr J.M.A.H. Luns van 10 februari 1958 aan prins Bernhard (a.v.).

22. Brief van de minister-president van 4 april 1973 aan prins Bernhard (a.v.).

23. Denis Healy liet zich in zijn memoires lovend uit over de kwaliteit van prins Bernhards voorzitterschap van de Bilderberg-conferenties: 'Prins Bernhard was een voorzitter wiens onpartijdigheid boven alle verdenking stond en die elke minister van welk land ook tot de orde kon roepen zonder hem voor het hoofd te stoten' (Denis Healy, *The Time of my Life*, Londen, 1989, blz. 195). Evenzo mr B.W. Biesheuvel, die enige keren aan de conferenties deelnam: 'De leiding van prins Bernhard kenmerkte zich door een Angelsaksische stijl: een zakelijke toon van discussie gecombineerd met een concentratie op hoofdzaken' (in gesprek met de auteur).

24. Henry Kissinger belichtte de politieke voordelen van informele bijeenkomsten als de Bilderberg-conferenties voor staatslieden die buiten de schijnwerpers ontmoetingen wilden arrangeren met politici die via de gewone kanalen niet toegankelijk waren: 'It was obviously necessary for me to meet with Egon Bahr again. Once more we needed a venue that could justify our getting together. We chose the Bilderberg Conference in Vermont' (Henry Kissinger, *The White House Years*, Londen, 1979, blz. 828).

25. De NYT-commentator en columnist Cyrus L. Sulzberger, die in de jaren vijftig en zestig jaarlijks enige maanden in Europa door-bracht, ging nooit van huis zonder eerst met prins Bernhard te telefoneren om diens mening te horen of bemiddeling in te roepen. Deze Amerikaanse journalist kwam in die jaren regelmatig op paleis Soestdijk.

26. Brief van prins Bernhard van 24 mei 1952 aan William C. Foster, Washington (archief prins Bernhard/paleis Soestdijk). Brief van William C. Foster van 28 juni 1952 aan prins Bernhard (a.v.).

27. Brief van prins Bernhard (ongedateerd) aan Allen W. Dulles (a.v.). Brief (antwoord) van Allen W. Dulles van 6 mei 1957 aan prins Bernhard (a.v.). Dulles deed de zaak kort af: 'If the USSR were invited to join with the Western powers in the sense your friend suggests, I fear that the Soviet would use the opportunity as a means of disrupting rather than building up the structure of peace.' Prins Bernhard had het denkbeeld ontleend aan 'een vriend' en Dulles geschreven: 'Ik leg het je voor, voor wat het waard is.' Het spreekt vanzelf dat de prins het denkbeeld niet had voorgelegd als hij er zelf niets in had gezien.

HOOFDSTUK XIV (PAG. 163 T/M 174)

1. De order is niet uitgevoerd doordat de sjah niet lang na de plaatsing van de opdracht tot de bouw van de marineschepen ten val werd gebracht en de revolutionaire regering-Khomeini de order annuleer-de.

2. Brief van prins Bernhard van 12 juni 1975 aan drs R.F.M. Lubbers (archief prins Bernhard/paleis Soestdijk).

3. Brief van drs R.F.M. Lubbers van 9 juni 1975 aan prins Bernhard (archief BEB, ministerie van Economische Zaken, Den Haag).

4. Ik betuig mijn erkentelijkheid voor de speurzin en de medewerking die ik heb gekregen van de archivaris van het ministerie van Economische Zaken, H.J.E. van der Horst.

5. De vaststelling door de Commissie van Drie dat hij een 'selectief geheugen' had en zich tijdens zijn ondervraging over data, besprekingen en transacties die met het onderzoek verband hielden, bij herhaling op een 'slecht geheugen' had beroepen, irriteerde de prins zozeer, dat hij zich in 1976 in een Londense kliniek aan een geheugenonderzoek onderwierp. De suggestie, die tijdens het onderzoek was gewekt, dat hij zich bepaalde gesprekken met managers van Lockheed niet *wilde* herinneren (zoals bij een gelegenheid, acht jaar eerder, waarbij over beloningen zou zijn gesproken) had de prins aan zichzelf doen twijfelen. 'Ik dacht: of ik ben gek of mijn geheugen is niets waard, maar ik herinnerde mij de bijzonderheden waar het over ging, absoluut niet, terwijl ik mij de gesprekken, zelfs de wijn die tijdens het diner werd geserveerd, wel herinnerde.' De Londense geheugentest bracht geen bijzondere afwijkingen aan het licht: de experts stelden vast dat hij een 'professioneel geheugen' had, een kwalificatie voor het geheugen van mensen 'die veel doen en meemaken' en 'alleen gebeurtenissen en ervaringen onthouden die hun interesseren'; 'de rest slaat het geheugen niet op'. De Engelse geheugenexperts gaven de prins de verzekering dat zijn geheugen normaal ontwikkeld was en geen bijzondere 'gaten' vertoonde (mededelingen van de prins aan de auteur).

6. Brief van ambassadeur P.A.E. Renardel de Lavalette van 17 december 1974 aan de minister van Buitenlandse Zaken (archief ministerie van Economische Zaken, Den Haag).

7. Telegram van BEB van 14 januari 1975 aan de Nederlandse ambassadeur in Teheran (a.v.).

8. Brief van E. Vernède van 3 maart 1975 aan ministerie van Buitenlandse Zaken (archief prins Bernhard/paleis Soestdijk).

9. Brief van drs R.F.M. Lubbers van 20 maart 1975 aan prins Bernhard (archief BEB/ministerie van Economische Zaken, Den Haag).

10. Telegram van Nederlandse ambassadeur in Teheran van 27 april 1975 aan minister van Buitenlandse Zaken (a.v.).

11. Dossier reis minister van Economische Zaken van 24-31 mei 1975 naar Iran (a.v.).

HOOFDSTUK XV (PAG. 175 T/M 192)

1. *Haagse Post*, 21 december 1985, interview met ir Henk Vredeling door Jan Tromp.

2. Het Geheim van Soestdijk was toch een veel mooier begrip dan het Geheim van het Noordeinde of het Geheim van Huis ten Bosch; misschien was het wel veel mooier dan die latere begrippen, omdat het gedurende de 'Hofmans-crisis' van 1956 zo'n ironische bijklank had, toen alle Welingelichte Kringen van de wereld van het Geheim op de hoogte waren, maar alleen de Nederlandse pers er niet over wilde schrijven.

3. *Haagse Post*, a.v. Als minister Vredeling zich in de motieven van koningin Juliana had verdiept, zou hij een grotere politieke geestverwantschap bij haar hebben ontdekt dan hij zal hebben vermoed. Het was de koningin in het geheel niet te doen om een traditionele militaire parade – zoveel liefde of belangstelling voor de krijgsmacht had zij niet – maar om een parade van *ongewapende* militairen. In haar vijfentwintigste regeringsjaar had zij aldus een oude wensdroom tot vervulling willen zien komen, waarnaar zij in de jaren vijftig (toen zij haar pacifistische idealen in officiële toespraken uitdroeg) reeds vurig verlangde. In haar verzoek aan de regering werkten in 1973 dus nog haar denkbeelden uit de 'Hofmans-periode' door. De geprikkelde reactie van Vredeling ontnam haar echter de animo haar pleidooi voor een paraderend ongewapend leger toe te lichten.

4. Volgens Vredeling zou de prins gezegd hebben: 'Hoe had u het willen hebben?' Prins Bernhard ontkent met de grootste klem die woorden te hebben gebruikt. Doordat het in 1973 gevoerde telefoongesprek met Vredeling zo onaangenaam was verlopen, wist hij het zich in 1992 nog nauwkeurig te herinneren, maar in andere bewoordingen dan Vredeling het zich had herinnerd. Volgens de prins had er moeten staan: 'Als u het zo wilt, dan gebeurt het zo.'

Voor de lezing van de prins lijkt meer te zeggen dan voor de versie van Vredeling. Toen het telefoongesprek tussen de minister en de prins gevoerd werd, was immers al bekend hoe Vredeling 'het wilde hebben'. Het besluit van het kabinet, waartegen de prins pleitte, stond immers al vast. Het is daarom niet aannemelijk dat prins Bernhard op dat moment nog de geciteerde vraag zou hebben gesteld.

5. *Haagse Post*, a.v.

NOTEN287

6. De minister en de prins waren zeker geen vrienden: er was *no love lost between them*. Maar de verhoudingen waren toch niet zo slecht als de woorden van de oud-minister van Defensie in de *Haagse Post* suggereren. Vredelings uitspraken dateren uit 1985, ofwel twaalf jaar na de woordenwisseling over het defilé. De prins verklaarde geen bijzonder onaangename herinneringen aan de ministersperiode van Vredeling te hebben en ook volgens Vredeling zelf waren de verhoudingen allerminst vijandig (mededelingen aan de auteur).

7. Een van de hoogste ambtelijke adviseurs van de regering, die zijn hele leven in de rijksdienst had gewerkt, waarschuwde minister-president Den Uyl voordat deze zich in 1976 met het kabinetsoordeel over de Lockheed-zaak naar de Tweede Kamer begaf om daar het politieke vonnis over de prins uit te spreken: 'Loop niet te hard van stapel, want je moet je wel realiseren dat de Partij van de Arbeid in al die kabinetten die wegliepen met de prins en hem voor alles en nog wat hebben geëxploiteerd, een zware verantwoordelijkheid heeft gedragen.'

8. Brief van de minister-president van 12 juni 1974 aan de minister van Verkeer en Waterstaat; onderwerp: Regeringsvliegtuig (archief prins Bernhard, paleis Soestdijk).

9. Idem.

10. De regeling van 1974 werd opnieuw vastgesteld bij beschikkingen van 1 juni 1980 en uitgebreid met de afspraak dat de 'vliegreizen die Z.K.H. Prins Bernhard zal ondernemen voor het Wereldnatuurfonds worden beschouwd als te zijn gemaakt in het openbaar belang'. Vgl. brief van minister-president mr A.A.M. van Agt van 30 mei 1980 'aan de Koningin'; onderwerp: Vliegregelingen (archief prins Bernhard/paleis Soestdijk).

11. Brief van jhr ir O.C.A. van Lidth de Jeude van 5 maart 1945 aan prins Bernhard (a.v.).

12. Brief van mr J. Meynen van 2 oktober 1946 aan prins Bernhard (a.v.).

13. Brief van de minister van Defensie van 11 juni 1959 aan prins Bernhard (a.v.).

14. De briefwisseling tussen minister Staf en prins Bernhard vormt veruit het grootste dossier van de naoorlogse ministeriële correspon-

dentie met de prins. De hierna volgende bloemlezing uit het archief van de prins is representatief voor de idolate welwillendheid waarmee deze minister van Defensie de prins bejegende:

'Eerst sedert korte tijd heb ik de eer om met U in Uw functie van Inspecteur-Generaal van de Koninklijke Landmacht regelmatig te mogen samenwerken en telkenmale treft mij de buitengewone belangstelling, die U aan de zaken, welke de Landsdefensie betreffen, wel wilt wijden. Ik weet mij de tolk van allen, die onder het Ministerie van Marine en het Ministerie van Oorlog werkzaam zijn, wanneer ik U ook voor het komende jaar alle kracht mag wensen om Uw zo hoogst belangrijke en moeilijke werkzaamheden te verrichten' (gelukwens op de verjaardag van de prins, 29 juni 1951).

'Het verheugt mij in hoge mate, dat het U mogelijk is een belangrijk deel van Uw tijd te geven aan de opbouw en de belangen van 's lands defensie en ik houd mij ervan overtuigd, dat niet slechts ik, doch ook en evenzeer de Strijdkrachten dankbaar zijn voor de oprechte belangstelling, die Uwe Koninklijke Hoogheid zo bij voortduring voor haar aan den dag legt.

Ik ben van mening, dat het een zeer gelukkige omstandigheid is, dat wij met U in regelmatig contact mogen staan. De Strijdkrachten kunnen daar slechts wel bij varen, terwijl het ook goed is, dat – bijvoorbeeld in persoonlijke gevallen – van Uw zijde facetten naar voren worden gebracht, die in voorkomend geval op de dikwijls wellicht te formalistische zienswijze van het departement, een ander licht werpen' (nieuwjaarswens van 30 december 1951).

'Ik moge voor de toezending van het rapport "Veiligheidsdienst", met Uw strikt persoonlijke begeleidende brief, mijn oprechte dank betuigen [...].

U staat mij wel toe, dat ik – zo kort voor mijn vertrek naar Lissabon – thans niet meer zeg, dan dat het rapport mij zeer welkom is, alleen reeds door de veelzijdigheid, waarmede het is opgezet en de klaarblijkelijke grondigheid, waarmede het probleem werd behandeld.

Ik hoop dat de mogelijkheid zal bestaan om thans zo spoedig mogelijk tot resultaten te komen, terwijl ik natuurlijk te gelegener tijd gaarne met U over een en ander nog van gedachten zal willen wisselen' (dankbetuiging van 15 februari 1952).

'Staat U mij toe, U in Uw hoedanigheid van Voorzitter van de Nationale Raad Welzijn Militairen over de volgende aangelegenheid te benaderen.

Zoals U bekend is, werden bij de behandeling van de begrotingen van Oorlog en Marine voor het dienstjaar 1952 op 12 en 13 maart j.l., enkele opmerkingen gemaakt over de samenstelling van de Raad, waarbij met name werd gesteld, dat het accent te zeer lag op het "Rooms-rode" element. [...] Ik geloof wel, dat in de gemaakte opmerkingen elementen van juistheid schuilen, zij het dan dat ik mij van den aanvang heb gerealiseerd dat de samenstelling stof tot critiek zou kunnen leveren.

Ik zou U derhalve willen vragen, in de eerstvolgende vergadering van de Raad dit vraagstuk wel naar voren te willen brengen, waarbij ik de hoop uitspreek, dat de Raad zal kunnen besluiten mij een voorstel te doen inzake een verruiming van de samenstelling.

Indien U hiertoe Uw onmisbare bemiddeling zoudt willen verlenen, zal ik dat uit den aard der zaak op hoge prijs stellen' (brief van 19 maart 1952).

'In antwoord op Uw brief van 2 september j.l. moge ik U berichten, dat de voorstellen voor decoraties welke in verband met het werk van de Demobilisatie Raad in bewerking zijn, thans zover zijn gevorderd, dat de ontwerp-Koninklijke Besluiten mijn Departement hebben verlaten met een aanbiedingsbrief gericht aan Hare Majesteit de Koningin [...].

Tenslotte zou ik van deze gelegenheid gebruik willen maken U te vragen of er in de loop van de volgende week wellicht gelegenheid zou bestaan, dat ik met Uwe Koninklijke Hoogheid over een aantal zaken van gedachten wissel. Wanneer ik een voorkeur zou mogen uitspreken, dan moge ik Donderdag 11 september of Vrijdag 12 september 1952 als dagen noemen, waarop ik mijn programma geheel zal kunnen afstemmen op Uw eventuele wensen' (brief van 4 september 1952).

'Naar aanleiding van Uw brief van 15 April j.l. deel ik U mede dat ik van verschillende zijde word aangevallen in verband met alles wat ik doe om het wielrennen in de krijgsmacht te bevorderen.

Ik weet ook wel dat dit niet de beste soort sport is, maar het wielrennen is onder de dienstplichtigen zeer populair. De Ronde van Frankrijk is een gebeurtenis waarin iedereen meeleeft en het rijden om de militaire trui is de laatste twee jaren zeer ingeslagen.

Ik geloof dat wanneer wij de troep zouden raadplegen het beschikbaar stellen van een bedrag uit de gelden van welzijnszorg zeker zal worden gerechtvaardigd. Daarnaast worden premies verreden, bijeengebracht door bijdragen van de militairen, waarbij ik heb gezegd dat ten hoogste tien cent van iedere man mag worden gevraagd. Dit mag echter nog niet een verplichting worden en ik zal nagaan of de heer v.d. Dool hier te ver is gegaan.

Al kan men over de Ronde van Nederland verschillend denken, toch geloof ik dat als wij amateurrenners ook gedurende hun diensttijd trachten op peil te houden of nog vooruit te brengen, werk doen dat de populariteit van de krijgsmacht zeker niet zal schaden. Ik hoop dat ik hierover nog eens met U kan spreken en blijf voorlopig vrijwel als eenling in de militaire departementen een wielersportfan' (brief van 17 april 1957).

15. Prins Bernhard bracht op 10 september 1958 tussentijds verslag uit aan Geoffrey Parsons over het overleg van Nederland, Noorwegen, Denemarken en België over de gezamenlijke aankoop van de N-156 F, waarin hij volledig was betrokken:

'Thanks for your letter and all the interesting news. Our minister, after studying the letter, discussed the final draft with me on the 4th and was going to send it, but he thought that Norway and Denmark would be easier to get in on than Belgium' (a.v.). Na overleg met de Navo-opperbevelhebber generaal Norstadt had de prins eerder aan de president-elect van Northrop Tom Jones (op dat ogenblik nog vice-president) geschreven: 'Thank you for the telephone call. I only found Parsons' letter this morning as I had been away in England from the 15th till last night. I had written to mr Quarles after seeing Norstadt and have now written again the second half of Parsons' draft' (20 juli 1958).

Don Quarles, minister van Defensie in de regering-Eisenhower, was een goede vriend van de prins. Hij stierf in 1959. Op 14 november 1958 schreef prins Bernhard hem naar aanleiding van overleg tussen Staf en Paul Henri Spaak, de secretaris-generaal van de Navo, een brief die als zijn geloofsbelijdenis voor een gestandaardiseerde militaire vliegtuigproduktie kan worden beschouwd:

'As you probably know minister Staf wrote to mr Spaak a letter about the N-156 F in the sense that we discussed in May and later mr Mieli and I more or less formulated. Staf mentioned that his point of view was shared by his colleagues in Norway, Denmark and Belgium.

This, however, was all done in order to get this aeroplane manufactured and flying. Now we come to the point whether we can actually order it.

As you know my reason for boosting this aeroplane is that it seems to me the last chance for a co-ordinated and standardized production in Europe of a manned aeroplane and I should like to go on working for this goal as I have tried to do since 1952. In order to be able to do this effectively for the N-156 F, I would very much appreciate if you could see a way to cut through all the red tape, regulations etc. etc. and authorise Northrop and the U.S. Air Force to answer to the

best of their ability the questionnaire that I enclose herewith, a copy
of which I shall send to Northrop directly. Only when these questions
are answered satisfactorily can we ourselves place a definitive order
next year and can I continue to try to have this aeroplane accepted
over here in Europe as a standard type.

I am certain that the time has come when we must stop hiding
facts from each other due to outmoded regulations, facts which an
average enemy agent could probably find out comparatively easy
anyway!' (a.v.).

16. Brief van de minister van Defensie van 3 juni 1959; P 432, aan
prins Bernhard (a.v.).

17. Brief van de staatssecretaris van Defensie van 24 juli 1960 aan
prins Bernhard (a.v.).

18. Mededeling aan de auteur.

19. Brief van de minister van Defensie van 15 september 1969 aan
prins Bernhard. 'Ik vraag mij af of deze redactionele verwantschap
met het bepaalde in artikel 25 van de Grondwet in een instructie voor
Inspecteur-Generaal wel wenselijk is. De ministeriële verantwoordelijkheid schijnt aldus enigszins in het gedrang te komen. Om deze
schijn te voorkomen moge ik U voorstellen dat artikel 6 zal worden
gelezen: "De Inspecteur-Generaal wordt in de uitoefening van zijn
taak bijgestaan door een staf, waarvan hij de organisatie vaststelt in
overleg met de Minister van Defensie."' Aldus werd de instructie
vastgesteld (a.v.).

20. Mededeling aan de auteur.

21. J.G. Kikkert, *De wereld volgens Luns*, Utrecht, 1992, blz. 62.

22. Ir Vredeling accepteerde de portefeuille van Defensie in 1973 met
onverholen tegenzin. Hij 'voelde niets voor Defensie' en hij wist er
weinig van. Hij liet zich echter overtuigen door een der informateurs,
de socialist mr J.A.W. Burger. 'Ik had met Jaap Burger een vader-
zoonrelatie en Burger zei: "Je kan het! En je moet het doen omdat jij
voor ons moet bewijzen dat een socialist op Defensie betrouwbaar
kan zijn." Dat zei hij tegen mij. Toen wilde ik als voormalige
gereformeerde jongen wel. En ik antwoordde toen: "Maar dan zal
ik ook laten zien dat ik op Defensie zit, en niet de partij"' (gesprek
met de auteur, 13 juli 1992, Huis ter Heide).

23. Vredeling erkende dat desgevraagd. 'Klopt. Dat heeft hij gedaan. Hij heeft me zelfs gecomplimenteerd dat ik onmiddellijk iets had durven doen wat mijn voorganger, zijn vriend De Koster, had nagelaten. De Koster had het conflict laten sudderen, maar de knoop niet durven doorhakken. Prins Bernhard vond me op die gronden zelfs een goeie minister. Ik ben bereid het allemaal als vleierij te beschouwen, maar hij heeft het gezegd' (a.v.). Vredeling had de prins de in het vraaggesprek met de *Haagse Post* weergegeven uitbrander gegeven, 'omdat het hem als inspecteur-generaal niets aanging wat het kabinet had besloten. Hij was niet de adviseur van het kabinet, hij was ook niet mijn adviseur. Maar hij had als inspecteur-generaal telefonisch rechtstreeks toegang tot de ministerslijn' (a.v.).

24. De antagonisten in het 'generaalsconflict' waren enkele 'alternatieve' generaals in actieve dienst bij de parate eenheden, die onder leiding van de latere brigadecommandant Bill Clumpkens ijverden voor een moderner defensiebeleid. Ze zagen de onvermijdelijkheid in van toekomstige bezuinigingen in de miljardenbegroting van Defensie en stonden zakelijker keuzen voor. Hun prioriteiten lagen niet bij een groot oefenterrein, zoals gepland bij Ter Apel, en ook niet bij de aanschaf van de nucleaire Lance raket. De alternatieve generaals (ook wel genoemd de 'realisten' ter onderscheiding van de 'traditionalisten') kregen hun kans na de formatie van het kabinet-Den Uyl, maar ze realiseerden hun doelstellingen niet door onderlinge onenigheid over de benoeming van de nieuwe legerleiding. Ten minste vier generaals kozen voor vervroegde uittreding of lieten zich op wachtgeld stellen, maar brigade-generaal Clumpkens, de 'coming man' die de spil van de alternatieve beweging was geweest, werd gedwongen de eer aan zichzelf te houden, omdat hij valse beschuldigingen had uitgesproken aan het adres van de secretaris-generaal Peijnenburg, over wie hij ongegronde geruchten over frauduleus handelen in omloop had gebracht.

HOOFDSTUK XVI (PAG. 194 T/M 208)

1. Brief van mr Charles van Houten van 12 augustus 1945 aan prins Bernhard (archief prins Bernhard/paleis Soestdijk). Van Houten, die sedert de vestiging van de BS in het bevrijde zuiden chef-staf bij de prins was, herinnerde de prins in deze brief aan zijn gewoonte bijzondere opdrachten te belonen met een decoratie. Om wat voor decoraties het hier ging (koninklijke onderscheidingen of medailles uit zijn particuliere verzameling), vermeldt de brief niet.

2. De intussen gepensioneerde kolonel C. van Lidth de Jeude (zoon van de 'Londense' minister van Oorlog jhr ir O.C.A. van Lidth de Jeude) was in de jaren vijftig verbonden aan de staf van de inspecteur-generaal van de landmacht op De Zwaluwenberg. Hoewel hij in het overstroomde gebied geen stap van de zijde van de prins was geweken, kon hij zich in 1992 de bijzonderheden niet herinneren. Hij leek het een nogal onbetamelijke suggestie te vinden, want op bijna heftige toon verzekerde hij: 'Daar hadden wij de bevoegdheid helemaal niet toe.' Er kon geen sprake van zijn geweest 'dat wij op de stoelen van die burgemeesters zouden gaan zitten. Wij kwamen ze alleen helpen de reddingsorganisatie ter plaatse op te zetten.' De kolonel voelde zich te veel dienaar van een rechtsstaat om aan zo'n wild-westverhaal geloof te hechten. 'En nog wel afzetten! We leefden toen ook in een rechtsstaat.' Op de vraag of de woordelijke verklaring van de prins hem dan niets zei, gaf de kolonel ten antwoord: 'Dan moet ik concluderen dat de prins zich vergist heeft' (telefonisch gesprek op 18 juni 1992).

Voor de prins was deze tegenspraak van bevriende zijde geen reden om zijn versie van de hulp van zijn staf te herzien: 'Ik heb die kerels afgezet, wis en waarachtig. Natuurlijk hadden wij die bevoegdheid niet, maar er zat in die omstandigheden gewoon niets anders op. Bij mijn staf waren ze ook bang dat er gedonder van zou komen, want er waren kamerleden die de minister ermee lastig wilden vallen. Maar Beel heeft mij door dik en dun verdedigd en gezegd dat ik het met zijn instemming had gedaan, wat niet waar was' (mededeling tegenover de auteur).

3. Mededeling aan de auteur.

4. De letterlijke tekst van de brief van John F. Kennedy van 16 augustus 1962 luidt:

Dear Queen Juliana,

I am writing to let you know my personal satisfaction upon learning that the long and difficult negotiations over West New Guinea have at last been successfully concluded.

I am deeply conscious of the great problems which this issue has created for you and your people and I would like to express to you my admiration for the forebearance and perseverance which have made it possible for this settlement to be reached. We know how deeply your government has been concerned to insure an honorable future for the Papuan people, and I want to assure you of the continuing concern of the United States for this same objective.

Meanwhile I feel sure that in choosing the course of conciliation and peaceful settlement your government has shown itself far sighted and imaginative. I believe that there may be grounds now for a restoration of mutually helpful relations between your country and Indonesia. If there is any way in which this government can be helpful in such a development, you can count on us.

With warm personal regards to you and to Prince Bernhard, whose thoughtful comments on this difficult issue were helpful to me at an important moment.

Sincerely

John F. Kennedy

(Archief ministerie van Buitenlandse Zaken, Den Haag). Wegens de laatste zin is de brief van president Kennedy destijds niet voor publikatie vrijgegeven. Dit blijkt uit een zich in het archief van BZ bevindend memorandum van 25 maart 1968 van DOA/DL aan DOA, getiteld: 'Embargo op briefwisseling tussen wijlen President Kennedy en H.M. de Koningin met het oog op de positie van Z.K.H. de Prins der Nederlanden.' In deze ambtelijke notitie wordt gewaarschuwd voor de gevolgen van eventuele publikatie van de brief: 'Niet alleen publikatie van de brief aan H.M. de Koningin maar ook het verlenen van inzage kan t.z.t. aanleiding geven tot het in discussie komen van de positie van de Prins der Nederlanden. Zulks is niet vandaag of morgen te verwachten, maar kan b.v. zelfs na jaren ontstaan en van invloed zijn op de positie van Z.K.H. Prins Claus, als hij eenmaal "de" Prins der Nederlanden zal zijn geworden. Het risico dat men t.z.t. op grond van gepubliceerde stukken zal komen tot navraag van deze brief is niet geheel denkbeeldig.' Uit de volgende zin blijkt dat de ambtenaar die dit memorandum in 1968 schreef, de achtergrond van de loftuiting aan het adres van prins Bernhard niet kende en in ieder geval publikatie wilde voorkomen: 'Het is dezerzijds niet bekend, waartoe de aangehaalde zin uit de brief van President Kennedy destijds aanleiding heeft gegeven.' 'In ieder geval lijkt het thans aangewezen, de minister de vraag voor te leggen, of niet tijdig een veilig embargo op de brief van wijlen President Kennedy aan H.M. de Koningin moet worden gelegd.' In de marge komt nog de volgende kanttekening in handschrift voor: 'Het lijkt nuttig, dat geheime dossiers, alvorens zij aan wetenschappelijke onderzoekers ter inzage worden gegeven, gecontroleerd worden op de aanwezigheid van stukken van bijzonder precaire aard als het hierbij gesignaleerde ("Prince Bernhard, whose thoughtful comments etc.").'

Minister Luns antwoordde Kennedy, na overleg met de koningin,

als volgt (ongepubliceerd telegram 532):
'Please accept my sincere thanks for your letter of August 16th, 1962. I was most appreciative of your understanding of the very real and genuine concern which my government and I myself have constantly felt for the future of the Papuan people. Although I feel that other solutions of this problem might have been more fair and equitable I am, of course, grateful that aggression has been prevented. I also wish to thank you for your assurance of continuing concern of your country for the future of the people of West New Guinea and send you and mrs. Kennedy my warmest regards.'

5. Geheim telegram no. 6136, 1962 (archief ministerie van Buitenlandse Zaken, Den Haag).

6. Alden Hatch, a.v., blz. 230.

7. Zie hoofdstuk XI.

8. Brief van prins Bernhard van 12 februari 1948 aan minister mr C.W.G.H. van Boetzelaer van Oosterhout (archief prins Bernhard/archief Soestdijk). Brief van mr C.W.G.H. baron van Boetzelaer van Oosterhout van 18 februari 1948 aan prins Bernhard (a.v.).

9. Aanhangsel *Handelingen Tweede Kamer*, zitting 1975-1976, blz. 1651. Vragen van het lid Van der Hek (PvdA) over steekpenningen, overgemaakt bij de levering van spoorwegwagons door Werkspoor aan Argentinië in de jaren vijftig; antwoord van minister-president Den Uyl mede namens de ministers van Financiën en van Economische Zaken (15 maart 1976).

10. Zie hoofdstuk II.

11. In de kantlijn van een ambtelijk overzicht van de commissariaten van prins Bernhard schreef premier Beel op 1 februari 1959: 'Besproken 30/1 met Z.K.H., die mij heeft toegezegd in de loop van dit jaar te zullen terugtreden. Mocht i.v.m. te verwachten fricties een eerder heengaan wenselijk zijn, dan is Z.K.H. daartoe bereid. Heb aan Z.K.H. meegedeeld dat hij tegenover de heren Van Fentener van Vlissingen sr en jr gebruik kan maken van mijn bezoek' (archief ministerie van Algemene Zaken/kabinetsarchief 1959, Den Haag).

12. Met dank aan mr Max van der Stoel voor de van hem geleende beeldspraak, die in de met deze voetnoot verbonden alinea is gebruikt. Dr E. van Raalte, die gedurende vele jaren een van de meest

gezaghebbende parlementaire journalisten en staatsrechtgeleerden van Nederland was (hij overleed in 1975), deed van de beëindiging van prins Bernhards SHV-commissariaat als volgt verslag in zijn brochure *Het Koninklijk Huis en zijn leden* (Zwolle, 1966): 'Voor een lid van het Koninklijk Huis is het uit de aard der zaak uitgesloten de post van Commissaris in een particuliere onderneming op zich te nemen. Op 28 oktober 1958 vond na de benoeming van prins Bernhard tot Commissaris van de Steenkolen Handels Vereeniging te Utrecht inschrijving hiervan plaats in het Handelsregister. Reeds op 22 december 1959 echter werd vastgelegd, dat deze functie van Z.K.H. op 29 december d.a.v. een einde nam. Aldus blijkt insgelijks uit het ingeschrevene in het desbetreffende Handelsregister.

Als men zich de bovengeschetste regel van ongeschreven staatsrecht voor ogen houdt, zou het geenszins verbazing behoeven te wekken indien een binnenskamers van de zijde der verantwoordelijke ministers gegeven wenk een rol gespeeld zou hebben bij het bedanken voor genoemd commissariaat. Ware zulk een wenk geheel achterwege of zonder resultaat gebleven, dan zou ongetwijfeld een Kamerlid alleszins aanleiding hebben gehad bijvoorbeeld de minister-president tijdig omtrent deze aangelegenheid ter verantwoording te roepen via het vragenrecht' (a.v., blz. 74).

In 1964 is, op verzoek van de regering, bij een statutenwijziging van de KLM het commissariaat dat de prins, met medeweten van de regering, in deze onderneming bekleedde, omgezet in een *buitengewoon* commissariaat, op grond van het (reeds in 1936 door de drie tutoren onder woorden gebrachte) inzicht dat een lid van het koninklijk huis bezwaarlijk aan de beslissingen van een onderneming kon meewerken, omdat zo'n lid bij kritiek op het beleid van de commissarissen in die kritiek mede geraakt zou worden. Die omzetting sloot de prins uit van stemmingen in de raad van commissarissen en vrijwaarde hem van juridische verantwoordelijkheid voor de beslissingen van het college.

13. Op 13 december 1967 berichtten de internationale persbureaus dat de Griekse koning een mislukte poging had gedaan de militaire junta ten val te brengen. Radio-Larissa meldde dat de koning de voormalige minister van Defensie, Petros Garoufalias, wiens conflict met George Papandreou in 1965 tot de grote crisis leidde, tot premier van een nieuwe regering zou hebben benoemd en dat bij koninklijk besluit de ministers Zottakis, Patakos, Patillis, Papadopoulos en Makarezos, allen militairen, waren ontslagen. De coup van Constantijn mislukte echter door gebrek aan steun bij de strijdkrachten (waarvoor prins Bernhard hem had gewaarschuwd), waarna de koning in bal-

lingschap ging. Op 14 december kwamen de koninklijke familie en premier Kollias in Rome aan.

14. Mededeling aan de auteur.

15. Idem.

16. Idem.

17. Idem.

18. Zie het vorige hoofdstuk.

HOOFDSTUK XVII (PAG. 209 T/M 223)

1. *De Volkskrant*, 13 maart 1989.

2. Idem.

3. Gesprek met een van de directeuren van het departement.

4. De staf van de minister van Ontwikkelingssamenwerking bestaat uit de minister, secretaris-generaal, plaatsvervangend secretaris-generaal, directeur-generaal, particulier secretaris van de minister, hoofd afdeling voorlichting, hoofd afdeling beleidsvoorbereiding en de inspecteur-generaal voor de ontwikkelingssamenwerking.

5. Ministerie van Buitenlandse Zaken en Ontwikkelingssamenwerking, Bezuidenhoutseweg, Den Haag, door zijn vorm genaamd 'aperots'. Het gebouw dankt zijn imposante omvang niet aan Buitenlandse Zaken, dat als hoofdbewoner poseert, maar aan het veel grotere Ontwikkelingssamenwerking. Zonder dat laatste ministerie, dat in de ogen van de traditionele BZ-ambtenaren nooit meer dan een ondergeschoven kind en een lastig filiaal is geweest, zou Buitenlandse Zaken nooit een nieuw gebouw hebben kunnen bekostigen.

6. Verslag van een mondeling overleg, Tweede Kamer, zitting 1978-'79, 15 300 hoofdstuk V, nr. 95.

7. NRC *Handelsblad*, 10 mei 1991.

8. Toespraak tot de Wereldconferentie van de Society for Internatio-

nal Development te Amsterdam, afgedrukt in *De Groene Amsterdammer* van 15 mei 1991.

9. Een aantal passages op deze bladzijde zijn reeds gepubliceerd in een beschouwing op de opiniepagina van NRC *Handelsblad* van 6 juli 1991.

10. Gesprek 6 maart 1992, Huis ten Bosch.

11. In 1901 bracht de regering zichzelf in grote verlegenheid toen zij prins Hendrik, de aanstaande echtgenoot van koningin Wilhelmina, ter gelegenheid van zijn huwelijk, een jaargeld uit de staatskas wilde geven, maar op het laatste moment daarvan terugkwam. Zij durfde geen voorstel voor zo'n toelage in de Tweede Kamer aanhangig te maken, uit vrees voor de oppositie van Troelstra c.s. De pleitbezorger van een vaste toelage, minister W.H. de Beaufort, had zijn ambtgenoten in het kabinet-Pierson voorgesteld de prins het vruchtgebruik te schenken van een deel der domeinen van prins Frederik, die door een toeval aan de staat waren toegevallen. De Beaufort lanceerde zijn voorstel met de motivering dat de prins dan belangen in Nederland zou hebben en door de administratie van die goederen ook nog wat om handen.

De regering durfde het niet aan. Zij liet het voorstel in de lade liggen en maakte zich daarmee schuldig aan woordbreuk, want een jaar eerder had zij prins Hendrik binnenskamers de toezegging gedaan dat hij ter gelegenheid van zijn huwelijk een jaargeld zou krijgen (H.A. van Wijnen, *Van de machts des konings*, Amsterdam, 1975, blz. 147).

Die woordbreuk maakte prins Hendrik financieel afhankelijk van zijn vrouw en van externe geldschieters, sommigen te goeder, anderen te kwader trouw. Doordat hem ook een constitutionele positie van enige betekenis werd onthouden, werd hij gereduceerd tot een marginale figuur, voor wie slechts functies in de charitatieve sfeer waren weggelegd. Ook in intellectueel opzicht was hij een figuur zonder betekenis, aimabel, door velen bemind, maar voor de staatkundige geschiedenis zonder belang.

12. Staatkundige cultuurhistorie nader gedefinieerd als:
   1. kennis van de geschiedenis der staatsinstellingen;
   2. kennis van de constitutionele geschiedenis;
   3. kennis van de staatkundige zeden.

1. Antwoord op Vraag 1. uit de *Tekst van het advies van de Ministers van Staat, dr W. Drees en prof. mr P.J. Oud, met betrekking tot de ministeriële verantwoordelijkheid in aangelegenheden van het Koninklijk Huis* van 24 juli 1964 (*Handelingen Tweede Kamer*, zitting 1964-1965 – 7800. Hoofdstuk III/Algemene Zaken; bijlage van de Nota naar aanleiding van het verslag, nr. 8).

2. Rapport van de Commissie van Drie, a.v., blz. 24. De commissie noemt niet meer dan twee voorbeelden: 'De betrokken defensie- en luchtmachtautoriteiten hebben tot tweemaal toe van Z.K.H.'s relaties in de vs gebruik gemaakt. Eerst is Z.K.H. in juni 1966 gevraagd de toenmalige Amerikaanse minister van Defensie, de heer McNamara, persoonlijk te benaderen om een voor Nederland gunstiger regeling te verkrijgen voor de royalty's die aan de Amerikaanse regering over de F-5 betaald zouden moeten worden. Het concept voor de desbetreffende brief heeft Z.K.H. in overleg met de toenmalige minister van Defensie, de heer P.J.S. de Jong, opgesteld. De brief is eind juni 1966 verzonden.

Eind december 1966 is vanwege de luchtmachtstaf Z.K.H. gevraagd of hij de president van Northrop, de heer Jones, zou kunnen bereiken. De heer Jones was op dat moment onvindbaar en er was de luchtmachtstaf veel aan gelegen alsnog overeenstemming te bereiken op basis van de vóór 31 juli 1966 gedane offerte voor de rechtstreekse aankoop van het toestel bij Northrop. De bemoeiingen van Z.K.H. hebben geen resultaat gehad.' Uit de door de Commissie van Drie niet geraadpleegde correspondentie van de minister van Oorlog, ir. C. Staf, blijkt dat deze minister prins Bernhard in de jaren vijftig veel verdergaande opdrachten tot onderhandeling met de Amerikaanse vliegtuigindustrie gaf.

3. Denis Healy, a.v., blz. 196; mr B.W. Biesheuvel, in gesprek met de auteur; voor de reacties van de sjah van Perzië, zie hoofdstuk XIV; brief van John F. Kennedy van 1 september 1961 (Confidential no. 101/F 12363/61) aan prins Bernhard, waarin onder andere het volgende voorkomt: 'Dear Prince Bernhard: I very much appreciate receiving your comments on the recent air negotiations between our respective delegations. The failure of the discussions was a personal disappointment to me [...]. The difficulties between the US and the Netherlands delegation do not appear to me unsurmountable, and I hope that future discussions may result in an agreement satisfactory to both the Netherlands and the US. We have now initiated a review of our international air policy. I shall examine that policy with the

five points you mention in your letter in mind. I assure you of my continued personal interest in this problem' (archief prins Bernhard/ paleis Soestdijk).

4. Rapport van de Commissie van Drie, blz. 125.

5. Invitatie van de minister-president van 11 maart 1959 aan prins Bernhard (archief prins Bernhard/paleis Soestdijk).

6. Mededeling aan de auteur in 1976.

7. Idem.

8. Idem. De 'Rea', waarin over de 'projecten' van de prins gesproken werd, was de Raad voor economische aangelegenheden, een zogenaamde onderraad of commissie uit de ministerraad.

9. Mededeling aan de auteur in 1976.

10. Idem.

11. Notulen van de ministerraad gehouden op 24 april 1970 in de Treveszaal (archief prins Bernhard/paleis Soestdijk).

12. Brief van de minister-president, minister van Algemene Zaken van 26 augustus 1976 naar aanleiding van het *Onderzoek naar de juistheid van verklaringen over betalingen door een Amerikaanse vliegtuigfabriek*, aan de voorzitter van de Tweede Kamer, a.v., blz. 3.

13. Rapport van de Commissie van Drie, a.v., blz. 53.

14. Rapport, a.v., blz. 36.

15. Brief van de minister-president van 26 augustus 1976, a.v., blz. 3.

16. De affaire-Menten, rapport van de *Commissie van onderzoek betreffende het opsporings- en vervolgingsbeleid inzake Menten vanaf de bevrijding tot de zomer van 1976 en de invloeden waaraan dat beleid al dan niet heeft blootgestaan*; Tweede Kamer, zitting 1978-1979, 14 252, nr 19 (2 banden). De leden van deze commissie waren dr J.C.H. Blom, historicus te Amsterdam, mr A.C. 't Hart, hoogleraar te Tilburg, en dr I. Schöffer (voorzitter), hoogleraar Nieuwste Geschiedenis te Leiden.

17. Brief van de minister-president van 26 augustus 1976, a.v.

18. De grondwet wijst de Hoge Raad als *forum privilegiatum* aan (art. 119 Gw) voor de berechting van leden der Staten-Generaal, ministers en staatssecretarissen, ook na hun aftreden, wegens ambtsmisdrijven in die betrekkingen gepleegd. In oudere grondwetten kwam in het desbetreffende artikel nog de bepaling voor dat de wet kon bepalen dat 'nog andere ambtenaren en leden van hoge colleges wegens ambtsmisdrijven voor de Hoge Raad terecht staan'. Op grond van die bepaling konden ook leden van het koninklijk huis, behoudens de onschendbare koning, worden vervolgd. Deze grondwetsbepaling heeft tot de tegenwoordige dag nog nooit toepassing gevonden en de Hoge Raad is sinds de bepaling in 1814 in de grondwet is gebracht nimmer als forum privilegiatum opgetreden.

19. De toestemming van minister-president Van Agt betrof de aanwezigheid van prins Bernhard bij de begrafenis van Lord Louis Mountbatten (graaf Mountbatten of Burma), die in de zomer van 1979 door een aanslag van de IRA om het leven kwam. Het had echter heel wat voeten in de aarde voordat zij werd gegeven doordat Van Agt enige keren van standpunt wisselde voordat hij berustte in zijn definitieve goedkeuring. Het begon met de volgende brief van minister-president Van Agt van 31 augustus 1979 aan prins Bernhard:

Mondeling heb ik U van mijn bezwaren tegen uw verschijnen in uniform al op de hoogte gesteld, in overeenstemming met het negatieve advies van de minister van defensie en van de vicepresident van de Raad van State, die destijds bij het maken van de afspraak over de uniformkwestie met het toenmalige kabinet aanwezig is geweest. U antwoordde dat U Uw voornemen al aan de Britse ambassade had kenbaar gemaakt [...]. Mocht U bij Uw voornemen blijven, dan moet ik dit uiteraard voor mijn ministeriële verantwoordelijkheid nemen en ik zal Uw optreden in dat geval dus verdedigen. Ik acht mij evenwel verplicht U te ontraden Uw voornemen te volgen.
Met de meeste hoogachting,
A.A.M. van Agt
(archief prins Bernhard/paleis Soestdijk).

Prins Bernhard antwoordde de volgende dag:

Er is al vaker over mijn wel of niet dragen van uniform gesproken. Ook met de heer Den Uyl sprak ik erover naar aanleiding van de herdenking op 4 mei 1977. Hij vroeg mij toen het bij die gelegenheid nog niet te doen, maar een betere af te wachten.

Volgens mijn vrouw en mij doet zich die gelegenheid nu voor; helaas, natuurlijk, maar het lijkt ons goed om nu te laten blijken dat ik het recht heb om uniformen te dragen en zodoende de mare van een 'verbod' uit de wereld te helpen. Zoals U in Uw brief vermeldt, hebt U trouwens zelf spontaan positief gereageerd toen ik U donderdag belde om over deze zaak overleg te plegen en ik U vertelde wat onze mening was. De heer Ruppert is blijkbaar van de consequentie van mijn *eervol* ontslag uit de actieve militaire dienst niet geheel op de hoogte, en hetzelfde geldt misschien voor de Minister van Defensie.

Volgens mij is er dus geen sprake van de noodzaak van een 'verdediging' Uwerzijds – alleen zou eventueel verklaard moeten worden hoe de vork in de steel zit. Wij allen zijn van mening dat het bij een mogelijke vraag in de Kamer van het grootste belang is dat voor eens en voor altijd duidelijkheid in deze aangelegenheid wordt gebracht.

Overigens ben ik werkelijk niet van plan verder nog vaak in uniform te verschijnen, bijvoorbeeld nooit meer bij de opening van de Kamer of op 4 mei, en ik zal ook in de toekomst vanzelfsprekend met U overleggen of het bij een volgende, speciale gelegenheid al dan niet gewenst is.

(Brief van prins Bernhard van 1 september 1979 aan minister-president A.A.M. van Agt; archief prins Bernhard/paleis Soestdijk).

Op 1 september kwam de minister-president op de kwestie terug:

Vandaag is bekend geworden dat de plechtigheid in Westminster Abbey op woensdag 5 september a.s. door een rechtstreekse televisie-uitzending in de Nederlandse huiskamers zal worden gebracht. Dit gegeven schept een wezenlijk nieuwe situatie. De consequentie hiervan is immers, dat uw eventueel optreden in uniform op de meest indringende wijze onder de aandacht in Nederland wordt gebracht. Men kan het ook zo stellen: psychologisch zou het daarop neerkomen, dat u hier te lande in uniform verschijnt. Hoe indringend het medium televisie wel is en hoe hevig de emoties kunnen zijn die door een televisie-uitzending worden gewekt, heeft de ervaring intussen geleerd. Onder de omstandigheden zoals die, naar nu pas blijkt, a.s. woensdag zullen zijn, vrees ik dat de positie van de Koningin en Haar Huis zou worden geschaad.

Ik moet daarom thans tegen Uw voornemen in uniform naar Londen te gaan ernstig bezwaar maken en een beroep op U doen daarvan af te zien.

Met de meeste hoogachting,

A.A.M. van Agt

(brief van 1 september 1979, archief prins Bernhard/paleis Soestdijk).

20. Brief van minister-president drs R.F.M. Lubbers van 11 maart 1991 aan prins Bernhard. De brief geeft de volgende motivering voor de aansporing het uniform weer te dragen: 'Dit jaar zal het vijftien jaar geleden zijn dat het rapport van de Commissie van Drie verscheen. In dit rapport is ook een verklaring van uw hand verschenen. Deze eindigt met de navolgende zin: "Ik hoop de gelegenheid te behouden het land te dienen en mede daardoor het vertrouwen in mij te herstellen." Het staat voor mij vast dat u de afgelopen vijftien jaar deze intentie op goede wijze inhoud hebt gegeven. Daarvoor wil ik u, ook namens de andere leden van het kabinet, dankzeggen.' Opmerkelijk is de kleurloze woordkeuze in de als compliment bedoelde voorlaatste zin. In de concept-brief, die aan de fractievoorzitters van de Tweede Kamer was voorgelegd, stond: 'Het staat voor mij vast dat u de afgelopen vijftien jaar deze intentie op voortreffelijke wijze inhoud hebt gegeven.' Nadat van de zijde van Groen Links bezwaar was gemaakt tegen het woord 'voortreffelijk', veranderde minister-president Lubbers 'voortreffelijke wijze' in 'goede wijze'. De auteur betuigt zijn erkentelijkheid tegenover de minister-president voor het verlenen van inzage in de brief.

Gelijk met de troonsbestijging van Juliana, zijt Gij krachtens de geldende bepaling 'de' Prins der Nederlanden. Ik doe een beroep op alle land- en rijksgenoten en niet minder op het buitenland U zo te noemen. Alhoewel goed bedoeld, is de vergissing vrij algemeen, dat Gij in den vervolge prins-gemaal zoudt heten. Deze titel heeft echter hier te lande nimmer bestaan, is daarom onaanvaardbaar.

Koningin Wilhelmina in een brief aan prins Bernhard van 29 juni 1948.

Verantwoording

Dit boek is geschreven tijdens een studieverlof in 1992, waartoe ik in staat ben gesteld door een A.S. Spoor Fellowship van NRC Handelsblad. Ik dank dat voorrecht aan de hoofdredacteur van mijn krant, Ben Knapen, die het uit eigen ervaringen gewonnen inzicht had dat een boek als dit, dat grotendeels op de archieven veroverd moest worden, het licht nooit zou zien wanneer het in vrije tijd had moeten worden gewrocht.

Ik ben veel dank verschuldigd aan mijn collega van de krant Marion van Schaijk voor haar steun en hulp bij mijn algemene research. Ik dank Peter de Bie te Deventer voor diens medewerking bij mijn archiefonderzoek naar de geschiedenis van de Binnenlandse Strijdkrachten en andere archiefstukken van de tweede wereldoorlog. Dat geldt eveneens voor Bob den Doolaard, de nestor van de Nederlandse journalistiek, die mij zijn archiefstukken uit zijn Londense oorlogsjaren afstond, en voor Henry Bulhof te Oosterbeek voor zijn informatie over de Britse inlichtingendiensten.

Het Nederlandse archiefwezen heeft mij verder aan zich verplicht door mij op de meest onbekrompen wijze de weg te wijzen in zijn schatkamers. De chef studiezaal van het Algemeen Rijksarchief S. Plantinga en het hoofd van de sectie externe dienstverlening mevrouw F. van Anrooij hebben mij de ruimhartigste hulp verleend, evenals de bibliothecaris van de Rijksvoorlichtingsdienst I.C.M. Wubben. J. Eeftink, archivaris bij het Haagse gemeentearchief, heeft zorgvuldige naspeuringen voor mij gedaan in het Geheim-archief van de Haagse politie.

Ten slotte betuig ik mijn bijzondere dank aan dr E.H. van der Beugel, mr B.W. Biesheuvel, mr W.F. de Gaay Fortman, mr M. van der Stoel, mr M.J.D. van der Voet en G. van der

Wiel, die mij hun inzichten hebben afgestaan en als klankbord hebben willen fungeren. Maar ik voel mij het meest verplicht aan mijn vrouw Nelletje, in alles mijn alter ego, die haar stempel op dit boek heeft gedrukt en het vooral voor ontsporing heeft behoed, en zonder wier steun dit boek nog jaren op zich zou hebben laten wachten.

Bronnen

Gesprekken met de beide hoofdpersonen:
Prins Bernhard, paleis Soestdijk: 3 februari 1977, 20 juni 1977, 28 juni 1977, 5 december 1980; 16 oktober 1991, 4 november 1991, 9 december 1991, 21 januari 1992, 8 februari 1992, 11 april 1992, 27 mei 1992, 20 juni 1992.

Prins Claus, Huis ten Bosch: 25 september 1990, 19 maart 1991, 15 mei 1991, 6 maart 1992, 19 mei 1992.

Verder betuig ik mijn dank aan mr J.H.O. graaf van den Bosch, Hilversum, mr F.Th. Dijckmeester, Apeldoorn, A. den Doolaard, Hoenderloo, luitenant-kolonel b.d. H.F. Fabri, Breukelen, P.J.S. de Jong, Den Haag, kolonel b.d. C.C. van Lidt de Jeude, Echteld, mr A.F. Melai, Voorschoten, drs G. Peynenburg, Wassenaar, dr L. de La Rive Box, Den Haag; drs F.E.R. Rhodius, Den Haag, J. de Ru, Doorwerth, dr H.J. Scheffer, Amerongen, mr A. Stemerdink, 's-Hertogenbosch, dr A. Szasz, Amsterdam, generaal b.d. W. den Toom, Den Haag, ir H. Vredeling, Huis ter Heide, dr J. Zijlstra, Wassenaar. Met ieder van hen heb ik gesproken over aspecten die in dit boek behandeld zijn.

Zoals in de Inleiding al vermeld, heb ik inzage gehad in de persoonlijke papieren van prins Bernhard in het koninklijk huisarchief en in zijn particuliere en officiële correspondentie in het archief op paleis Soestdijk. In de zomer van 1992 is mij op paleis Soestdijk de zogenoemde Gele kamer ter beschikking gesteld, waar ik ongeclausuleerd de officiële correspondentie van de prins heb mogen raadplegen. Zowel voor de gesprekken met prins Bernhard en met prins Claus als voor het onderzoek in de koninklijke en departementale archieven is mij machtiging verleend door de minister-president en door de koningin.

Aan alle organen en ambtsdragers die daaraan hun onwaardeerbare medewerking hebben verleend, betuig ik mijn grote erkentelijkheid.

ARCHIVALIA

ARCHIEF PRINS BERNHARD, paleis Soestdijk.

BUITENLANDSE ZAKEN, MINISTERIE VAN/DEN HAAG
Kabinetsarchief
Gezantschapsarchieven Argentinië, Brazilië, Peru, Mexico, Chili, Venezuela, Colombia en Uruguay 1945-1954
Politieke rapporten aan prins Bernhard 1951-1952 (AMBZ dossier 902)
Luchtvaartovereenkomsten (AMBZ dossier 554)
Buitenlandse bezoeken koninklijk huis (AMBZ dossier 272)
Geheim telegram van president J.F. Kennedy aan minister-president dr J.E. de Quay over een internationale oplossing van de kwestie-Nieuw-Guinea d.d. 31 juli 1962 en aan koningin Juliana en prins Bernhard d.d. 16 augustus 1962; antwoord van koningin Juliana d.d. 10 september 1962; antwoord van minister-president dr J.E. de Quay d.d. 19 september 1962; telegram nr 6136 van minister mr J.M.A.H. Luns aan ambassadeur dr H.J. van Roijen met motivering van beslissing de briefwisseling president VS-Nederlandse regering geheim te houden d.d. 11 september 1962; memorandum over embargo op briefwisseling tussen president Kennedy en koningin Juliana van 25 maart 1968.

BINNENLANDSE ZAKEN, MINISTERIE VAN/DEN HAAG
Archief BVD: Rapporten over de Nederlandse Inlichtingendienst van 1918-1940 en van 1940-1944 te Londen.

DEFENSIE, MINISTERIE VAN/DEN HAAG
Centraal Archievendepot:
Register Londens archief 1940-1945
notulen Legerraad 1945-1954

Documentatiedienst Sectie militaire geschiedenis van de Landmachtstaf
Collectie-H.J. Kruis, dozen 390 en 390 A.

ECONOMISCHE ZAKEN, MINISTERIE VAN/DEN HAAG
Archief Directoraat Buitenlandse Economische Betrekkingen
(BEB):
Dossier Verslag reis Nederlandse economische delegatie onder
leiding van de minister van Economische Zaken naar Teheran
(1975) en van voorbereidend bezoek van prins Bernhard aan
de sjah.

DE ZWALUWENBERG/HILVERSUM
Archief Inspecteur-Generaal van de Krijgsmacht 1946-1976
Nota van de luitenant-generaal de Savornin Lohman over de
organisatie van het Inspectoraat-generaal van de Krijgsmacht
Krijgsgeschiedenis en Ceremonieel van het Hoofdkwartier der
Koninklijke Landmacht, Sectie/Den Haag
Dagboek van kapitein C.A. van Woelderen over GS III 1916-
1918.

ALGEMENE ZAKEN, MINISTERIE VAN/DEN HAAG
Kabinetsarchief 1964.

ALGEMEEN RIJKSARCHIEF/DEN HAAG
Tweede afdeling:
Archief Kabinet der Koningin 1936-1940
Particuliere collecties:
collectie-D.U. Stikker
collectie-P.S. Gerbrandy
correspondentie over de Parlementaire Enquêtecommissie-
1947
collectie-E.B.F.F. Wittert van Hoogland.

GEMEENTEARCHIEF VAN DEN HAAG
Geheim archief van de Gemeentepolitie van Den Haag 1914-
1951.

GEMEENTEARCHIEF VAN ROTTERDAM
Geheim archief van de Gemeentepolitie van Rotterdam 1914-1920.

PARTICULIER ARCHIEF A. DEN DOOLAARD/HOENDERLOO

KONINKLIJKE LUCHTVAARTMAATSCHAPPIJ/AMSTELVEEN
Archief Directie en Raad van Commissarissen KLM 1948-1976.

RIJKSVOORLICHTINGSDIENST/DEN HAAG
Knipsels Koninklijk Huis.

DE NEDERLANDSCHE BANK/AMSTERDAM
Directie-archief: Dossier over de rol van de president dr M.W. Holtrop in de verlening van een deviezenvergunning aan de treinstellenfabriek Werkspoor in 1951.

ANDERE BRONNEN

Nieuwe Rotterdamsche Courant 1936-1970
Algemeen Handelsblad 1936-1970
NRC *Handelsblad* 1970-1992
Keesings Historisch Archief 1935-1992.

LITERATUUR

Agung, G. de, en I.A. Agung, *'Renville' als keerpunt in de Nederlands-Indonesische onderhandelingen*, Alphen aan den Rijn, 1980
Ammerlaan, R. (red.), *Van Harte Prins Bernhard*; Vriendenbundel bij de 75ste verjaardag van de Prins der Nederlanden, Baarn, 1986
Arlman, Hugo en Gerard Mulder, *Van de Prins geen kwaad*, Alphen aan den Rijn, 1982
Brown, Anthony Cave, *A Bodyguard of Lies*, New York, 1975
Brave-Maks, M.H., *De Koningin in Londen*, Zutphen, 1980
id., *Prins Bernhard in oorlogstijd*, Amsterdam/Brussel, 1962
Delmer, Sefton (Tom), *Mijn vriend de Prins*, Amsterdam, 1965

Doolaard, A. den, *Londen en de zaak-Van 't Sant*, Amsterdam, 1980

Drion, F.J.W., *Vaderlandsche Jaarboeken*, jrg 1937, Zeist, 1938

Eisenhower, Dwight, *Crusade to Europe*, New York, 1948

Esterik, Chris van, en Joop van Tijn, *Jaap Burger, Een leven lang dwars*, Amsterdam, 1984

Gerbrandy, P.S., *Eenige hoofdpunten van het Regeeringsbeleid in Londen*, Den Haag, 1946

Gilbert, Martin, *Winston S. Churchill 1941-1945, Road to Victory*, Vol. VII, Londen, 1986

Graeff, jhr A.C.D. de, *'Voor u persoonlijk', Brieven aan J.P. graaf van Limburg Stirum* (1933-1937), Den Haag/Hilversum, 1986

Hart, G.H.C., *Het dagboek van dr G.H.C. Hart mei 1940-mei 1941* (bew. A.E. Kersten), Den Haag, 1976

Hatch, Alden, *Prins Bernhard, zijn plaats en functie in de moderne monarchie*, Amsterdam, 1962

Healy, Denis, *The Time of My Life*, Londen, 1989

Helfrich, C.E.L., *Memoires*; 2 dln, Amsterdam, 1950

Holden, Anthony, *Charles, Prince of Wales*, (Pan Books), Londen, 1980

Janssen, J.A.M.M., *De Legerraad 1945-1982*, Den Haag, 1982

Japikse, N., *Johan de Witt*, Amsterdam, 1928

Jong, L. de, *Het Koninkrijk der Nederlanden in de Tweede Wereldoorlog*, dln 1, 9 en 10, 12 en 14, Den Haag, 1969-1991

Jonge, B.C. de, *Herinneringen van jhr mr B.C. de Jonge*, uitgegeven door dr S.L. van der Wal, Utrecht, 1968

Kissinger, Henry, *The White House Years*, Londen, 1979

Klinkenberg, Wim, *Prins Bernhard, Een politieke biografie*, Amsterdam, 1979

Landau, Henry, *Secrets of the White Lady*, New York, 1935

Montgomery, B., *The Memoirs of Field Marshall Montgomery*, Londen, 1958

Nicolson, Harold, *King George the Fifth, His Life and Reign*, (Pan Books), Londen, 1967

Ojen jr., G.J. van, *De Binnenlandse Strijdkrachten*, 2 dln, Den Haag, 1972

Parlementaire Enquêtecommissie, Verslagen (PEC), dl 1-8, Den Haag, 1949-1953

Puchinger, G., *Is de Gereformeerde wereld veranderd?* Delft, 1966

Putlitz, Wolfgang zu, *In rok tussen de bruinhemden; herinneringen van een Duits diplomaat*, Den Haag, 1964

Rehwinkel, J.P., *De minister-president*, Zwolle, 1991

Rose, Kenneth, *King George V*, Londen, 1983

Rutten, Gerard, *Ontmoetingen met koningin Wilhelmina*, Utrecht, 1962

Stemerdink, A., *Dagboeken van Bram Stemerdink*, Amsterdam, 1986

Trevor-Roper, Hugh, *Introduction to Hitler's Table Talk 1941-1944*, Oxford, 1988

Urquhart, Brian, *A Life in Peace and War*, Londen, 1987

Verheul, Jaap en Jaap Dankers, *Tot stand gekomen met steun van... Vijftig jaar Prins Bernhard Fonds*, 1940-1990, Zutphen, 1990

Vondeling, dr A., *Nasmaak en voorproef*, Amsterdam, 1968

Vries, dr John de (red.), *Ernst Heldring, Herinneringen en dagboek 1871-1954*, 3 dln, Utrecht, 1970

Wagenaar, Jan, *Vaderlandsche Historie*, Dertiende deel, 49ste en 50ste boek, Amsterdam 1752

Waterink, J., *Onze Prins in het publiek en binnenskamers*, Wageningen, 1951

Wheeler-Bennett, John W., *King George VI, His Life and Reign*, (Papermac) Londen, 1965

Wiessing, H.P.L., *Bewegend Portret*, Amsterdam, 1960

Wilhelmina, Koningin, *Eenzaam maar niet alleen*, Amsterdam, 1959

Ziegler, Philip, *Mountbatten*, Londen, 1985

Register op personen

CIP-GEGEVENS KONINKLIJKE BIBLIOTHEEK, DEN HAAG

Wijnen, Harry van

De prins-gemaal : vogelvrij en gekooid / Harry van Wijnen. -
Amsterdam : Balans. - Ill.
ISBN 90-5018-179-1
NUGI 643/693
Trefw.: prins-gemaal / Bernhard (prins der Nederlanden)
/ Claus (prins der Nederlanden).